陪著你玩

關於本書

　　《陪著你玩》是一本繪本，期待她能幫助您與學生建構正向的關係，並開啟一段積極陪伴的歷程。

　　我們本著遊戲治療的理念，考慮學校輔導的實務，設計《陪著你玩》繪本。讓學校的輔導老師，在專心陪伴孩子遊戲的過程中，為孩子建構一段有趣的、被關心的、被肯定的生命經驗，期待您將整個遊戲過程的點點滴滴收集成一本遊戲小書，並於結案時送給小孩。

　　一年、　二年……十年之後，當孩子再看到您送他的遊戲小書時，相信他會感受到你的「關心」與「接納」，這本遊戲小書將會是他一生珍藏的「禮物」。

　　是您給他的一個「生命禮物」。

陪ㄆㄟˊ著ㄓㄜˋ你ㄋㄧˇ玩ㄨㄢˊ

文＊鄭如安・陳玟如
圖＊陳珏汝

這是斑斑與花花的故事

斑斑與花花都是學校的學生，

他們彼此不認識，

這是他們在學校的故事……

斑斑與花花在學校。

斑斑有高興與快樂的時候，
下課和同學一起玩躲避球，
運動會大隊接力得獎，
老師請全班喝飲料，
同學生日請大家吃披薩，
跩跩的大雄跌得四腳朝天，
大嘴巴的小英體育課時被斑斑K個正著。

花花有高興與快樂的時候，

下課和好朋友聊天，

小英告訴花花一個祕密，

老師說花花穿的花洋裝很漂亮，

聖誕節時收到同學送的卡片，

數學成績贏過自大的小玉，

惡作劇的阿昆被老師罰掃廁所。

11

但是，

有更多的時間，　斑斑與花花是不快樂的！

斑斑的爸爸與媽媽又吵架了，可能會離婚。

斑斑又和大雄吵架，還把大雄打傷了。

斑斑功課沒寫完，導師要斑斑的爸媽來學校。

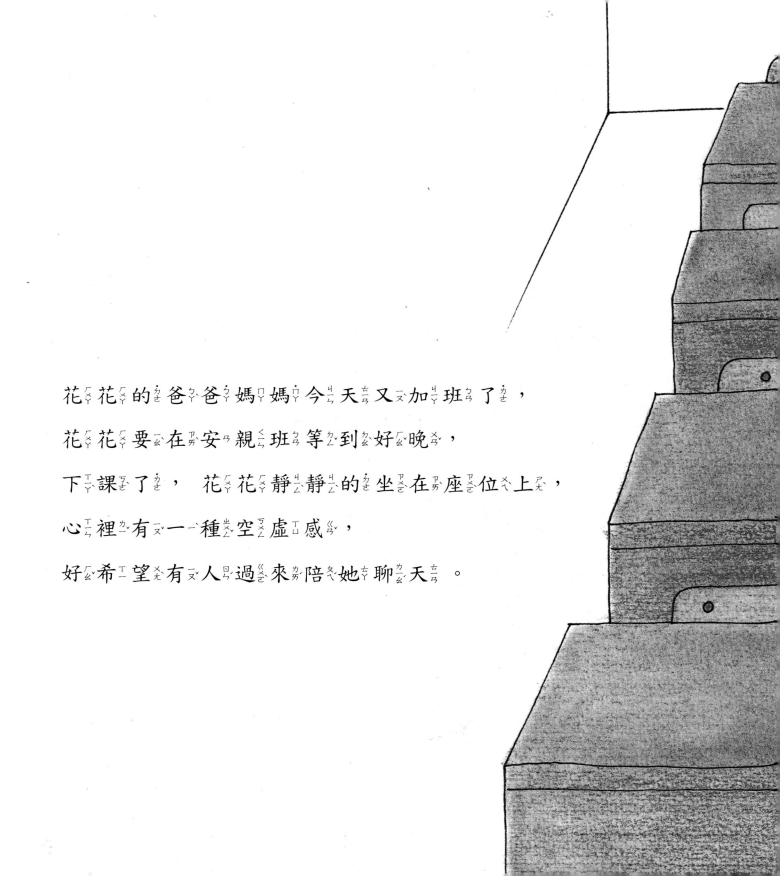

花花的爸爸媽媽今天又加班了，
花花要在安親班等到好晚，
下課了， 花花靜靜的坐在座位上，
心裡有一種空虛感，
好希望有人過來陪她聊天。

有時候　功課好多，

有時候　有些同學好討厭，

有時候　老師好兇，

有時候　考試壓力好大！

18

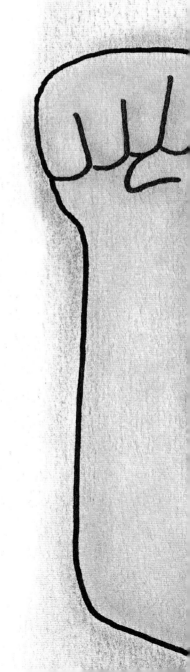

有時候　好容易生氣，
有時候　好想哭，
有時候　好想回家，
有時候　又好想不回家，
有時候　什麼都不想做！

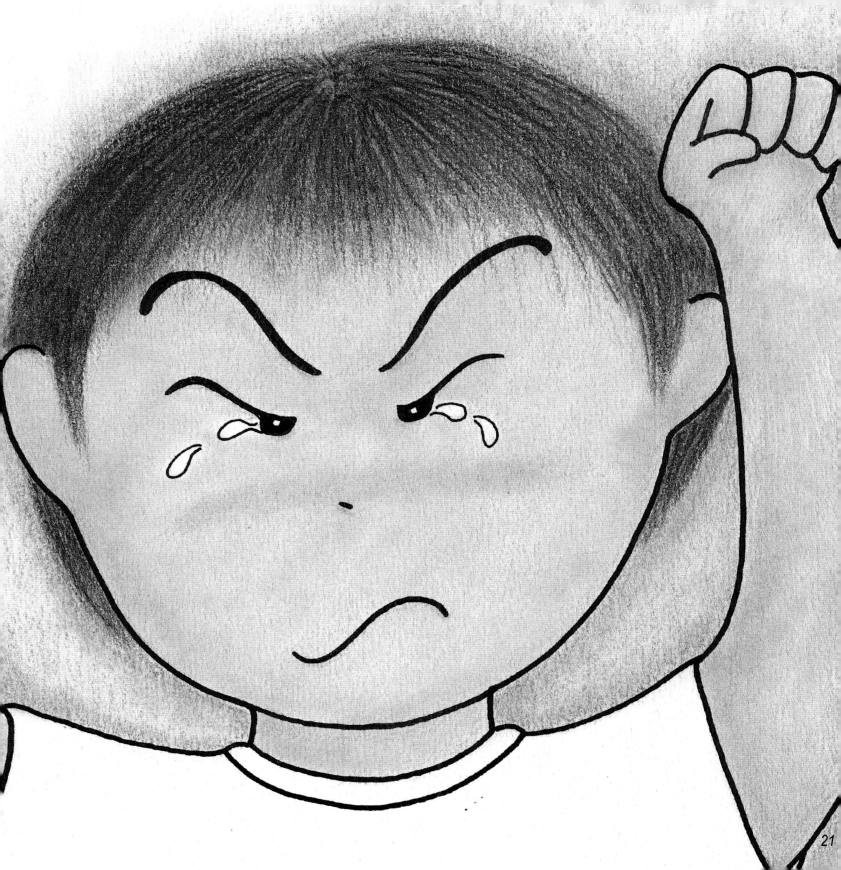

斑斑與花花的老師
都很關心他們，
但是
班上還有好多同學需要照顧，
老師並沒有忽略斑斑與花花，
只是沒有辦法馬上注意到斑
斑與花花。

22

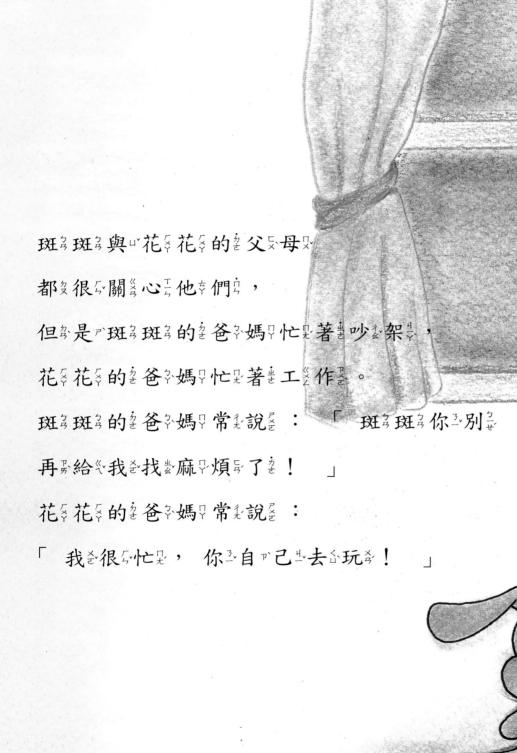

斑斑與花花的父母
都很關心他們，
但是斑斑的爸媽忙著吵架，
花花的爸媽忙著工作。
斑斑的爸媽常說：「斑斑你別
再給我找麻煩了！」
花花的爸媽常說：
「我很忙，你自己去玩！」

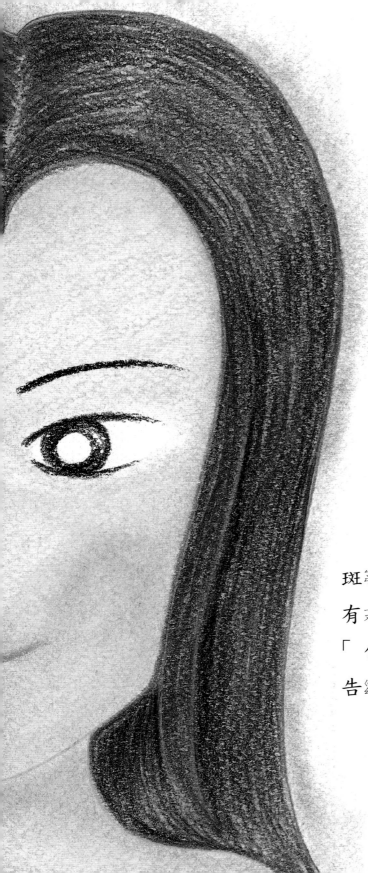

斑斑與花花的父母，
有時候會來關心斑斑與花花，
「你怎麼了？ 你好像不開心？
告訴爸媽發生什麼事了？ 」

但是這個時候，

斑斑與花花不想讓爸媽煩惱，

斑斑與花花也不知道該怎麼說？

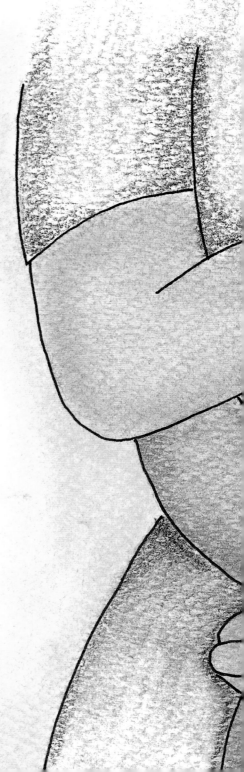

斑斑與花花覺得

好煩惱！

好無助！

好不快樂！

有一天，　老師介紹斑斑、花花
認識一個新老師。
從此，　每週他都準時出現。

他ㄊㄚ會ㄏㄨㄟˋ帶ㄉㄞˋ著ㄓㄜ˙可ㄎㄜˇ愛ㄞˋ的ㄉㄜ˙娃ㄨㄚˊ娃ㄨㄚˊ布ㄅㄨˋ偶ㄡˇ與ㄩˇ斑ㄅㄢ斑ㄅㄢ、 花ㄏㄨㄚ花ㄏㄨㄚ

打ㄉㄚˇ招ㄓㄠ呼ㄏㄨ， 還ㄏㄞˊ請ㄑㄧㄥˇ斑ㄅㄢ斑ㄅㄢ、 花ㄏㄨㄚ花ㄏㄨㄚ為ㄨㄟˋ布ㄅㄨˋ偶ㄡˇ取ㄑㄩˇ名ㄇㄧㄥˊ字ㄗˋ，

斑ㄅㄢ斑ㄅㄢ、 花ㄏㄨㄚ花ㄏㄨㄚ覺ㄐㄩㄝˊ得ㄉㄜ˙好ㄏㄠˇ新ㄒㄧㄣ奇ㄑㄧˊ、 好ㄏㄠˇ有ㄧㄡˇ趣ㄑㄩˋ喔ㄛ！

遊戲輔導老師是一個很特別的老師，
他總是讓小朋友決定今天要玩什麼？
撲克牌、蠟筆、粘土、汽車、槍這些玩具
都可以玩，他總是很輕鬆的陪在旁邊，
而且會很專心的聽小朋友說話。

他偶而也會問一些問題，
邀請小朋友畫圖或讀繪本，
有時候和小朋友聊同學，也聊家人，
也可以分享任何生活中發生的事情！

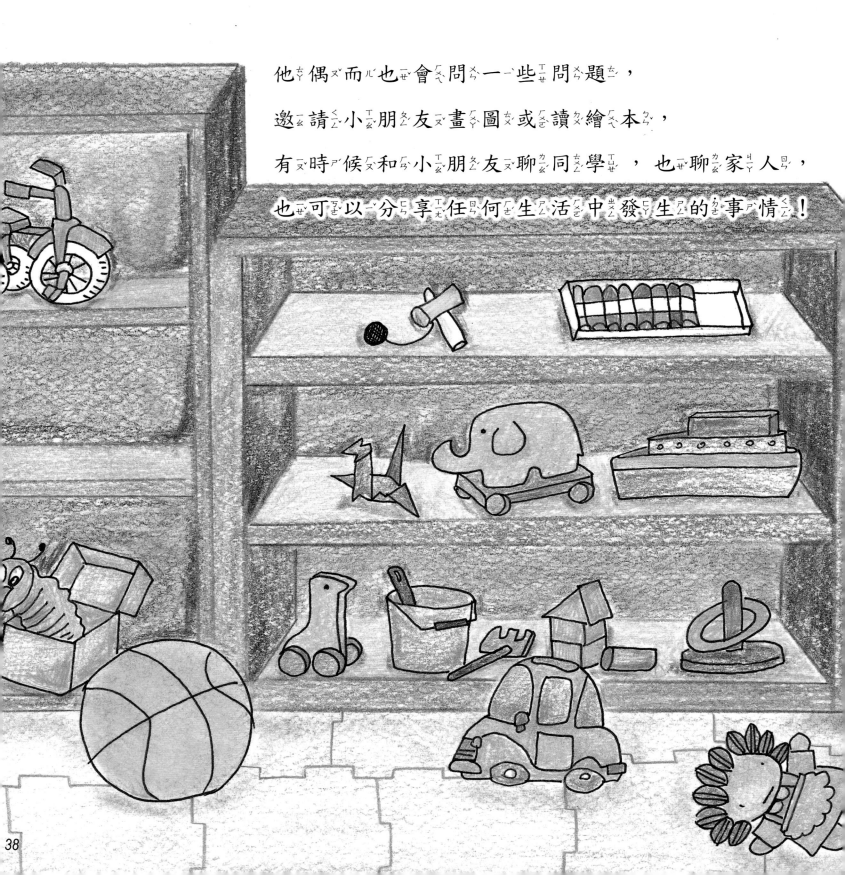

　　但如果以當代藝術哲學的發展趨勢，藝術教育內涵的「衍變」和美感定義的變遷，已經使當代藝術教育的性質和課程內容，都必須再作深入的探討和因應。如果我們確信教育必須具前瞻性，目的是為每個孩子未來人生的自我實現做準備，那麼面對「藝術哲學的語意學轉向發展」（朱立元 2000），藝術教育當然應該要有相對應的調整。當「藝術的歷史已經斷裂」（Arthur C. Danto 2004）；當「藝術是對哲學、政治、人性、物質文明的發展，給予回應的種種形式和態度。」（高千惠 2014），藝術教育的內容和處理的課題，實際上遠遠超過藝術創作、欣賞和美感的範疇，如果不能理解藝術教育內涵和目標的轉變與擴展，以為藝術的主要目的只是在美感，或是美感只存在於經驗中，這樣的美感教育觀點，可能會嚴重扭曲藝術教育的功能和目標。

　　參考美國俄亥俄大學 Arthur Efland 教授主講的《美國的藝術與美感教育》（郭禎祥譯 1992）；嘉義大學劉豐榮《當前美感教育方向之新思維：精神性取向全人美感教育理念初探》（2008）；新竹教育大學吳采純：《國小學童美感素養之教學策略探討》（2009），相關論述的標題雖然都與美感教育相關，但實質的探討仍是以藝術教育為主軸，或是以視覺文化、精神性等人類生活的本質價值，擴充解釋美感教育的意義和目標，上述的各項美感教育論述，在課程內容和教學實施方式的觀點，實際上仍回歸到既有的藝術教育領域。

　　聯合國教科文組織（UNESCO）的世界藝術教育組織（InSEA），2010 年的韓國首爾大會，聚集來自 95 個國家，超過 650 名藝術行政人員及專家，透過部長級圓桌會議、專題演講、小組討論、工作坊、區域性團體討論，以及藝術教育和文化交誼等互動方式，會前準備過程將近一年，並經國際指導團（IAC）反覆交換意見及會議討論，研判各種意見的優先性，納入所有參加者各種層面的意見，才得以完成的《世界藝術教育發展報告書》，認為「**藝術教育是整個教育改革的基礎，也是社會文化改革進步的原動力，包括協助解決今日世界面臨的社會及文化衝擊問題**」，這才是當代藝術教育所期待的重要目標，而關於「美感」的表述，則認為只是各種學習發展可以統整的層面之一，並非無限上綱的涵蓋藝術教育和其他學科。

　　這樣的藝術教育觀，其實也和美感教育計畫的原始推動者之一，漢寶德教

授所認為的「藝術教育的理想狀態」完全相符（漢寶德，2006，p.68 ～ 70）。也就是以下（圖三）所示的概念。

圖 3 當代藝術教育內涵與功能性的示意圖

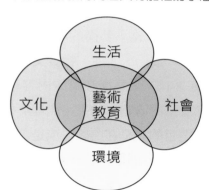

上圖以中心的藝術教育為基礎，外圈是其他教育領域的示意，可以增添更多的不同領域，包括學校教育的各個學科和融入議題，當然也包含文化、美感、生涯教育等，這應該也比較符合當代教育重視學科統整的學習概念。

「美感」和「藝術」，是兩個很容易被泛化和簡單化應用的名詞，嚴謹的「藝術教育學」專業立場，會詳細探討「美感」和「藝術」的定義，也會明確探討教育目標和課程結構，絕對不會僅以美感形式原理作為教學目標。以藝術教育學的概念對相關議題作深入探討，在消極面可以避免教育資源和人力的無謂虛耗，減弱了藝術教育的能量，積極面則是確定藝術教育發展的面向，提供整體課程規劃以及改善教學品質的參考依據，這也是強調藝術教育學的專業性最主要目的。

二、當代美學與美感定義的釐清

「美感」定義的傳統說法就是對「美」的感知能力和經驗。也可說是個體透過視覺或其他知覺感官，審視並知覺對象的美感特質之後，所獲得的一種較高層次的心靈感受。要能獲得美感的感受，其關鍵在於主體與美感對象的互動（吳采純，2009）。

但這種敘述的最主要關鍵，卻出在「美」可能是人類文明史上最多爭論，

意含最常變遷的概念之一，美的定義含混不清，結果可能是一再強調美感的重要和教育價值，而真正要感受的「美」，卻是面貌模糊甚至各說各話，然後簡單假設各種論述的觀點都一致，以這種方式討論藝術教育和美感教育，問題恐怕不止於粗糙而已。

本項論題如果以較嚴謹的美學理論加以檢視，大致可以判斷原計畫書的美學理念，似乎源自認識論階段的經驗主義。但是美學從本體論轉入認識論階段，除了經驗主義美學，同一時期的理性主義美學（包姆嘉通 Alexander G. Baumgarten 1714 ～ 1762 為代表）和古典美學（康德 Immanuel Kant，1724 ～ 1804；黑格爾 Georg W.H. Hegel，1770 ～ 1831 為代表），兩者的美學論述和影響並不低於經驗主義，理性主義和古典美學可以概括為「哲學的美學」，強調人的先天的心靈和精神活動，美是人類與生俱來的心靈本質，形而上的美可以經由直觀感受或理性的演繹而來，未必要藉助外在的經驗和形式才能感知。這和經驗主義的「科學的美學」是完全迥異的美感觀念。隨後 19 世紀的美學包括法國的實證主義美學，美國的自然主義美學，以及承續德國古典哲學美學的馬克思主義美學等，也還是都在認識論的範疇內，這也足以說明經驗主義美學並不是最重要或最具代表性的美學理念。

更重要的是當代美學歷經「語意學的轉向」（朱立元 2000）之後，不但解構了傳統美感的定義，更對當代藝術哲學內涵有重大的開創性論述，包括邏輯實證主義和分析哲學的發展，以及現象學（海德格 Martin Heidegger，1898 ～ 1976）、現代哲學解釋學（伽達默爾 Hans G. Gadamer，1900 ～ 2002）、結構主義（李維史陀 Claude Lévi-Strauss1908 ～ 2009）、解構主義（德希達 Jacques Derrida，1930 ～ 2004）等。或許可以比較概括地說，以存在主義和當代歐陸哲學為主的當代人文主義哲學，相當程度已是引導當代美學（藝術哲學）的主流，無論是藝術的意義或人生的美感，內涵都不可能僅止於形式分析為主的經驗主義，Arthur Danto 的《美的濫用（The Abuse of Beauty）》或許就是當代美感定義的參考註腳：「在任何情況下，審美不會是孤立的。審美是整個更大架構的一部份，因為藝術本身是無法與生活的其他部分分割的。整個生活才是未來的議題。」（鄧伯宸 譯，2008，國內譯本書名《換一種眼光看美》）。

　　美感的定義因為當代美學發展的影響，不但不再是以視覺的形式秩序為主，反而強調人在審美活動中的主體地位和決定作用，追求審美的絕對自由和超越（朱立元，2001），後現代主義對傳統美學價值體系的批判和顛覆，開啟美學超越原有哲學領域的多元發展和新視野，探討的範疇涉及社會文化的各個層面，各種思潮更是跨域、交疊、衍變而交錯影響，涵蓋文化、生活、社會、現代性、後現代性、後殖民、文化霸權、媒體、性別…，似乎所有和人的生命意義與生活價值相關的議題，都可以被納入美學哲學的探討，美學也從至高無上的本體概念，被拉下來回歸世俗的真實生活，「美」的定義似乎更為多元複雜，但也似乎更為具體而貼近真實生活，脫離形式分析的「美」，因為可以由個人自己定義而讓人疑慮，但也因為可以自己詮釋而有更真實的意義（2015，吳正雄）。

三、美感教育與藝術教育的推展與實施

　　美感是藝術意義和價值的一部分，藝術的精神、觀念和思考，也可以轉化為一種和美感相關的生活態度，所以當代藝術不僅涵蓋美感和生活的所有議題，在更廣泛且深刻的層面，「藝術」思考人類生命的終極價值，也探索各種世俗生活和精神活動的意義，並將這些思考和探索結果，以各種特有的形式表現出來，形成人類獨有的表達和溝通方式，或許這才是藝術價值的真正定位，也是探討藝術的定義和本質不可忽略的原則。當然，依循當代美學理念把這些深刻的思考、表現、溝通，也定義為是美感的內涵，其實是美感意涵時代差異性的拓展，但這相較於把「美」切割成色彩、比例、質感、構成等視覺形式的所謂美感，就完全無法相提並論了。

　　強調視覺元素和美學原理原則的學習，或許對專業教育如：視覺傳播設計、文創產業、工業和商業美術設計等專業人才的養成，是一些必要的知能。但是就國民教育的美感教育而言，這樣的學習內容和方式，卻違反完形心理學（Gestalt psychology）的理論：「人對於事物的經驗是經由內在的完整結構和背景，而這個完整結構並不能被還原和分割。」，就常識和實際經驗而言，大多數人對「美」的感受多半是直觀感應，或是整體的感覺和經驗連結而

震撼、感動，並不是經由理性和知識分析才能體會到「美」，就如梅洛・龐蒂（Maurice Merleau-Ponty，1908 ～ 1961）以現象學概念對知覺的看法：「人走路並不需要反思，在協調身體各部位和感覺而動作時，並不需要特定作控制、思考。如果每一腳步都要先進行思考，設想好什麼時間收縮和放鬆哪一部分的肌肉，走路就會成為窒礙難行的動作。」，所以，美感需要被誘發內心的精神本質，而不是需要學習形式的專業知識。

整合當代美學和教育哲學來看美感教育，「美」早已不只是客觀的存在，談「美感」應該完整的涵蓋「美感態度」、「美感對象」和「美感經驗」（賀瑞麟，2015），並探討三者的關聯性。美感教育必須以人為主體，也就是從培養「美感態度」出發，不能夠只是探討視覺對象的美感形式原理；當代藝術教育的「美感對象」，擴及視覺文化和社會、生活、環境，而非僅止於色彩、線條、肌理、結構等造形元素；從上述美感態度和美感對象的不同概念，以人為主體和視覺對象的互動所發展出來的「美感經驗」，以及美感教育的課程內涵與目標，相對於美學原理原則為主的學習，效應和差距恐怕難以想像。而目前的美感教育計劃，因為欠缺上述構成美感經驗的整體概念，導致整個教學實驗活動，呈現「有設計感就等於是美感」的情況，也才會更名為「整合型視覺形式美感教育」（後來又把「型」字去掉），因此這項計畫實施的成效恐怕並不容易確認。

當代「美感」定義基本上是一種價值觀，國民教育的美感教育，重心可以轉移到知覺的關心度和敏銳度，欠缺視覺的關心度就會視而不見，就容易漠視對生活和環境的美感需求，美感的動機和基礎也就很容易失落。而一個人知覺的敏銳和細膩度，可以提升感受的豐富性和感動的可能性，一個獨特的想法或生活上的創意，無論是否和形式或藝術相關，卻都可以是美的一部分，這也是前述美感以人為主體、強調精神性的「美感態度」意涵，也連結到美感需求的基礎：世俗生活的價值觀，如果無法體認美感在真實生活裡的價值和必要性，「美感」就會只是口號和課業，欠缺在生活中實踐的驅動力了。

美感定義的擴展和改變，使藝術課程裡的美感經驗，不再是那麼困難和遙不可及，若從課程的概念再加以引申，側重在美感形式原理的學習方式，潛在

課程可能是「藝術和美感都是要符應標準答案的」；「藝術和美感的學習是很深奧、專門、困難的」，而強調態度和感受性的美感經驗學習，只要提供適當和足夠的知覺經驗（觀看、聆聽、觸摸、肢體活動等，符合教學目的和功能的多樣體驗），潛在課程可能是「藝術和美感是可以自己定義、發現的」；「藝術是有趣的，美就在生活中，並沒有那麼深奧難解」。

　　因此，無論是否刻意強調美感的重要性和價值，國民教育的美感教育應該和當代美學連結，用「審美教育」來替代「美感教育」，或許才是比較可行的實施方式，理由是審美更容易貼近藝術和生活美學的探討，而過於強調美感形式原理，則容易落入視覺表象和美學享樂主義的追求，或是形式分析的專業知識技術學習，美感經驗經由直覺、想像、移情和思考而產生，審美活動更容易連結這些途徑，狹義的美感形式分析則反而會阻塞了這些感受的管道。

　　當代視覺藝術教育的美感教學目標，基本上只要落實了視覺的關心態度（價值觀），養成知覺的敏銳度（基本能力），就可以透過審美活動拓展視覺經驗，增強思考和表達的能力，而對當代藝術內容和相關議題的探討，則是一種當代人文精神的美學概念學習，美感教育預期的目標並不會漏失，更重要的是這樣的學習本來就可以涵蓋在現有藝術課程內，不會再有另外發展美感教育計劃，產生教學負擔和修改課程結構的困擾。以上美感教育計劃探討的例子，應該足以讓人理解「藝術教育學」的專業性質了。至於更完整的「美學」理論和哲學史探討，可以參閱本書第六章的論述。

貳、藝術教學現場和相關活動的狀態

　　忽略藝術教育的專業性，在師資培育、教學研究、課程發展、教學評量、活動推展，甚至教材與教學法等各方面，都有可能出現不易察覺的問題，以下一些教學現場和藝術活動的實際狀況，或許也都需要藉由藝術教育的專業化，才得以釐清和改善。

一、半成品組合式材料包氾濫於教學現場

　　國中、小藝術與人文領域的視覺藝術創作表現教學，多半必須操作各種工

具，處理非常多樣的媒材，材料供應就教學現場的實際狀況而言，是藝術教學不可或缺的支援機制。但各種材料基本上都只是表現的媒介，必須依附於教學設計的需求，但目前坊間供應的各種材料包，絕大多數是半成品組裝作品的形式，既逾越既定藝術課程或教科書的規範，也違反藝術教育原理和學習經驗的組織性，卻又沒有任何審核和監督的機制。

目前的關鍵問題則是材料包的內容和設計，為了因應大量非專長任課教師必須「應付」教學的需求，有很高比例是半成品的組裝製作，誤以為讓學生產出全班雷同的概念化作品形式，就等於是完成了藝術教學，這不但違反藝術教育的基本性質和目標，減損藝術教學的品質，更嚴重侵害學生的學習權益，這種非常高比例的不合理藝術教學現況，必然會導致藝術、文化水準的倒退和一般國民素質的低落，將會讓國家和社會發展付出非常嚴重的代價。

目前有一些為材料包辯解，但教育理念卻含混不清的說法，基本上也是因為藝術教育的專業觀念不足所致，相關觀念茲分析如下：

（一）「有材料包可用，至少還會有視覺藝術的教學，否則大多數不會教美術的老師，就沒辦法教學而不上視覺藝術的課。」，這種不講求教學品質，不在乎學生受教權益，更欠缺對國民素質和社會文化長遠發展的社會責任的說法，絕對不是教育工作者應有的心態，問題則在藝術教育目標的認知，以為能讓學生產出作品就等於是成功的藝術教學。大多數半成品組合的材料包教學，實際上是把可能成為愛迪生的學生，全部都訓練成裝配線的工人，舉這個例子不是在區分職業貴賤，而是要凸顯教育必須讓每個人成為不可替代的人才，追求理想和進步的社會，絕對不應該漠視類如材料包的教學狀態。

（二）另一個弔詭的辯解理由是：「現在社會多元發展，應該要包容多元價值觀，材料包也是多元學習方式之一，似乎不會有什麼嚴重的問題。」，這種以多元為名實際上卻是反智的說法，基本上對藝術教育的真正意義欠缺足夠理解，但這種論述卻有必要在邏輯上另作釐清。

「多元」是社會文化發展的現象，但不應該是迴避專業學術探討的藉口，要強調多元化，必須將不同的教育理念、價值觀等的內涵，例如藝術

哲學、藝術課程、教育目標等,都經過認真的質疑辯難之後,確定各種相異觀念都有其合理的立足點,才能夠予以包容和彼此認同「多元」的價值。如果欠缺這樣的建構歷程,那所謂的「多元」,就很可能只是語意含混、觀念紊亂的代名詞,甚至是非理性和商業利益的掩飾工具,以多元為名而付出重大的社會成本。

(三)另一個有問題的概念則是:「教科書經由審定通過由學校選用,材料包供應並不在審查範圍內,要求規範或審查材料包的適法性有待商榷。」,但事實上目前坊間供應的材料包,多半標榜符合某版本教科書的教學單元內容,實際上則是借用教科書單元名稱,供應的材料和製作表現的形式,卻隨意修訂甚至完全不符原教科書的設計,在邏輯上等於推翻了教科書嚴格審查的法理地位,如果教科書的設計和內容可以經由材料包隨意調整,教科書的審查機制實質上等於被廢除了。

事實上現行各學校採購材料包作業方式,都採註冊時統一收費的代辦方式,並非學生或家長個人消費行為,因此對採購材料的質料、規格、數量等,都可以試著制定相關規範和審查機制,而不應該任由商業行為來主導藝術教學的內容。藝術教育的價值和重要性,奠基於充分的自我表現所培養的想像力、創造力;基本能力;人格特質和周密思考、細膩度以及多元價值觀;生活省思和人生態度的建構等重要的教育目標,這些目標絕不是組合式材料包教學,只「完成一件大家都類似的概念化作品」所能達成。藝術教學被矮化成只是簡單組裝的手工藝,那麼整個領域的教學可有可無,或是被隨意挪用、任由非專長教師任課就似乎理所當然。而整個問題的癥結則在藝術教育的專業性不足。

二、藝術教育的教學實踐研究呈現空窗

台灣的藝術教育研究一向偏重於理論的探討,常見的研究多是以論文發表為主,或是以所謂的教學成果展覽替代教學研究,教學現場的實踐研究則因為欠缺適當的推展機制而相當欠缺,這個現象的主要成因除了藝術教育的專業性被忽視,也源自台灣藝術教育的生態,包括師資養成、課程結構、學術專業、行政官僚、甚至意識形態和話語權等,糾結成藝術教育的複雜問題。

　　但是先不管這些問題的成因和性質，要提昇藝術教學品質的簡單邏輯，就是任何先進的理論和良善的教育理念，如果沒有經過實際教學的驗證或修訂，藝術教育的改革多半都會成為空談。畢竟藝術教育的對象是充滿個別差異的生命個體，教學現場更是充滿城鄉、文化、資源等差異，稍具教育概念的人應該都可以理解，藝術教育沒有標準的教學設計，也未必具備單一有效的教學公式，因此教學現場的教學實踐研究，其實是改善和提昇藝術教育品質不可或缺的重要環節。

　　視覺藝術教學唯有透過持續性的實驗和研究，才有可能提高教學品質，達成教育的理想和願景，而最佳的藝術教學實踐研究者，則是教學現場的教師。日本每年有非常多地方和全國性教學研習活動，各個學校的老師們是研究發表的主角，大學的教授和一般老師一樣，安靜的坐在台下聽講和做筆記，這是台灣不大可能會有的現象，台灣一向習慣教授在台上講課，而有豐富實際教學經驗的老師們，多半只是參加研習在台下聽講。

　　這個狀況延伸的思維，是日本認為老師很認真又有實際經驗，所以由他們發表、分享，理論和實務經由共同學習融匯和成長，包括大學教授也必須向老師們借鏡，這是一個關鍵性的觀念和機制：老師的專業和經驗如何被看待，會形塑老師對自己角色和專業地位的認定，也牽涉到老師自我肯定，並自主性自我成長的動力，老師被認為不具足夠專業，教學的應付心態就理所當然，老師的專業地位受肯定，必須發表教學實踐研究的心得，那教學自然就必須認真，也非得讓自己的專業素養成長不可，而教育的品質和成敗，就在這種教育生態的細微差異中決定了。

　　教學實踐研究強調教學者的論述能力，牽涉到教學的周延思考和專業素養，一方面是教師專業成長的重要途徑，另一方面也是建立藝術教師教育專業地位，達成課程發展主導性的必要手段，這同時也是建立藝術教育專業不可或缺的一環。長期只重視理論和文獻探討，多半相當欠缺教學實務經驗的學者、教授，也可以藉由實踐研究的參與，與現場教師共同成長，彌補目前師資培育和藝術教育研究的嚴重缺口。關於教學實踐研究與許瓦布（J.J.Schwab）的「實踐藝術」課程理論，則於本書第十一章另作探討。

三、藝術深耕計畫和非專長教師研習的資源浪費

　　政府投注大量的經費和資源，辦理非專長教師的進修研習，以及藝術深耕計畫的推展，能不能全面性的改善藝術教學品質？從藝術教育的專業性和多年來教學輔導的實際經驗，可以很明確的作出判斷，這是幾乎不可能有確實效果的作法。

　　有一種觀點認為透過現買現賣的「實作研習」，老師就可以依樣葫蘆，應付幾個單元的教學，多少也算有一點正面效應。但這不是百年大計的教育工作應有的態度，這種幫忙非專長教師「應付」教學的方式，參與的普及性和課程的深度、廣度都有限，根本無法有效提昇藝術教學的品質，因為藝術教育之所以專業就是因為其複雜度，需要藉相當長時間累積教學經驗，才可能有效成長而勝任教學，這絕不是廉價的速食方式可以養成。即使不懷疑老師正常課業負擔之外，參加研習的熱誠和心態，就算參加研習的老師夠認真，授課的講座也有足夠品質，可是除了研習所提到的片段資訊以外，其他藝術課程的教學品質呢？研習課程的週延性、計畫性、參與的普遍性都不足，根本不可能關照所有的實際需求，這種連治標都達不到的作法，就更無法談到治本的可能性了。

　　從經驗和一般學校的實際情況來看，絕大多數藝術教學品質夠水準，也能展現良好教學成果的學校，都是因為學校有一、兩個具備專長，又因為專業地位受尊重，而產生足夠教學熱誠的老師，帶動並影響了整個學校的教學風氣。想要透過研習活動，讓每一個非專長教師都能教好藝術課程，那是整個師資改造的大工程，恐怕沒有辦法在這裡討論，但是建立專長任課的機制，讓每個學校都會有一、兩個優質藝術教師，卻是實際而且相對難度較低的有效措施。

　　另外，透過深耕計畫引進校外藝術家協同教學，幾乎也不可能是普遍改善教學品質的有效方法。國內藝術深耕計畫的實施，是仿效美國 70 年代半官方的「藝術、教育與美國」組織，所推動的藝術教育改革計畫，但參考漢寶德先生引介美國國家藝術基金會的調查報告，報告認為該計畫是一個「**教育實質意義很有限、缺少目標定位、施行技術上缺乏章法的政策**」（漢寶德 2006），當美國已經做出修正，逐漸把藝術教育拉回學校課程，也應該是台灣檢驗實施

成效，重新思考藝術教育政策的時候了。再次重申「藝術教育學」的內涵，整合史學、美學、藝術學、教育學、心理學、社會學、文化人類學…，可以視為另一門專業的學術領域（林曼麗 2000），藝術家的專業技術、創作經驗，甚至藝評家、藝術史學者的專業等，都無法等同於藝術教育的專業，藝術深耕計畫成效的檢討，以及實施方法的評估或修訂，或許也必須借助系列化的研究計畫為基礎，才有可能藉以規劃較具正面效應的政策。

四、藝術競賽活動方式與評審者專業條件的模糊狀態

最明顯而值得深思的就是全國學生美展的實施情況，這個幾乎每年都一再遭到抗議和檢舉的活動，是以一件「來路不明」的作品，決定孩子是不是可以在未來的升學競爭中加分，這種曾經被以「荒謬」來形容的教育措施，似乎也很少被認真探討。先不談比賽辦法本身的缺陷：學校裡誰決定那一個孩子的作品，可以成為極少數能夠送件的參賽者？接下來又在各縣市的初選中淘汰掉大多數的作品，最後總決選的評審委員只看到全國學生極少數的樣本，這是參與機會先天就不公平的方式。另外，僅以單一的作品為準，就據以評斷孩子的天賦和學習成就，恐怕也很難有可信的評量規準和理論依據，而這種操作方式的草率和瑕疵，卻只是表面上的小問題。

學生美展比較嚴重的問題癥結，則是兒童作品表現的判斷標準，從未明確建立可供參考的工具，相關的細節也很少被認真探討，學校老師初選和縣市複選及全國決選評審委員的眼光，落差到底有多大？到底具備什麼條件的人，才真正看得懂學生藝術作品的表現？

對於學生作品表現的分析和評鑑者的資格，用一個簡單的邏輯思考供參考：有些人曾經是球員也經常看球賽，請問，這些內行人或者一般懂規則，看得出技術、戰術、輸贏的人，有資格擔任球賽的裁判嗎？或者進一步來作審思，職業球員如林書豪或曾雅妮有裁判員的資格嗎？包括最頂尖職業球隊的總教練，如果未具備裁判證，可以擔任正式比賽的裁判嗎？事實的答案當然是絕對不行！但是要看懂兒童畫所需要具備的條件和難度，遠遠超過懂得規則和看得懂球賽，吊詭的是球類比賽的裁判需經嚴格認證，兒童畫的評審委員卻幾乎

沒有資格限制，常見教育行政人員、藝術家、學者、教授、活動主辦者、企業經營者、媒體記者…，都可以擔任兒童繪畫比賽的評審委員，形成這種不合理現象的基本因素，也是藝術教育理念模糊和態度輕率所致。

　　這種評審欠缺客觀標準，不講求評審者專業性的情況，形成比賽的結果僵化在技術層面，結果是每年檢舉抄襲、老師修改、成人代筆的情況層出不窮，而評審委員卻沒有足夠的專業作判斷和處理。有一些國內民間企業所辦的大型兒童繪畫比賽，已經採取最後決選必須另外以現場作畫為準，可見這些作弊情形的猖獗。以下是一個年代較久遠的案例，這是簡單整理後發現的許多抄襲實例之一，另外還有更多可以判斷為「明顯有問題」的得獎作品，但以下案例只是佐證所述為長遠以來並未改善的事實現象，並不以揭發弊端為探討的重點。

　　　　圖 4 外國兒童作品　　　　　　　　圖 5 台灣學生作品

　　這兩件作品有一件是發表日期在前的外國兒童畫，另一件是台灣學生美術比賽的第一名，其他的背景資料就不多作披露。這個案例不可能是孩子有共同的經驗，也不可能是因為同樣的學習情境造成表現內容完全雷同，所以可以確認這是抄襲。比賽的結果會引導教學，影響非常重大深遠，怎樣評量兒童畫

才能產生正面效應，讓比賽活動符合教育專業和理想，各個環節都需要透過繁複的程序建立基礎理論，更必須結合實務經驗，探討評量工具和操作方法的規劃，高雄市兒童美術教育學會曾有這個議題的研究，也曾經介紹日本的相關理念，並辦過實際操作的教師研習，這種和實務經驗密切相關的專業知能探討，本書在第八章和第九章有相關論述，但實際的專業養成必須另外規劃完整的課程，並對照實際的兒童表現作品加以分析，否則難以理解論述的具體意涵，也不容易對兒童的表現和評量作深入探討。

日本世界兒童畫展的評審，在 2011 年有非常顛覆性的改革，2012 高雄市兒童藝術教育節的教育論壇，也曾邀請這項改革的主導者來台發表專題演講，該講座對兒童畫評鑑所持的觀點，幾乎是顛覆了日本以往的美術教育理念，但是對台灣兒童畫評審的狀況，是否會產生某些程度的衝擊還難以評斷，面對這種兒童藝術教育理念轉變的具體實例，或許是台灣的藝術教育工作者應該重新思考和有所行動的時候了。

藝術教育現況的問題不只一端，上述的困境之外如：學生欠缺藝術學習的共同經驗、視覺藝術欣賞教學沒有完整的課程結構、藝術專業師資養成管道的潰散等，也都是亟待解決的問題，但這些難題除了理念性的探討，大部分也都牽涉政策和行政權力，只希望本書的書寫可以促成一些關注和行動。

參、書寫的構想和期待

本書意圖把視覺藝術教育的整體相關概念，區隔成容易深入分析的區塊，期待透過比較微觀的探究，拼湊出較清楚的視覺藝術教育該有的樣貌。但整合所有探討議題的內容，仍只能專注於視覺藝術教育的基礎觀念，雖然也會觸及教學實務相關的專業知能，但多半僅止於提出概念性的實施原則，因為教學實務牽涉範圍太廣，有高度的複雜內涵和教學現場的差異因素，這方面的專業知能必須結合實際教學經驗，透過教學實踐的研究和驗證，才能理解各項觀念和理論的實質意涵，藉此發展出適合個人以及因應各項差異的專業，這也是藝術教學專業成長較適當的方式。

　　本書的結構和閱讀方式的參考，第二章到第五章是藝術課程結構探討的基礎論題，雖然分為四個篇章但實際上是整體的概念，以前三章討論藝術教育的性質、學習媒介的定位、學習者的主體性，以此作為第五章課程結構分析的基礎理念依據。第六、七、八也是有結構關聯的三章，分別是藝術哲學（美學）的概要分析，以及國民美學的藝術史觀點，結合成藝術欣賞教學的基礎觀念和教學原理，基本上也是依循第五章的架構概念作課程發展。九、十兩章則是針對兒童造形心理發展階段特徵的分析，以及兒童作品表現分析與評量的探討，整合成藝術學習表現的教學評量，至於藝術欣賞的心理發展探討和評量，則依據教學性質歸納於第八章；後續的各個章節則是獨立的藝術教學實務與概念，包括教學實踐研究、教學現場的教學實施觀念與實務、各種藝術教學型態探討、藝術教師的專業條件等，雖然希望能夠完整涵蓋兒童藝術教育的各個層面，但有所疏漏恐怕是難以避免的結果。

　　台灣的社會現況已經顯示，大多數人的思考模式和價值觀、態度，都正在或隱或顯的轉變，318學運和素人政治現象是顯性象徵，所以，實質改變各種公共政策的制定機制和決策權力來源，心理期待和行動時機應該都更相對成熟。當然，所謂的「公民參與」和開放性，以及「專業」之名是不是另一種意識形態和學術霸權，相關的疑慮聲音還是會出現，那麼，羅素（Bertrand Russell 1872 ～ 1970）所說的：「*良善的生活是以愛所灌注，並由智慧所引導*」，應該可以成為紓解這些疑慮的註腳，將本書當作是一個共同探求智慧的起步，或許可以期待更多的關注和參與，期待讓藝術教育更趨近於智慧和理想，因為從社會生活型態和文化發展的層面來看，當代視覺藝術教育的認真探討與實施，和每一個人都會有密切的關連和影響，而每一個人的態度和行動力，將會決定我們會有什麼樣的生活和未來。

第二章：國民教育性質的視覺藝術教育

　　國民教育範疇的視覺藝術教育，一般的概念是定位為「藝能科」，語意上應該就是培養孩子的藝術才能，實際課程內容的教材也是藝術的形式，所以這個學習領域的性質似乎相當明確，為什麼還要列為本書首要的探討議題？

　　先從本章標題來分析，「國民教育」是涵蓋面最廣，真正影響整體國民素質的教育型態；而國民教育原則上應該是「普通教育」、「基礎教育」，是「每一個國民都應該接受的義務教育和權利」的性質，也就是教育的內容和目標，對每個人而言都具學習的必要性，才應該納入國民教育的課程範圍內。菁英教育或專業教育、社會教育的內涵，並不符國民教育的性質，因此並不在本章的討論範圍之內，也就是從教育哲學價值觀的辯證，界定國民教育的性質和目的，才是藝術教育探討的大前提，。

　　再回到標題來看「視覺藝術教育」，儘管當代藝術有「每一個人都是藝術家」的主張，也有「什麼都可以是藝術」的論調，但這卻是一種會把藝術消滅掉的悖論，「誰都是」和「什麼都是」的結果，藝術和所有世俗的生活行為就都不可區分，藝術成為一個等於沒有意含的空名詞或假命題。而目前的現實情況和實際現象，藝術仍舊是一個非常專業的領域。前面提到的兩個「什麼都是」的說法，還是要經由藝術哲學的專業理論來設定條件，才能夠讓相關論述有足夠的立足點，否則就是一種拆除傳統藝術藩籬（藝術必須是絕對的專業）之外，又重新架設新的藝術專業的違建藩籬（藝術必須和世俗生活一體），雖然歷史經驗常是在長遠的時間之後，違建幾乎都可以合法化，但當代藝術雖然觀念持續轉變也更開放，目前卻仍舊可以確認藝術的專業性。

　　所以，國民教育的藝術學習和藝術的專業性之間，應該是一種什麼樣的關係？這個問題的思考邏輯，原則上應該是以國民教育的性質為前提，才能據以界定藝術在國民教育中的角色和地位。因為如果沒有這項優先性的區別，就會陷入「每一個國民都必須學習專業藝術」，甚至「每一個人都應該能創作和評論藝術」的教育訴求，這種主張的謬誤和不切實際，相信都能被普遍理解而不必再作其他解說。

　　從教學的現實面來看，如果尊崇專業藝術的地位，優先於國民教育的性質，那麼藝術教學現場的真實狀況，將會是大多數的學生稟賦和興趣都可能不足，更沒有足夠的學習時間和心力足以投入，結果是學習遭受到嚴重的挫折，更可能多數學生因而放棄藝術學習。而教學者若只專注於少數有天賦的菁英，結果是「把每個孩子都帶上來」成了自欺欺人的空話，其他多數孩子的藝術學習，多半也會成為放牛吃草的惡夢一場。因此，國民教育為前提的藝術教育，具有什麼樣的性質特徵和教學型態，才能夠既符合國民教育性質，又能確認學習的價值和必要性，是藝術課程發展常被忽略卻又亟待釐清的課題。

壹、界定國民教育的「藝術」性質特徵

　　國民教育和專業藝術教育的性質衝突，可以從兩者性質特徵的分析，找到解決的理論依據和途徑。如果只從國民教育的立場來思考，也許可以不考慮藝術的本質和意義，而從國民教育整體目標的規劃，直接擬定藝術教育的課程內容，但是這樣的教學型態和內涵，卻有產生某些缺失的可能，例如偏向職業或生活技能的訓練，或是只重視生活上的現實功用層面，或僅止於美感品味的消費性享樂主義等，因而忽略了藝術在人類文化發展中的意義，以及在世俗生活中更深層的關連和價值。

　　畢竟「藝術」不管深奧複雜或簡單易解，仍是整個人類文明發展最具精神價值的一部分，關於視覺藝術的定義，本書將於下一章作較詳細的探討，並以「當代藝術」的性質特徵，連結國民教育的性質。「當代藝術」的觀念與現象的發展，和社會、生活有更為深刻密切的關連，忽略了藝術的本質價值和連結世俗生活的意義，藝術要成為國民教育的必要學習，其價值和合理性恐怕都站不住腳，藝術教育不受重視也可能就理所當然。所以，考量國民教育的性質和目標，並兼顧藝術的本質和重要價值，是當代藝術教育應有的思考方向，當然也應該盡可能尋得合理的整合途徑。

　　這個論點可能還必須面對另一項疑慮：「既然同意藝術是一個專業的領域，卻又捨棄既有的藝術專業詮釋系統，企圖另外建構所謂的國民教育的藝術詮釋途徑，這會不會違背了藝術原有的意義，也難以符合專業論述的典範？」，這

項質疑可以由以下幾個面向來分析，主要是當代藝術內涵的「衍變性」和「流動性」，本身就提供了多樣詮釋的可能性。再從歐陸哲學、後現代思潮、解構主義等理念和論述，因應國民教育的性質和需求，對當代藝術另外建構因應教育理念的詮釋方式，並非不合理或不具可行性。

一、薩依德（Edward W. Said 1935 ～ 2003）的「世俗批評與批判意識」一文（呂健忠 譯，1998），就提供了一個很好的註解：對於在社會、政治、文化等領域，絕大多數的「專業」，就是由「專家」—擁有特殊權力的人所操控的權威體系，形成所謂的「專家文化使得詮釋淪為神職化」現象，他採取強烈的批判性字眼，反對「社會與知識的詮釋權威，成為類似天啟與神意的非世俗領域」，最主要的理由乃是「基於人類的歷史網絡中，所有的文化內容之所以獲得充實，多半有賴於全體人類的創造力與活力，因此任何文化都可以也應該有世俗的詮釋空間」，詮釋者也可以是普通的公民社會的世俗知識分子（泛指一般具語文應用能力的人），而不必僅限於尊崇、仰賴專家的單一源頭的權威詮釋。

　　另外，專業化的詮釋如果僅以學科系統為中心，不關心也不涉及其他的社會、文化和世俗生活，那麼這個封閉系統的本質將是裝飾性的，頂多只具備次要的意識型態特徵。即使這些「專業的局內人」會用類似「多元論」的說詞，來收編各個其他專業的小圈子，美化自身的封閉性權威，或是以「自由放任主義」自我標榜，合理化他們對世俗世界事務的「不干涉」心態，卻忽略或規避了自己應該承擔的社會責任。「專業」如果成了脫離真實生活的喃喃自語，恐怕會連本身存在的意義都落空。

　　因此，薩依德主張「人文呈現的干涉主義」，期望文化詮釋能開放並容納世俗的經驗，讓各種專業知識與真實生活有實質的關連，這種專業論述和現實社會運作的聯繫，可以視為一種社會文化價值的解構與重建，雖然這種方式和過程，可能喪失習慣於依賴專業而來的安逸感，因而造成困惑和不安，但這卻是一種意義和價值探尋空間的擴展，可能帶來更深刻的思考和全新的判斷。以這樣的論點來解釋，建構「國民美學」藝術觀點的動機和立論基礎，應該足以面對相關的質疑了。

二、除了薩依德的「世俗批評與批判意識」的論述，參考歐陸哲學和文學評論的重要批評學派—「解構主義」的論點，也是國民美學的藝術詮釋可以成立的重要論據。解構主義是法國後結構主義哲學家雅克・德希達（Jacques Derrida，1930－2004）首倡，德希達提出《解構閱讀西方哲學》的理論，以文本分析的方式，探討文本結構和所要表達的形上學的本體，兩者之間所具有的落差和失誤，藉以凸顯文本不能被解讀成只是傳達單一的訊息，而應該容納各種文化或地域等的差異觀點，解讀成各種可能的不同意含與呈現，包括或許會具有衝突性的差異性解讀結果。文本被解構之後，會顯示出多元、衝突並同時存在的各種詮釋，包括在一般閱讀中會被壓抑與忽視的觀點。

　　解構否定了結構主義固定不變的文本線性解讀的概念，而認為文本的結構，是由一系列變動的差異成分組成，所以結構是會隨差異變化的不確定和開放的型態，因此文本的終極不變的意義是不存在的。但是文本的解構並不完全只是否定典範的詮釋而已，從另一個角度來看，「解構」其實是為了要求語詞和敘述的精確性，而針對文本的脈絡和社會意義的複雜性，必須允許和因應的多元詮釋發展。

　　以比較通俗的例子來闡述「解構」，「教師」這個普通語詞的意含，一般可能以「傳道、授業、解惑」作解讀，但是解構主義的觀點，卻會理解到真實世界有認真和不認真的老師，有循循善誘也有粗暴體罰的老師，有具備專業素養也有不適任的老師，甚至於再進一步分析，認真的老師有關心孩子成長的，也有為了突顯才華、成就自己而認真訓練孩子的，真心認真指導孩子的老師，也可能有方法得當或方法不當的老師…，這似乎是一個面對真正的現實狀況，可能性會沒完沒了的實際現象，而教師這個名詞的典範解讀當然也就被解構，但另一個面向就是教師的指稱，卻有可能針對真實的個別對象而有更為精確的界定。就像目前教育現場也有「快樂學習」的主張，但只要將「快樂」的定義解構，所謂的快樂學習，就可能會有很多不同的教育論點和措施，甚至同樣標榜快樂學習的教育主張，卻可能產生互相衝突和矛盾。解構主義和多向文本的解讀方式，當然也提供

了當代藝術多元詮釋的論據，讓當代藝術的內涵因應教育哲學的論述，而有了可以切合國民教育性質的解讀和抉擇空間。

三、當代「視覺文化」的藝術教育論述，特別關注日常生活中，由視覺而來的資訊，而且重點並不是在視覺對象的實體（影像、物件、媒體、環境…等），而是在探討「觀看」的過程中，人類知覺事物、文化、意義等的方式，尤其是強調觀者的主體性，人可以自主性詮釋視覺訊息，而不是接受被制約的固定反應和答案（趙惠玲，2005）。因此，視覺文化的教育觀點，是結合個體經驗、主觀意識、想像力、生活態度等，綜合影響下的視覺活動詮釋與文化省思。視覺文化連結到視覺影像來源的「人」和社會背景，也將藝術教育的學習範疇，從傳統精緻藝術為主的結構，延伸到日常生活中所有的視覺符號，這種將教育內涵擴展，並和日常生活連結的教學型態，讓藝術教育內涵產生結構的變化，建構國民美學的藝術詮釋方式，也自然成為必要的工作，也因此更具可行性和合理性。

貳、國民教育的藝術教育理念與特徵

依據上述論點所界定的國民教育的藝術內涵，本文設定以「國民美學」作為代稱的專有名詞，這個語詞並沒有明確的引用依據，但是當代所謂的「流行美學」、「大眾美學」、「影像美學」、「科技美學」、「身體美學」…等名詞相繼出現，凡屬當代生活和文化現象的事物，名詞後面加上「美學」，就成為論述的概念（高千惠 2014）。「國民美學」的藝術教育，大致會有以下的理念特徵：

一、具有傾向於工具論的色彩

國民教育的藝術學習，藝術是學習的工具，學習藝術是達成國民教育目標的手段，而不是藝術本身成為目的。這樣的論述可能引發以下的質疑：藝術只是工具，那麼藝術的本質價值是否會失落？藝術學習的意義是否因而薄弱？專業藝術人才的培育是否會受阻？這些問題的癥結，其實就在「當代藝術」的性質特徵，具有「緊密連結真實生活所有層面」的特質，因此藝術學習的內涵，

當然包括對藝術表現內容和意義的理解、思考、體驗、詮釋等，具備「再創造」、「再生產」性質的學習，這其實就是探觸到當代藝術的本質，也能夠確實連結國民教育的目標。

當代藝術已經明顯的脫離手藝和技巧性的追求，因此藝術學習無論是創作或欣賞，都會傾向於觀念及思考的擴展和深化，藉此建構的藝術詮釋經驗和表現能力，不但可以賦予傳統藝術歷史新的意義，其實也等於奠定了專業藝術學習的基礎。太早專注於專業藝術的技術學習，結果往往是揹負著技術的包袱，卻欠缺思考和自我表現的能力，因此，國民教育的藝術教育，並沒有壓抑藝術本質的學習，更不會減弱了往專業藝術發展的必要基礎能力。

二、不以藝術形式、媒材作教材分類

藝術課程的教材歸類，一般習慣以形式和媒材來列舉，例如平面造形、立體造形、素描、風景寫生，或者是繪畫、版畫、陶藝、雕塑、工藝、設計等。這樣的教材分類方式，表面上似乎沒有違反藝術教育的內容，但是從國民教育的立場來看，這卻是有關藝術教育實施的關鍵概念，必須從課程理論來探討，重點則是藝術教育的目標是否能有效達成，和藝術學習的教材分類有什麼明確的關連。

用「教育目標」來界定課程，是一種相當普遍的觀點，即使是持不同的課程定義來設計課程，多半也還是會涉及教育目標的探討，臺灣的藝術與人文領域課程綱要，或是 2018 新修訂課程綱要的核心素養，同樣都具有目標模式的傾向。以目標規劃課程的概念，實際上還是會涉及教材內容、活動設計、學習順序等，但最基礎的還是教育目標的選擇和組織。

教學目標的整體性和層次劃分的重要性，一般的課程理論應該都有相當明確的論述，但是目前以目標界定的藝術教育課程，教育目標（素養指標）和教材、教學活動之間，幾乎都欠缺邏輯上的關連性，這個教學實施方面的嚴重問題，長久以來並沒有受到重視。例如對藝術的關心和興趣、想像與創造力、自主性表現與自信等目標，分別屬於情意、能力、人格特質等不同性質，但是實際的教材卻只是形式、媒材的分類製作，試問教材是風景寫生、黏土塑造，教

學設計所敘述的目標卻是創造力、多元價值觀，這中間有沒有漏掉了什麼重要的環節？

當然，教學目標可以在教學設計中另外列舉，但如果課程計畫和教學的思考就是繪畫、雕塑、工藝⋯，國民教育的目標就會隱晦不清，也難以有整體性的目標組織。所以，比較實際的思考：為什麼不直接就以目標來界定教材類型而分類？

連結教學活動和教學目標，以教學目標為主導的教材類型，初步呈現於南一審定本美勞教科書的「教學模式」（吳正雄 1998），經由教學特徵的分析，論證目標和教學的邏輯關連，據以訂定教學模式的條件、特徵和分類原則。這樣的教材分類方式，可以避免媒材和形式為主的分類，造成教學不自覺地落入學科中心的思考。以教學目標轉化、連結的教學模式來分類和組織教材，才能夠以目標為主導，讓目標成為藝術課程實施的思考主軸，這才是國民教育應有的性質。教學模式的特徵和內涵，於本書第五章再作詳細解說。

三、每個孩子都一百分

這個充分彰顯國民教育特質的訴求，是呂桂生先生日本留學回來以後，討論兒童美術教育所拋出的話題，對很多教學者或某些學科而言，可能很難接受這樣的論點，但這其實是個值得深思，可以更深刻了解國民教育，尤其是視覺藝術教育內涵的論題。

一般評量視覺藝術學習成就的方式，常以不同孩子的學習成果作比較，據以評定孩子學習成就的等第差別，這樣的評量方式，每個孩子都一百分就成了無法達成的要求。但是回歸到國民教育的性質，基本的期待是「每個人都應該可以達成預期的學習目標」，而當代藝術教育所要求的目標觀念：「自己思考，用自己的方式表現自己的想法」，是一種受到肯定和鼓勵的良好學習方式。因此，除了極少數態度或智能有障礙的孩子外，每個孩子在正常的教學情況下，應該都能符合上述的學習和表現型態，對每一個認真自我表現的孩子而言，給予一百分的評定，或許應該沒有什麼理由，可以質疑這是不合理的評量原則。

　　每個孩子都一百分，效應是孩子被肯定而增進學習興趣，即使是不合乎預期的、有落差的表現，因為孩子的投入或能夠陳述表現的理由，也都能夠受到肯定，那就能培養認同多元表現的精神和態度，這是可以養成包容性和多元價值觀的教學，基本的前提只有孩子學習態度的專注和投入，所以，老師想要讓孩子全都一百分的念頭，反而是良善的兒童視覺藝術教學的基因。

　　從另一個角度來看「每個孩子都一百分」，這個觀念要合理化並能夠落實，除了最重要的兒童學習態度是必要條件，還有另外必須考量的相關充分條件，也就是教學實施的周密思考和設計。包括題材的設定是否合乎兒童生活經驗—讓土生土長的澎湖孩子畫火車？；媒材、技法是否有先備經驗—從未碰過水彩的孩子上水彩風景寫生的課？；引導教學是否明確有效，讓兒童理解構想和表現的方向和重點—欣賞海洋魚類圖鑑，要孩子畫「海底探險」？這些並不是很精準的描述，真正要表達的意思是：孩子如果沒有一百分的表現，恐怕老師要負比較多的責任，包括材料、設備、教具和教室氣氛的營造，這些教學者應該承擔的充分條件都具備，孩子要獲得「一百分」，就會成為稀鬆平常的事情，而這樣的藝術教育才得以稱之為「國民教育」。

參、國民教育的藝術教學目標取向

　　任何學科或學習領域的教育目標，基本上必須依據課程理論的程序，建立課程目標的完整性，以及教學實施的目標層次結構，尤其是藝術教育除了一般行為目標的類型，還包括「表現型目標」和所謂的「第三類型目標」（艾斯納 Elliot W. Eisner 1990），所以必須經由整體性的參照和論述，才能夠比較周延的呈現教學目標，並且和教學內容結合成課程架構，才能具備教學實施的引導功能。教學活動設計的藝術教育目標敘述方式，於本書第十一章的教學實踐研究探討再另作分析，本文則是依據「國民教育」的性質，對視覺藝術教育的課程目標和學習內容的引導，所試擬的國民教育的藝術教育目標取向：

一、**不是專業藝術技術的學習，而是培養基本能力**：這項國民教育的目標取向或許不難理解，但重點則在「基本能力」的定義，經常容易被誤解為學科的基礎技術，例如構圖、描繪、設計之類的所謂「基本功」，其實這些專

業性的技術性能力，未必符合國民教育「每個人都應該具備」的條件，符合國民教育性質的基本能力，大致包含**想像、思考、創造、表現、計劃、解決問題**等能力和行動力，也類似目前強調的「核心素養」的性質。

二、**不是追求作品的完成度，而是培養人格特質**：國民教育的藝術學習，因為當代藝術的性質特徵，很自然的就會強調「自我表現」的要求，因此對於**培養自主性、感受性、追求完美的細膩度、開放的心靈、自信心**等人格特質，具有相當優勢的功能性。

三、**不是學習藝術形式分析，而是培育人文素養**：國民教育和當代藝術，共同都重視社會、文化、生活的連結，無論是欣賞或表現的教學活動，都能夠順利培養**參與、溝通、合作、包容、尊重、多元價值觀，以及對生命、環境和社會關懷**等人文素養，這也是提升國民素質的重要途徑。

四、**不是學習藝術專業知識，而是生活實踐的體驗**：國民教育的重心就是生活教育，生活實踐比知識、技術更具意義，因此必須以精神性的生活價值認知為基礎，養成**文化、生態、社會的關懷；民俗、文化、藝術活動的參與；生活美感的體驗、省思和行動力**。

五、**不是「學習藝術」的教育，而是「透過藝術」的教育**：就世俗生活的經驗和現實社會結構來檢驗，專業藝術學習對一般人而言幾乎是「無用」的學習，人生成功族很難找到幾個很會畫圖或做工藝的人，因此強調「學習藝術」，重視技術和作品的結果，藝術教育被忽視和放棄的機率就很高。「透過藝術」的教育專注於價值觀、人格特質和基礎能力等素養，以人的生涯與整體社會發展為著眼點，藝術學習目標無關藝術的學科成就，卻攸關人生的自我實現，以及未來社會文化與生活型態。

由國民教育的性質所規範的藝術教育，教育目標取向或許和藝術的學科本位學習，沒有非常明確的學習成就表現的關聯，但這些基本能力、人格特質和人文素養，卻能夠在世俗生活的各個層面，產生普遍性的良善功能，包括對社會文化發展和生活品質的提升，都會產生廣泛而且強大的正面能量，這也是積極推展國民教育的藝術教育，非常具有說服力的重要論述依據。

肆、國民教育的視覺藝術課程概念

以「國民教育」的性質界定的藝術教育，必須先面對教育哲學的探討，最基本的如：「藝術本身是目的，而教育只是手段，或者藝術只是手段，而教育才是目的？」這兩種不同的教育哲學價值觀的差別，會使教育的內容和實施，產生完全不同的性質和方向。強調「國民美學」的藝術教育，也會牽涉到藝術意涵的藝術哲學問題：「當代藝術的本質是在媒材、技術和美感形式，或是在藝術內容的意義性與世俗生活的關連？」面對這些基礎性的複雜論題，或許必須透過「課程」的觀點，才能作比較周延的整體探討，因為藝術和教育聯結的內涵和功能，是另一個跨越原有專業的不同專業領域，涵蓋很多複雜而且互相關連的概念，甚至牽涉到社會生活與文化的發展現況，單一面向的藝術教育探討，多半容易產生見樹不見林的偏缺，藉由課程理念和相關基礎理論的檢視，才可能提供系統化及啟示性的探討與評估。

「課程」這個名詞的定義廣泛而且不是非常明確，但至少牽涉到「學科」、「經驗」、「目標」與「計畫」等面向，則是比較具共通性的看法（黃政傑，1991）。以下分別就這些不同的定義內涵，對藝術教育提出分析和現況的探討。

（一）以「學科」為定義的課程觀

在目前文化多元發展，以及知識爆發和知識半衰期快速縮短的情況下，人類在生活中所面臨的問題益趨複雜，學科中心的課程觀，無法完全符合當代的教育理念已經是共識。如果將藝術當作是一門學科，則藝術本身成為教育的目的，就很容易成為理所當然的結果，但是除非能夠有合理的論證，確認每一個國民都有必要成為實質上的專業藝術家，否則這樣的藝術教育觀念，必然違反了國民教育的性質和原則。

當代藝術學習的跨領域統整，並不是強求不同形式的藝術學科作結合，而面對藝術形式不可能相容的差異所形成的矛盾衝突，較誇張的比喻是：如果「請來聽我的畫展」和「請來看我的演奏會」可以成立，那麼不同形式的藝術學科才可能談統整。有關於跨領域統整學習的理論與實施原則，在本書最後一章的結論有詳細的介紹和分析。基於人文精神和藝術哲學的演變，當代藝術關切真

實生活的各種層面，進而積極思考和表現相關的議題，藝術的統整在文化、社會、環境、人權、性別、科技等各方面的連結，遠比在不同藝術形式或學科的結合方面，都有更多的分量和更重要的意義。以「超越學科」的統整意涵而言（Aaron D. Knochel，陳怡倩譯，2019），視覺藝術學習已經不是單一學科的性質，課程所期待的統整教學及人文素養的目標，唯有確認教師的專業並依專長安排任課，才是確定課程實施成效的重點。

（二）以「經驗」為定義的課程觀

　　這種課程關較傾向以學習者為中心，和學科中心的課程觀是對立的，也比較符合當代的教育哲學理念，但是以經驗來界定課程內容，常會涉及經驗的性質和範圍等問題，例如來自社會文化和大眾傳播媒體的經驗，和學校教育所給的經驗，就常會有差異或衝突，學校的教育不能忽視這些經驗的影響，否則教育和真實生活失去關連，教育的實際意義就很容易失落。教育所提供的預期經驗，也會有未實現的經驗和潛在課程的問題，這都是以經驗界定課程不能忽略的問題。

　　目前學校教育所著重的藝術經驗，可說都是以創作的經驗和審美的經驗為重心，但值得警惕的是這些經驗的內容，多半是屬於表象的形式化性質，例如創作活動只側重在媒材、技術和作品形式上，至於表現的根源如兒童的內化經驗，像生活的體驗、內心的感受和想像、思考等，這些不但是創作的意識和起點，也是評估表現是否有意義的藝術本質，卻常常都在教學實施中被忽略了。如果用「思考和表現」的經驗來取代「創作」的經驗，藝術教育的課程內容，或許就會有很多不同的選擇，而經驗的價值和意義也會不一樣。

　　在審美經驗方面也有類似的問題存在，臺灣目前大多數的藝術欣賞課程，都把美感形式原理的認識和分析，當作美感經驗最主要或唯一的內容，完全忽略當代藝術對真實生活的關聯性和意義，更不瞭解美感也已經不再是當代藝術的主軸。從一般的經驗中就可以驗證，要體會廣義的美感經驗，未必只能藉由藝術的途徑，也不一定要借助美學原理原則，因為美也是可以直觀感受的，大多數的人被藝術感動的經驗，常有相當個人化的差異，不僅每個人被感動的對象會不一樣，有些人被同一個對象感動，感動的方式和內容也會不同，尤其是

這些感動多半也不一定經由形式分析而來。

理解當代藝術關注許多和人類切身的議題，探索藝術呈現的意義，才能夠確實理解藝術的價值，因此，「藝術的經驗」才是課程的重心，它不但涵蓋「美感經驗」，而且在每個人對生命意義的探索，以及生活價值的尋求過程中，這些經驗的廣度、深度和價值，都更可能產生面對自己人生的思考，形成各種啟發性與正面功能，藝術教育和一般世俗生活的關連也才能確立。

（三）以「目標」為定義的課程觀

這是一種相當普遍的課程觀點，即使是持不同的課程定義來設計課程，多半也還是會涉及教育目標的探討，臺灣現行的課程綱要，也具有相當明顯的目標模式傾向。

以目標為主體的課程觀，實際上還是會涉及教材內容、活動設計、學習程序等，但教育目標的選擇和組織，還是最基礎的工作，目標的整體性和層次劃分的重要性，一般的教育專業人士應該都相當了解;國民教育的藝術教育目標，不應該以學科本位來思考，而必須以學習者為主體，相信也是當代教育的趨勢和共識。

略過藝術教育目標內容和層次的複雜度，目前比較明顯易見的問題，常出現在目標的敘述和呈現方式，例如藝術教育的目標本來就有較多情意方面的性質，但課程綱要採用素養指標，一般教學設計者常見採用能力觀來條列目標，結果難以避免將教材、活動、態度、經驗等都視為目標的敘述，造成教科書編、審的爭議，以及教學實施和評量的困擾。當代教育的目標趨向多元價值觀，也更重視自我實現和生活意義的探求，國民教育的藝術教育目標，或許應該從人和生活的層面來考量，而不是只由學科本位的「表現」、「審美」和「應用」三個向度來規劃。

目前以目標界定的藝術教育課程，另外有個長久存在但一向被忽略的問題，就是教育目標教學活動之間欠缺邏輯關連。例如想像與創造力、自主性表現與自信等目標，實際教學多半都偏向媒材、形式的技術製，欣賞教學則偏向背景資料和形式分析的認知為主，結果教材和活動成為課程主體，而教育目標

常是隱晦模糊。

　　這種目標和教學之間邏輯關連的模糊，會形成目標模式課程的最大缺陷，無論藝術教育採取什麼樣的理念和目標內容，在課程設計和教學實施的實際行動中，教學活動經常缺乏編選的準則，成了「撿到籃子裡的都是菜」的狀況，任何和藝術形式相關的活動都是教材，而教學在無意中成了媒材、技術的拼湊，目標的達成欠缺可評估性，教學評量和補救教學也都不容易有明確的判斷依據。

（四）以「計畫」為定義的課程觀

　　這種觀點和前面的三種課程定義，其實都有重疊的部分，因為強調計畫性的學習，本來就會包含學習內容、教學目標、活動及評量工具等，只不過計畫的課程特別重視程序的部分。

　　臺灣的教育一向仍具威權傾向，再加上升學考試要求公平性的影響，教育部所頒布的課程綱要，是學校教育都必須依循的全國性標準，具有很明顯的計畫課程性質。從國民教育的立場來看，課程設計如果能夠透過嚴謹的程序，並利用國家的資源，動員較多不同層面的專業人士，共同規劃培養現代化國民的周詳計畫，其實遠比地方或學校自己編擬課程，更容易獲得較高的效率和品質。而良好的國家教育計畫，當然也應該顧及地區特性和學校願景的發展空間，甚至教師的專長和自主性的教學理念，也可以在有原則可遵循的情況下，獲得充分發展的機會，相對於臺灣社會文化發展的實際狀況，計畫性的課程還是有其必要和合宜性。

　　目前臺灣國民教育的課程實施，採用開放的多版本民編教科書，這是因應教育開放和民主時代潮流的進步措施，但可能因為課程綱要內容和教科書編輯、審查過程的問題，而有所謂「一綱多本」或「銜接不良」的負面批評，甚至要求恢復威權的部編標準本，這種可能扼殺教育改革機會的倒退作法，其實並沒有真正掌握問題的癥結。

　　具有計畫性傾向的現行課程綱要，對於教學實體的教材內容部分，因為要求完全開放而形成空洞化，這種計畫性課程不應該有的缺漏，或許才是課程實

施產生窒礙的主要原因之一。相對於舊版課程綱要所條列的詳細「教材綱要」，可能有部分確實是過於僵化，局限了教育應有的活潑和彈性，但對於教學實施和學習經驗的組織，所產生的指引功能卻相當明確，因此，教材內容的完全開放和完全指定之間，其實可以尋求計畫性課程的合理折衷空間，以適當的比例得到合理的教材規劃，「一綱多本」問題也就不大可能產生了。

　　從真實的臺灣社會生活層面來省思，對「教材綱要」是否有必要列舉明確的內容，我想用一項個人化的經驗作例子，或許可以帶來不一樣的思考和判斷：電視轉播外國的許多大型運動競賽場合，常見到為數眾多的觀眾群，能夠一起用嘹亮的歌聲唱出共同的歌，為自己的國家或城鎮的隊伍加油，心裡總是會覺得極為感動和震撼，也會感慨臺灣人似乎缺少這種場面和歌曲。為運動員加油也許不一定要唱歌，但是一首全國或某個區域都共同傳唱的歌，卻代表一種共同的記憶和情感，也是一種彼此認同和親善的催化劑。這種大家有共同的歌，可以在某些場合一起唱的情景，若想要有真正實現的一天，全國性的計畫課程可能是最有效的途徑，尤其以臺灣目前的社會現況來說，認真挑選幾首原住民、客家、閩南和國語的代表性歌曲，明確的列舉在藝術課程綱要中，成為每一個孩子都會唱的歌，或許不必強調「本土化」，這些歌聲就會成為這塊土地的共同情感，族群間的隔閡也有消彌的媒介，否則像目前各個族群唱自己的歌，甚至同一個族群也沒有大家會一起唱的歌，恐怕藝術課程的人文精神都已經失落了，而問題就出在課程的計畫性是否不夠周延。

　　批判或反對計畫性課程的主要概念，來自於要求教育「開放」的課程思想，面對當代知識體系的暫時性與變遷特質，教育的開放是一種必然的趨勢，但是如果我們同意「教育是一種有所意圖的合理行動」，那麼教育開放的定義，必須很慎重的討論和明確規範，否則只是強調完全的開放，很可能成為一種意識型態的空洞主張，卻欠缺對教育目標和實踐的關注，這種僅有模糊的目的論，方法論卻完全闕如的情況，或許和長年來藝術教學成效的不盡理想，具有相當的關係和影響，以「計畫」定義的課程，在可見的未來仍會是教育的重要原則，適當的計畫性和開放性並存，彼此互相調合的漸進發展，應該是教育進步不可或缺的雙腳。

目前有些教育學者鼓勵老師自編課程，這和以計畫界定的課程也是有衝突的，暫且不談編擬課程要耗費多少時間和精神，也先不管一般教師有沒有自編課程的能力，臺灣的社會流動性很高，不只學生轉學的情況不少，即使在同一個學校就讀期間，也常有老師異動或重新編班的狀況，絕大多數的學生，都不可能長期由同一位老師指導，因此教師自編課程，如果沒有最基本的教材綱領可以依循，必然會有學習經驗無法連貫的困擾，教育目標的整體性和組織也會出問題。

教師自編課程若是指「學校本位課程」，除了這種課程的定義必須釐清，教育部所頒的課程綱要，應該明訂課程的詮釋範圍和權限，也要預留本位課程的實施空間，避免學校本位課程和部頒課程綱要的衝突，另外如教科書的使用規定和功能，也都應該有詳細的探討和定位，否則對課程的計畫性而言，都很容易造成矛盾和缺失。

教學的「創新」是定義很模糊的名詞，而課程的目標和計畫應該是明確的，在教學活動中處於優先、主導的地位，因此教學活動設計的首要考量，應該是在教材和教學方法的編選過程中，尋求最適當的方案來有效達成目標，教學要求「創新」的意義，並不會高於「最適當」和「最有效」的原則，所以教學活動的創新設計是可以鼓勵的，但卻不可以把創新當作目的，而忽略了課程的目標和計畫。

整體而言，鼓勵教師自編課程，倒不如鼓勵教師從課程綱要的實踐，或教科書在教室裡的驗證，發展教學實踐的課程理論建構或回饋，這對教學品質的提升和專業素養的成長，都會是更具正面性的實際行動，而教師對課程實踐的集體經驗，也會是將來課程綱要再作修訂時，最重要的課程發展參考和依據。

伍、國民美學的藝術教育展望

對國民教育的視覺藝術教育理念，雖然在論據和內容的意義都做了充分的闡釋，但對於專業藝術的系統知識以及專業人才養成，是否造成嚴重貶損和妨害的疑慮，仍必須面對並提出論據和分析。

從整個社會文化發展的層面來考量，姑且不論在國民教育的範疇，要有效培養專業人才的困難和不合邏輯，只單就藝術要在一個社會受到普遍重視，而擁有良好的發展條件和環境，充分必要的條件就是必須擁有廣大的、夠水準的欣賞者，也就是絕大多數的一般民眾都喜愛藝術、關心藝術、懂得欣賞藝術，也唯有培育出這種肥沃的大地，才能滋養出壯碩的植栽和芬芳的花朵。

回到藝術專業人才培育的論題，國民教育的視覺藝術教育是否影響專業人才養成，主要的疑慮來自傳統概念，認為藝術專業養成的基礎是技術和形式表現，但如果以前瞻性的眼光來檢視，當代藝術哲學的發展可以確認，藝術的高度技巧本身不再是藝術價值的核心，而是當藝術表現的內容和意義性在價值上先獲得肯定，才來檢視形式和技巧是否合宜或卓越，這是當代藝術的判別和評價指標。培養藝術家不再是從技術訓練入手，也不是要追求作品形式和完成度，藝術家需要敏銳、豐富的感受性和人文思考，關注生活、文化並有原創性表現的哲學思維，洞察人生而能提出議題和新觀念的能量等，這些當代藝術家表現和成長的基礎，其實正是國民教育的視覺藝術教育的學習內容和目標，只要調整眼光看得懂孩子的藝術學習表現，就能夠理解藝術本質學習的效應，強求未來可能形成包袱的技術成就，反而可能阻斷專業藝術人才的成長途徑。

一種當代藝術在面對觀眾時的態度：「沒有你（觀眾），我（藝術）什麼也不是。」（引自 2010 芝加哥當代美術館（MCA）典藏展名稱《沒有你（你們），我什麼也不是，（without you I am nothing）》，高千惠 2014），或許也是這種觀點的另一個註腳。當然，或許難免還是會有一些堅持傳統的觀點，希望維護專業藝術既有的封閉式尊貴地位，也就是意圖維持薩依德所提的「小眾化的專業圈子」，藉以滿足精神上的慰藉和避免失落感，但是這種類似盆栽植物式的藝術景觀，終究不如整個土地上蒼翠成林的藝術狀態，或許還有人會質疑植栽的土壤可能很貧瘠，未必能夠有符合預期的成長，但教育卻正是改善土壤結構的有效途徑，有足夠的關注和良善課程的國民教育的藝術教育，才是藝術現象能在未來蓬勃發展，讓社會整體生活和文化品質徹底翻轉的契機。

除此之外，國民教育的藝術學習目標，重視人文素養和人格特質的養成，更強調人本的精神性本質價值的體認，對當今社會傾向物質追求和官能刺激的

生活型態，或許更具切合實際的正面意義，從整個社會文化的價值觀和生活型態的正向發展為著眼點，本章的教育哲學探討，以「國民教育的性質」來規範視覺藝術教育的內涵，合理性應該就更無庸置疑了。

第三章：國民教育的「當代藝術」定義與內涵

　　藝術教育是以「藝術」作為學習領域名稱，因此這個名詞的定義和內涵，就成了首先必須面對的課題，畢竟藝術向來就是一個充滿含混和歧義的名詞。不過，要對「藝術」這個語詞下定義，似乎很像台灣民俗文化的「扛枷」儀式，有一點藉由找自己麻煩的形式而求得心安的意味，大概很難確定是否能有明確的答案。但是討論藝術教育卻不能不探究藝術的定義，「扛枷」似乎是不得不進行的工作。所以無論是否徒勞或在論述上可能犯錯，所謂的「不得不」，是因為沒有建立清晰的藝術概念，就無法確定藝術教育的學習意義和實施內容，對於視覺藝術教育的論述和探討，更將無法聚焦而陷入各說各話的迷霧之中，因此，藝術定義是探討藝術教育最複雜、卻不能迴避的基本議題，不過也必須申明：本章對藝術定義的探討，仍以視覺藝術為主要範圍。

　　懷疑主義的「藝術的不可定義」說，幾乎是相當普遍的共通看法。因為「藝術」的概念具有明顯的開放性和流動性，隨著不同的美學理論、藝術觀念或社會、文化、科技等的時代變遷，都會使藝術的形式和內涵產生轉變，即使同樣的流派和相近的時代，可能對藝術有類似共同的論點，但藝術表現在主觀上崇尚創造性的特質，以及客觀條件如哲學思潮、科技、生活型態等變動的影響，藝術的「衍變」和「流動」也是必然的。引用高千惠的「衍變」一詞，意指當代藝術多元的分歧延伸發展，又和以往既有的藝術型態與現象並存，而不只是線性的轉變或有取代意味的「演變」，而網路和數位資訊也帶來更大的流動性。所以，在這種持續延展和變動的情況下，無法絕對的定義「藝術」，其實也是很自然的現象。

　　但藝術教育的研究或實際教學，卻無法避免藝術定義探討的課題，唯有經由閱讀、思考、談論來面對自己對藝術定義的懷疑和判斷，才可能撥開藝術的朦朧迷霧，否則教學者將不知道怎麼和孩子談論藝術，更難以掌握藝術教育的明確課程內涵。探討兒童視覺藝術教育，是否真有必要談論哲學性的、專業理論的藝術定義與內涵？這個問題可以從以下的不同面向來分析。

一、當藝術本身就是教育的主要內涵，或者是藝術教育的工具性主要媒介，卻

採用一個語意含混、充滿歧義的語詞，作為藝術教育的探討對象，必然容易引發許多無謂的爭議，甚至連有效的理解和溝通都難以達成，結果將讓相關議題的探討難有交集，教學研究和教育水準的提升也很容易落空。

二、藝術的定義如果過於泛化，任何隨意詮釋的教材和教學活動，都可能因為欠缺明確的判別依據，而通通被認為符合課程需求，「撿到籃子裡的都是菜」，也就讓任意、表面的形式化教學，有了逃避檢驗的最佳護身符，包括「生活藝術」的教學訴求，也可能只是包裝過的「美學享樂主義」而已。另外，藝術如果趨向於以它的專業性來定位，就可能只強調孩子的天賦和資質，擇英才而教；以少數菁英的表現宣示教學成果，其他的孩子被放棄可能也就理所當然。

三、藝術教育的整體課程規劃，是以價值能夠被普遍認同的目標作為課程設計的主軸，而藝術的主要內涵，就成為檢驗目標是否切實的依據。要達成預期的教育目標，先決條件就是藉以實施教學的藝術內容和本質，具有和目標相關的連結和功能性，否則勾勒得非常美好的教學目標，都將因為和教學內容欠缺邏輯關聯而淪為口號。唯有藉由嚴謹明確的藝術定義，才能夠界定課程內容和目標的合宜性，並檢驗教學實施的策略和可行性。

所以，探討藝術的定義和內涵，是藝術教育研究必要的基礎理論。但必須再次特別申明，本文有些較簡化的敘述，將「藝術」和「視覺藝術」兩個名詞混用，雖然有些論點可以涵蓋廣義的藝術教育，但是基本上仍以視覺藝術為主要的探討範圍，這也是因應前述的藝術定義的難點，避免不同廣義藝術形式的分歧意含，干擾了討論和溝通的精確性，同時也比較能符合系列研討議題的整體性，聚焦於「當代視覺藝術教育」的深入探討。

而第一個基本概念就是傳統「美術（fine art）」和「視覺藝術（visual art）」意含的差別，從藝術教育的立場來檢視，「美術」和「視覺藝術」只是名稱的差異，或是在本質和內涵方面有所差別？在後現代思潮的衝擊之後，有所謂的「繪畫已死」，以及「藝術的歷史斷裂」論述，大致上「美術」強調視

覺美感，媒材、技術、形式結構等居於主導地位，但「視覺藝術」則以視覺形式為主而拓展內涵，以「入世」的觀念強調藝術表現的內容和意義，也因此模糊了原有美術形式和美學原理原則的界線，因此，整理出從教育立場出發並以視覺藝術為範圍的藝術定義，應該是討論視覺藝術教育必要的起點。

壹、藝術「定義」的基本概念

要對一個特定的名詞下定義，有非常嚴格的語意學和邏輯的規範，原則上定義的指述內容，和被定義項之間不可以有實際的例外，包括例外的可能性也不能容許。但基於藝術本身的複雜度和流動性，嚴謹、周延的絕對定義幾乎無法達成，再加上本議題探討的目的，是在建構視覺藝術教學實踐的課程內容的基礎，而不是要確認藝術的絕對定義。因此參考維根斯坦（Ludwig J.J.Wittgenstein）對藝術定義的「家族相似性」論點，並配合語意學探討語詞「意含」的概念，另外尋求合宜的有效定義對策。

藝術哲學（美學）的「語意學轉向」（朱立元 2000）之後，首先主要呈現在現代科學主義，也就是邏輯實證主義和現代分析哲學，德國哲學家維根斯坦是分析哲學的主要代表，後期的美學論述轉向日常語言哲學，對藝術的定義所採取的「家族相似性」論點，意謂所有被稱為「藝術」的事物和現象，其實並沒有一個特定性質，是被所有稱為藝術的事物普遍的共同持有，以視覺藝術為例：將油畫和馬賽克壁畫、陶藝、木雕等並列，也許有一些「相似」的性質，但並不容易確定有什麼近於「本質」的性質，是上述幾個項目都個別獨有並又共同擁有。如果再以油畫和小提琴演奏並列，兩者就更難找到共同特質，但上述所有事物和現象仍都被稱為藝術，則是因為它們擁有一些「相似性的特質」。有很多語詞或概念的指述，個別之間並不具一個本質性質，但卻分享著某一些重要特質，因此被歸入那個概念的適用範圍，這就是所謂的「家族相似性」。

「家族相似性」的論述，相對於語意學在探討語文意義的樣態時，所採用的「意含」（signification）一詞，概念上也具有一些共通的相似性。「意含」基本上是指稱一個語詞所指謂的事物所具有的「各種性質」（何秀煌，1969），本文以「性質特徵」作為前述「各種性質」的專用詞，之所以沒有確

實引用何秀煌早期論述採用的「性徵」一詞，則是希望避免和性別討論的生理用語混淆，以免引起一些不必要的可能誤解。

另外，「性質特徵」和藝術的「本質論」（essentialism），意含有一些相近似，卻又並不完全相等。可以溯自亞里斯多德的藝術本質論，在當代哲學思潮轉變和藝術本身衍變的衝擊下，已經被當代記號學所解構，所以華騰柏格（Thomas E. Wartenberg）才採用「The Natural of Arts」這個語詞來指述「藝術本質」，而不再採用 essentiality 這個名詞。

這樣的概念類似等於用藝術的內涵（各種性質特徵或所謂的本質）來定義藝術，所以在藝術教育的課程內容、功能和目標等的討論，更容易有直接的連結，應該是比較合宜的討論方式。

就「性質特徵」探討藝術本質和定義，還有一項必須特別予以關注的相關概念，那就是藝術的本質具有「時代的差異性」，就如《威蘭多夫的維納斯》（27,000～23,000BC）、《卡洛瑪瑪皇后銅像》（825BC）、傑可梅第的《婀娜女子》（1958）為例，三件作品題材都是女性，都是立體雕塑，但是這三件藝術作品產出的背景因素、目的、觀念、價值、精神依據等，和藝術本質相關的性質特徵，其間相異性確實遠大於共同的部分，可以說各種藝術如果有本質上的差異，因時代差別的文化背景往往是非常關鍵的因素。

因此，從教育立場探討藝術的定義，可以有兩種不同途徑，一個是試圖描述藝術的普遍共同性質的定義，尋求貫穿歷史時空的藝術性質特徵，建構出共通性的藝術本質，作為認識、談論藝術和教育的基礎。

另一個方式是依據藝術史的時代，尤其是將當下的藝術現況切割出來，以當前的時代和藝術觀念作為區隔，專注於討論「當代藝術」的性質特徵，主要的理由是當下的藝術現象和經驗，更為鮮活、真實、具體又貼近真實生活，會比較容易用來開啟一扇心靈的視窗，用這種當下的觀念和視點，可以檢視現代人類的生活、文化和藝術，也可以用這種當代藝術觀念的「心眼」，窺探藝術各個充滿奧妙和迷霧的歷史時代，探尋另類、但可能更貼近世俗生活的藝術詮釋和感動，也藉此產生對現代社會生活的全新省思和啟示。這也是讓視覺藝術

教育，不必再面對古老藝術歷史的繁複資料，以及不容易理解的典範詮釋，而能夠找到更密切連結真實生活經驗的學習途徑。

貳、普遍定義的藝術性質特徵

「藝術」因為本身內涵的複雜和流變性，在一般的語言應用中常是一個模稜語詞，也常被借用在比喻、形容或象徵的語法中，包括「藝術生活化」和「生活藝術化」之類意涵不明的敘述，結果又衍生出各種歧義和含混性。以下是一些在網路搜尋中常會出現的藝術定義：

亞里士多德：「藝術是自然的模仿」

萊森：「藝術是以美為理想而完成的自然」

席勒：「藝術是感情與理智的調和」

謝林：「藝術是於有限的材料之中，寓以無限的精神」

黑格爾：「藝術是把絕對的精神予以直覺地表現」

叔本華：「藝術是使我們忘卻現實的苦惱的一種一時的解脫劑」

托爾斯泰：「藝術是人間傳達其感情的手段」

榮格：「藝術是理性的和意識的生活的表現」

上列各種所謂的藝術定義，無論是由誰所歸納，基本上都不是那些哲學家原有的表述語句，而以這樣的敘述方式來定義藝術，其實無法真正呈現藝術的完整樣貌或內涵，這種速食化的簡餐式敘述，或許迎合了目前某些喜歡將事情簡單化的心態，但若以這種敘述作為探討藝術教育的依據，恐怕難免產生營養失衡，甚至引發消化不良的後遺症。

如果要探求比較嚴謹的藝術定義，或許可以先參考維基百科（Wikipedia）以下的敘述為起點：

藝術（Art）有時被稱為精緻藝術或美術（Fine Arts），指憑藉技巧、意願、想像力、經驗等，綜合人為因素的融合與平衡，以創作隱含美學的器物、環境、影像、動作或聲音的表達模式，以指和他人分享美的或有深意的情感與意識的；人類用以表達既有感知的；且將個人或群體體驗沉澱與展現的過程。

　　以上的藝術定義敘述雖然相對似乎較為完整，但再進一步分析，就會發現這項藝術定義的敘述，並沒有涵蓋「美術」（Fine Arts）已經被「視覺藝術」（Visual Arts）所替換的概念，所以藝術表現憑藉的敘述內容，欠缺當代藝術最重要的思考和觀念，創作表現的內涵限於經驗、美感、情意、意識，缺少批判性、人生議題、人文精神、價值觀和哲學思想等的呈現。

　　提出這樣的批判，正是前述藝術本質的時代性差異的例證，也可以說是藝術的當代發展和內涵的衍變，產生了前面的定義無法涵蓋的新性質。也許有人會質疑這是「以今非古」，似乎不合情理，但是如果用上述的定義對照原始藝術或古代藝術，就會發現也有很多並不切合實際的言說。因此，不是這個定義本身的疏漏，而是這個定義指述的依據，是以藝術歷史的某個時代段落為本，或說這是單指文藝復興後期到早期現代主義的藝術定義，大概就不會有太大落差和爭議性了。

　　到此為此，應該可以很容易發現，替藝術下定義確實吃力不討好，尤其是傷腦筋去試圖描述藝術的定義，也未必有什麼很確定的實際意義，對了解藝術似乎沒有什麼實質助益。以下從藝術教育的立場，嘗試擬出藝術的一些共通性的性質特徵，這種敘述方式比較繁瑣，但可能有助於補充上述的藝術定義，勾勒出比較清晰的藝術整體輪廓，更重要的是這種闡述方式，才比較能夠貼近視覺藝術教育探討的需求。

一、**藝術專指人為的活動或現象**：藝術是人類獨有的文化現象，無論多美的自然景觀或者人和其他生物，都不能夠認定為藝術。但是經由人（藝術家為主，有時也包括觀眾）的介入，自然物或日常現成物也有可能成為藝術。例如：杜象的《噴泉》和波依斯（Joseph Beuys）的《7,000 棵橡樹》

二、**藝術必須藉由可以感知的媒介呈現**：藝術的觀念和表現，不可以只憑藉言說或文字表述，而必須轉化成可以被知覺的形式，這個承載的媒介就是一般所謂廣義的「藝術形式」。

三、**藝術必須是精神性的追求**：藝術必須具備的精神性表現，也就是廣義的藝術內容的「意義」。以物質價值和實用性為訴求的事物，並不具備藝術的

本質，例如大量複製的商品畫，或把名家作品轉印在馬克杯上，一般並不認為是藝術品。將藝術品的商業市場價格，當作藝術價值的評斷標準，更會在藝術教學上造成觀念的誤導。

四、藝術是人類探尋和表現價值的歷程和結果：藝術追尋的價值是精神性的，有時代背景的差異性，也必須包容多元的詮釋差異。例如「美感」是某個時代階段認為很重要的人生價值，也因此成為那個時代藝術的本質，但美感的認定卻又未必具有單一的絕對標準。

五、藝術發展的主軸是依循人文精神：人文是一種態度、思考模式和價值觀，隨著社會和生活的發展而變遷，表現人類智慧的人文精神，就是藝術探尋和表現的價值的憑藉。

六、藝術有崇尚自由、獨創、反省、批判的發展趨勢：隨著人文精神的發展，社會結構和階級意識會產生變動，人類對本身地位的覺醒，促成這個趨勢越趨明顯並越受尊崇。

以上所列藝術性質的普遍特徵，可以很容易觀察到這些敘述的關聯性，但這些性質特徵是一種並未窮盡，也不排除對立的列舉方式，所以並不完備也可能會有漏失。在這些性質特徵的敘述中，「人文精神」是個關鍵語詞，九年一貫課程綱要，訂定「藝術與人文」為領域名稱，卻幾乎沒有明確的人文定義，實施內容更欠缺相關的論述，這也是課程綱要引起許多爭議的主要原因。歸納牛津大學副校長 Alan Bullock 的人文主義論述（董樂山 譯 2000），「人文」並不是一門學科，沒有具體可以學習的規範或內容，而是一種思考的方式和價值觀，強調人對自身地位的覺醒，關懷的是生命的意義和生活的價值。「人文精神」是當代生活和藝術教育的關鍵概念，將於後續第四章另作深入的探討。

參、當代藝術的性質特徵

「當代藝術」的語意，原指涵蓋當下這個時代的藝術流動過程，但這個名詞卻經常有另外的語用狀態，被當作是藝術觀念的區隔標誌。前者是具時間意涵的普通名詞，以這樣的意含指謂「當代藝術」，目前以自然主義或印象主義

的觀念，從事繪畫表現的行為和現象，都還是可以列入當代藝術的範疇，這樣的語意和語用方式，比較欠缺藝術觀念表現的識別度。

而後者則是專有名詞的語用方式，專指具有特定性質特徵的藝術，以藝術觀念和美學哲學論述區隔出藝術的特定範疇。這種意含的「當代藝術」，具有強調表現的觀念和意義性重於形式的特徵，因此和國民教育的藝術教育，容易有比較密切的連結，本文的討論重心，也是設定在後者這個意含。

1969年英國倫敦當代藝術研究所 (ICA) 於瑞士的伯爾尼舉辦《當態度成為形式》展（展覽的全名「生活在你的頭腦中：當態度成為形式：藝術品、概念、過程、狀況、訊息」—Live in Your Head: When Attitudes Become Form: Works, Concepts, Processes, Situations, Information），「當代藝術」一詞正式出現，這個備受重視也引起很多爭議的展覽，被視為是「當代藝術」的形式上的起點。

當代藝術的概念雖然可以明確界定，是以藝術的觀念作為區隔，但實際的內涵卻是非常多樣、複雜，因為當代藝術媒介的多元化，以及表現內涵的跨域延展，藝術已經和科技、人類學、社會學、哲學、文化研究、世俗生活等領域連結，藝術觀念和形式也因此具有開放性和流動性，雖然可能和歷來的各種藝術形式在當下並存，卻又有明顯的區隔甚至對立的存在，這也是「藝術的歷史已經斷裂」這種論述產生的原因。

當代藝術雖然有所謂重大的顛覆和斷裂，但觀念的源起還是有歷史脈絡可以探尋，比較近的如普普藝術、達達主義、超現實主義等，就都具有當代藝術觀念的基因，而最主要的影響應該是源自「後現代」思潮，以及當代歐陸哲學（也有以法蘭克福學派為主的說法），以下就經由藝術歷史和哲學發展的面向，嘗試以不太可能很完整，並接受可以各自表述的陳述方式，列舉和分析當代藝術的性質特徵。

一、當代藝術的「後現代性」

當代藝術承襲「後現代」思潮，反對現代主義的「純粹性」，也就是追求形式為終極的「出世」態度。當代藝術的觀念很多是源自歐陸哲學和社會主義

思想，具有明顯的「入世」精神，強調藝術介入真實生活的必要性，摒棄「為藝術而藝術」的不食人間煙火，也因此帶有「反美學」、「去典範」的遊戲性和衝撞性，充滿反叛和冒險的不確定性。這項性質特徵也可以如是註解：「藝術不再只是一幅畫或一件雕塑，而是一種觀念的釋放。是對哲學、政治、人性、物質文明等發展，給予回應的種種形式和態度。」（高千惠 2014）

二、當代藝術的「後後現代性」

後現代的強烈批判和顛覆、破壞性，雖然是摧毀既有典範，開啟重新審視現實、建構新觀念的必要手段，但卻不是一個可以長久停留的界域，只有破壞沒有建設必然淪入覆滅的結果，而成熟文化的高度批判性，雖然有時會極端到自我否定，但藉由反省和創造力尋找新出路，卻也是必然的歷史經驗法則，「後後現代」象徵重新建構的精神，當代藝術的觀念發展並不會停留在達達或後現代，而是跨越消極的反叛，具有持續尋求新的藝術信仰的特徵。也因此和藝術哲學緊密結合，具有多元、反思、流動、衝突、實驗性等特色。

三、當代藝術的跨域統整與跨界融合

當代藝術回歸真實生活的入世態度，和當代人文主義的精神互相呼應，藝術的題材和內涵自然脫離純粹的形式，轉而關注人類生活的所有議題，連結社會、文化、環境、性別、政治、科技、哲學…等各個領域，藝術的觸角無限延伸，各種觀念的解構和全新的詮釋，打破了原有藝術的藩籬，藝術的觀念也呈現了前所未有的豐富樣貌。也因為這種觀念的擴展和流動，當代藝術的表現形式也有跨界的現象，像是融合生物科技、醫療科學、光電技術等，各種非藝術相關的專業領域，呈現完全迥異於傳統藝術歷史的表現形式。

四、當代藝術媒材和技術的重新定位

當代藝術的本質連結哲學、觀念、意義和論述，再加上科技發展的影響，媒材的應用有了很大的擴展，不僅身邊物挪用、環境、裝置成為常見的形式，「新媒體藝術」更是應運而生，大量應用新科技、數位影像、網路空間等，這種表現形式似乎成了當代藝術的識別證，但實際上從觀念區隔的角度來看，運

用科技媒材卻未必就是當代藝術，反而是如果思考科技對人類生活的影響，表現這種當代人類的切身議題，即使運用如繪畫這種傳統媒材和形式，仍是符合當代藝術的性質特徵。就這樣的概念來說，藝術的技術性的地位也就弱化了，高度的技巧本身不再是藝術價值的核心，而是退讓在藝術觀念之後，當藝術表現的內容和意義性，在價值上先獲得肯定，才來檢視形式和技巧是否合宜或卓越，這也是當代藝術的判別和評價指標。

肆、當代藝術的題材與內涵

當代藝術的各項性質特徵，經常會呈現題材和內容的辨識性，可以作為當代藝術觀念判別的參考。這項題材和內容的特定性質，可以概括劃分為以下兩個主軸：

一、藝術的定義和意義性的探討

當代藝術在後現代思潮衝擊下，所謂的「藝術的終結」危機，促成藝術哲學對藝術定義和本質的熱烈探討，也使得當代藝術創作對這個題材，呈現前所未有的關注和興趣。現象學和解構主義的論述，使得「誰是藝術家」、「什麼才是藝術」之類的提問，成為當代藝術必須自己提出各種詮釋的重要題材。這方面的表現包括藝術的形式、性質、功能和價值的探討、質疑，也涉及創作者、評論家和一般觀眾角色、地位的省思，也包括互動方式的思考和檢討等，這一種類型的藝術有較多的專業色彩，用藝術手法來探討藝術本身的課題，有時並不涉及世俗生活經驗，而是藝術和哲學結合的論述，也是藝術要怎麼走出下一步的重要思考和課題。

二、各種特定議題的介入、提問、詮釋與價值澄清

當代藝術特殊的「入世」性格，以及當代人文主義的發展，促成人類的自我意識高漲，人的主體地位和自由、獨立，使當代藝術對人類生活相關的各種議題，呈現許多獨特的關注和表現方式，舉凡以下尚未窮盡的議題，都是當代藝術所觸及和探討的重心，而表現的內容和觀念的主要面向，幾乎多半都是反思、批判、質疑或另類詮釋，最明顯的就是一種價值觀的澄清和重新定位，當

然也連接到藝術的主要本質─創造力，但最主要的變遷就是從形式的創造，轉變到觀念和價值的創造。相關議題參考如下：

1. 社會議題：階級、種族、族群、人權、公眾事務、全球化…等。
2. 政治議題：權利義務、公共政策、權力結構、意識形態…等。
3. 文化議題：多元文化、異文化、次文化、俗豔、底層、差異…等。
4. 性別議題：性別平等、女性主義、同性、酷兒、第三性…等。
5. 環境議題：各種生態、能源、自然保育、公共空間、人文環境…等。
6. 科技議題：網路、資訊、醫療、人工智慧、生活科技…等。
7. 生命議題：身體、賽伯格、後人類、生化、基因…等。
8. 生活議題：法律、道德、家庭、人際關係、消費行為、經濟活動…等。
9. 信仰議題：宗教、民俗、原始崇拜、祭儀、靈魂…等。
10. 個人化議題：情感、冥想、夢幻、潛意識、人性探索…等。
11. 其他：以人的生涯為著眼點的價值、人生態度…等議題。

　　以上這些並未窮盡的議題，足以呈現當代藝術從各種不同角度切入，針對單一議題或者複合多元議題，呈現出非常多樣化的省思和詮釋。這也是人文精神和藝術前所未有的整合狀態，也是藝術滲透人類生活價值、探索人的生命意義最深刻的時代。這些對當代藝術性質特徵的描述，只是一種對照性的動態概念，但可以確定當代藝術具有一種前衛的身分，必須持續對現存的世界重新審視，關注當代人類生活的各種面向和議題。當代藝術和人類真實生活的連結和影響，可能是歷史上前所未有的最密切的時代。所以，當代藝術的本質為基礎的藝術教育，是否和傳統學科思考的藝術教育，具有完全不同的價值和重要性？應該可以從這樣的認知和角度深入省思。

伍、當代藝術的教育目標取向

　　以當代藝術的性質特徵，作為兒童視覺藝術教育的主要內涵，教育目標自然會脫離學科中心的取向，當代藝術本質的衍變和人文精神的影響，兒童藝術教育的目標，和當代藝術的關聯大致如下：

一、不是專業技術的養成，而是培養造形表現的基礎：兒童藝術學習的首要

目標，必須能夠滿足自我表現的喜悅，才足以維護藝術學習的興趣，讓兒童能夠充分表現的基本條件，就是培養工具的正確操作方法，以及嚴謹的操作程序和工作態度，同時對媒材的特性有足夠的體驗，並能妥適、有效率的處理材料，而各種表現技法則透過自主性的多樣實驗，拓展技法經驗成為自主性表現的基礎。

二、**不是美學原理原則的形式分析，而是藝術本質的體驗和拓展**：因應當代藝術的性質特徵和觀念的變遷，建構「國民美學」的藝術史觀點，是藝術欣賞的詮釋和藝術表現構想的起點，而相關的基礎，則是視覺的關心度和視覺經驗的拓展，同時建立對藝術觀念的理解，以及獨立思考和表達自我觀點的能力，此外，當代藝術本質的學習，會連結各項生活和文化的議題，自然會培養關注生活、環境和社會的人文情懷，使藝術學習緊密連結世俗生活。

三、**不是作品完成度的追求，而是連結生活經驗的省思與表現**：從前述的當代藝術性質特徵，成為藝術內容的各項議題，絕大多數都會和真實生活有密切連結，藝術學習成為世俗生活各個面向的啟發和反思，主要的效應就不在專業藝術作品表現的水準，而是社會關懷、文化參與、生活態度、價值澄清等等的思考和成長，所謂對個人而言能追求並落實「有意義的人生」，才是當代藝術教育的終極目標。

陸、當代藝術的本質和視覺藝術教育

　　當代藝術和真實生活的密切連結，不僅拓展了視覺藝術教育的深度和廣度，也讓視覺藝術教育有全新的內容和意義。從當代藝術的性質特徵，可以歸納出藝術教育應有的部分重要內涵，以下就「教學模式」的論述和定義方式（吳正雄 2006），將這項學習內容定名為「藝術本質教學」模式，但必須申明以「藝術本質」作為專有名詞的意含，相對於學科本位藝術教育論者，經常將 DBAE 翻譯為「本質論」課程，其實兩者對「本質」的意含有非常大的差異，DBAE 比較傾向學科中心主義，原有名稱是「學科基礎的藝術教育」，最早創用「本質論」的譯名，並重大影響國內藝術教育的劉豐榮教授，後來也確認「本質論」

的語意並不妥適而作了修正。

「藝術本質教學」以上述當代藝術的性質特徵，界定藝術本質的定義和教學的內容，課程基本上雖然有學科本位的性質，但課程發展的思考和教學內容卻有很大的差異，促成這些差異的論述依據和思考，和後續的一些研討議題也相互關連，在此先就藝術定義的相關性，探討這項學習的主要內涵，至於教學模式的項目和實施要點，在本書第五章再另作較詳細的說明。

任何學科的教育內容和目標，最基礎的原則脫離不了生活價值的探尋，以及生命意義的自我實現，這一點和當代藝術的性質特徵，具有非常高的關聯和同質性，這樣的角度，正是「藝術是一切教育的基礎」論述的根源。

藝術本質教學主要的內涵，類似傳統課程的「藝術欣賞教學」，但基本的差異是以當代藝術的性質特徵和人文精神為依據，因此必須建構國民美學的藝術定義，以及國民美學的藝術史觀點（國民美學的定義和相關論述，參見本書第二章：國民教育的視覺藝術教育性質），藉以尋求一般人理解藝術的門徑。因為藝術的本質和意義，必須以藝術的歷史觀點為基礎，才能掌握藝術的時代性特徵和差異，避免錯置了理解或詮釋藝術的方式和工具。

國民美學的藝術史觀點，依據當代藝術的性質特徵和精神，並不引用專業藝術的典範論述和詮釋，而是試圖建構每一個人自己理解、詮釋藝術的基本概念，探尋個人化的藝術意義解碼的途徑。「觀者獨斷」的概念（波納米 Francesco Bonami 2003），以及「當代藝術評論只是陪伴成長的角色」（王柏為 2013），都是當代藝術的觀念所塑造出來的態度，藝術學習的意義聚焦在學習者自身，藝術的歷史資料和藝術作品的細節，包括藝術知識和技術，都不是藝術教育的主目標，而只是一種工具性質的學習媒介。

當代教育的學習方法已經改變，知識和資料幾乎都可由網路獲取，知識的理解、思考和詮釋才是學習的主軸，國民教育的「藝術本質教學」不是知識學習，而是建構藝術欣賞和詮釋的工具，探尋藝術的意義和生活上的關連，體驗個人化的、再創造的藝術再生產歷程，進而建立生活態度和人文素養。

另外，在創作體驗的兒童自我表現教學型態，依據當代藝術的性質特徵，

製作技巧和作品的完成度，也相對不具重要性，而是以感受性和思考能力為教學核心。相對於只是教孩子完成一件作品，遠不如讓孩子能思考；能闡述自己表現的感覺和想法，因此，除了極少數工具操作和材料處理的教學，顧慮安全性和合理的程序，需要有比較一致性的規範要求以外，所有和兒童表現相關的教學，都應該保有兒童自己思考和自我表現的空間，連藉孩子的手表現老師所設定的預期效果，都是不合理的教學方式，如果全班的作品都是同一個樣子，就幾乎可以確定是一種反教育的教學方式了。

藝術本質教學的「當代性」精神，可以促成孩子對自己生活的反省和思考，並關懷整個人類互相對待的態度，以及面對環境生態、文化差異等等生活議題的方式，作成各種不同層面的省思和生活的價值澄清，「人應該怎麼活」這個議題，也因此可能會比較清晰，藝術教育的人文目標也會變得比較具體確實，這才是當代視覺藝術教育的主要內涵。

第四章：視覺藝術教育的「學習者主體性」

　　「各種教育的理念論述和研究，從課程思想到教學實施的各層面，都會因意識型態而有抉擇和差異」（費德曼 Edmund B. Feldman 李文珊等 譯，2000），這大概也是一般探討教育觀念的共同看法，包括教育政策擬訂到現場教學者的權威來源、民主或極權的政治制度、宗教和文化背景、家長或媒體的公眾意見等，背後的意識型態都會影響教育的理念、政策和實施。

　　本文所探討的視覺藝術教育的「主體」，是指課程結構的主要教學實施對象，以及課程發展的教育哲學取向，也就是整體性的教育目的，探討重點當然是受教育的學生「學習什麼」、「為何學習」、「如何學習」等課題。教育的課程主體性相關概念，主要大致分為：學科中心、社會中心、兒童中心三種。學科中心的課程理念可以 DBAE 為代表，以藝術本身的內涵為學習的主體，社會中心的課程理念，強調社會發展的需求，以社會的集體價值作為學習內容的主體，兒童中心的課程觀點，以學生的興趣和需求為主體，據以發展課程目標和內容，國民教育的學習者為中、小學生，但也常見以泛稱的「兒童」為指稱，所以「兒童中心」的課程理念也稱「學生中心」，並非僅指小學階段兒童為對象。

　　這三種課程理念雖然不完全互相排斥，也有一些折衷、整合的主張和論述，但三者有些基本的理念差異，卻未必能夠完全整合在一起，本書第二章探討的主題「國民教育的性質」，帶有明顯的去學科中心的反思成分，其實就是社會中心為本的思考，第三章探討當代藝術的定義，分析當代藝術的內涵在教育上的性質和功能，就帶有釐清學科中心理念的意味。當代西方人文主義的發展和影響，人的生命個體的獨立性和價值備受重視。當代教育理念的發展趨勢，強調「人本」的兒童中心課程理念，其實是越來越受重視的主流思潮（張文軍 1998）。

　　傳統兒童中心的教育理念，以自然主義的論述為主要依據，台灣多年來強調創造力的兒童美術教育，到目前仍有相當的影響力，基本上也是兒童中心的理念。但是由於當代藝術本質的衍變，藝術本質學習的內涵和重要性，也隨之

產生重大的變遷，再加上台灣國民教育的性質與規範，長年來在威權意識和升學主義的衝擊下，早已失卻了國民教育應有的特質和內涵，因此本文嘗試以當代人文主義的精神為主軸，深入探討當代的兒童中心課程理念，尋求連結當代藝術的內涵，結合國民教育的性質，建構以學習者為主體的藝術課程的可行途徑，並探討這樣的藝術教育型態，具有什麼樣的性質特徵和特殊意義。

壹、「學習者本位」的視覺藝術教育

基於以學習者為教育主體的性質，界定國民教育階段藝術學習的學生主體地位，並和傳統的兒童中心理念形成區隔，本文以「學習者本位」為課程觀探討的專有名詞，分析中、小學生在藝術學習中的主體性質，至於高中階段納入12年國民教育範疇，則因為高中階段的心理成長和生活經驗、學習目標需求等差異，必須在課程結構方面另作規劃，本書並沒有作足夠深入的探討。

討論學習者的主體性，主要是期待以更宏觀的視野和智慧，建構當代「學習者本位」的藝術教育內涵。強調需要視野和智慧，是因為有些強調讓學生參與課程的主張，可能忽略孩子的生活經驗和理解、思考的能力，自身未必能夠清晰掌握生命的意義，也無從規劃必要的學習內容和經驗的層次組織，因此，深層的人文思考，以及對於獨立生命個體的理解，是學習者本位的藝術教育必要的基礎概念。在引介各種研究和理論時，為了尊重原作的敘述，部份文字仍會以「兒童」作呈現，但意含等同於「國民教育的學習者」。

學習者本位的藝術教育，對應當代藝術的內涵和國民教育的性質，所持的思考脈絡和價值判斷，先引用大前研一批判日本財經政策的論述：「給予者的思考」和「接受者的思考」的相關概念（大前研一 2006），分析藝術教育的學習者主體性，作為課程發展的教育哲學參考。

「給予者的思考」意指掌握教育資源和權力者為本位，上自政府制定課程綱要，規範所有學生接受一致的學習內容，或是教育行政官僚以個人好惡或「辦學績效」為名，重視競賽、展演、排場等非教育本質的表面形式，下至教學者以自己的專長或方便考量，將學生的學習內容設下侷限，例如只專注於水

墨、版畫等狹隘的教學範圍，並以教學的深入程度和單一的作品成就，誇耀成教學的成果和教師個人才華，至於學生個別化的興趣與潛能發展的可能、多元化的基本智能發展、個別經驗與氣質類型差別的自我表現等，就會完全被忽視和犧牲，更嚴重的是藝術學習的本質目標，也會因而模糊不清而遭忽視。

以另一個比較嚴謹的觀點來批判，想要把孩子培養成藝術家，其實是一種非人性的思考，不但預期的成效難以確定，更忽略了孩子是獨立的生命個體，任何人都沒有權力和資格，強行設定個別兒童的人生目標和成長方式。而所謂的「擇英才而教之」，意味可以放棄沒天分或沒興趣的孩子，也不是國民教育的藝術教學該有的態度。

「**接受者的思考**」則是以學習者為主體，面對藝術學習的態度，是無論藝術有多崇高的地位，都不足以構成學習的必要理由，而必須是因為藝術能夠對生命意義的探尋有所啟發，或確實能夠豐富個人生活的內涵，藝術學習的價值才能夠確定。面對社會階級流動、解構後的教育需求，人對自己獨立地位和尊嚴的覺醒，不再甘於只是做社會機器的螺絲釘，藝術教育設身處地為接受者思考，就會以人的生涯為著眼點，人生價值的尋求和自我實現所需要的條件，以及相關的基本能力、人格特質等素養，才是藝術教育真正該有的目標。

藝術教育的主體如果以學習者為本位，再經由比較周延的思考和規劃，在整體的課程架構上，學習的媒介和當代藝術的本質可以相當契合，教學的目標和國民教育的性質也不會衝突，應該是當代視覺藝術教育的理想型態。

貳、人文精神與藝術學習者的主體地位

以「接受者的思考」理念，來論述學習者為藝術教育的主體，課程的發展雖然具有正當性，但這種立場和價值的抉擇，還需要進一步的哲學價值判斷和觀念澄清，才能使學習者本位的藝術教育理念更為完備，並在教學實施方面提供必要的參考，增強學習者本位教育的可行性和重要性。以下關於學習者在藝術教育的主體地位的探討，是以當代西方人文主義的精神為依據。

人文主義（Humanist）這個名詞在 1808 年才出現，但人文的相關理念卻是

源遠流長，一般都會從西方文藝復興時期談起，也可以遠溯到希臘羅馬時代。人文思想一直發展、影響到現在，但是人文主義的延續性，並不能就認為它的意涵也具同一性，隨著不同時代的思潮發展，人文的內容也有不同的呈現和意涵的差異。一般常見的「人文」概念，多半會以哲學、藝術、文學、歷史等學科為代表，甚至以為這些學科本身就等同於人文，這樣的觀點其實頗有商榷的餘地。在此引用牛津大學副校長布洛克對人文的觀點和形容（Alan Bullock，董樂山 譯，2000）：「作為研究上的假設，我不把人文主義當作一種思想派別或哲學學說，而是當作一種寬廣的傾向，一個思想和信仰的維度，一場持續不斷的辯論。」；「人文最吸引人的地方就是以人為中心，它是人生的學校，致力於解決全人類的共同問題。」，從這樣的觀點來看，人文基本上是一種思考的方式和態度，而人文學科另有自己的知識和形式系統，雖然兩者有密切的關聯，但主要的內涵和概念還是有所區別。

如果用最簡約的方式來回顧人文主義的發展，文藝復興時期的人文學者，面對宗教掌控一切社會資源和權威的環境，開始強調人的創造力和營造自己生活的能力，也對人的個性和自我意識更加關注，教育受到重視與發展，也是從這個時期開始，當時的教育重點是語法和修辭，培養有效的閱讀和說、寫能力，也由此熟悉文學、歷史和哲學，進而學習到「人性」的涵義，如果說這個時期的人文主義，就是人的覺醒對宗教威權宰制的批判和抗爭，雖然有一點過於籠統和粗糙，但是中世紀的宗教改革和宗教戰爭，與當時人文主義對「人」的地位的強調，其實應該有相當密切的關係。

文藝復興時期人文主義對宗教宰制力的抗爭並未成功，一直到十八世紀的啟蒙時期，人類的生活、地位和生命價值，才真正從宗教勢力解放出來。啟蒙運動時期人類的科學經驗，促成了理性批判的發展；產業革命的生產和經濟發展，進一步加強人們對自由的信念。正當啟蒙運動引發的人文主義學說百花齊放的同時，美國的獨立革命獲得成功，法國大革命也在這時期發生，人文思想在當時的重心就是理性主義和批判性，而個人在社會中的地位也產生改變，「人權」、「社會契約」、「自由、平等、博愛」，不但是運動和革命的口號，也是「人」對自己定位的新價值觀的形成。

十九世紀的工業革命，改變了人類的經濟和社會結構，人口和經濟同樣大量增長，人文主義延續啟蒙運動的信念，促成了公民權的法律地位，言論自由、宗教自由，代議制政治制度和選舉權，讓人類真正由宗教的束縛和階級統治的限制獲得解放，人文的中心思想可以概括為自由主義。自然科學的發展如「物種起源」、「進化論」的發表，也讓人類對自己的地位有了全新的看法：**人從上帝所創造的神聖地位，轉變為和其他動物一樣屬於生物學範疇。**

人文主義在政治、社會的轉變過程中，建構了民主政治的價值，在科學和實證經驗中，使人的信仰不再來自神學和宗教教條，而來自個人的人性意識，宗教神聖任務的內涵也因此開始轉向，增添了更多的人道關懷和行動。

從二十世紀開始，人類的文明發展有了空前的劇烈變化，要描述人文主義的基本精神也相對困難，這不只是因為時間上的貼近，使很多事件和現象的細節較為清晰、繁複，而是因為在這個世紀裡，人類所面對的是一個全新而且複雜無比的世界。兩次世界大戰摧毀了一些信念，廢墟中卻也重建了許多令人感到陌生的新觀念，知識的爆發性成長中，包含著多樣甚至互相矛盾的理念，最具代表性的一個名詞：「現代」，似乎很少人能夠成功的總結它的特點，或是訂出貼切而沒有爭議的定義。布洛克的說法是：「**現代主義的本質是一種新的意識，是看待人類和世界的新方式，是一種沒有先例的人類精神狀態。**」，這也讓二十世紀的人文主義，在各個不同的領域中，重新尋找人文精神的定位。

面對自然科學發展所強調的實證唯物宇宙觀，人文學科如藝術、文學、哲學等，指引人類用另一種方式探索宇宙和自己，讓人理解到科學的自然世界之外，另有一個人類的精神和文化世界，也就是思想的、價值觀的、信仰的、藝術的、語言的、象徵的靈性世界。

在政治、社會學領域，面對經濟、社會問題優先的系統化科學研究，人文主義提醒我們注意和了解：「**對現代化工業社會不斷改變的情況，人是用怎樣的態度和方式去適應**」，這種理解和反思讓人類減少社會階級鬥爭，避免可能帶來的社會混亂和毀滅性。

在人看待自己的態度方面，面對心理學的一些研究結果，認為人類深深

受控於生物本能的自然法則，甚至人的意識也只是大腦皮質和神經網絡的作用而已，人文主義在這方面強調人類意識的自主性，人可以創造自己的意義和價值，文化活動所展現的精神層面的價值，可以和物質性的生存互為表裡，並連結建構完整的生命價值。

以上的概括性描述中，沒有足夠的具體歷史事件和文化發展內容的引證，

這對人文主義內容的了解，也許會形成一些模糊和疑惑，但這段論述的主要目的，是嘗試替人文尋求一般人可以理解的詮釋，並以此作為學習者本位的藝術教育哲學基礎，雖然有難度較高和不夠周延的危險性，但是對人文主義的探討，有一項普遍性的共同看法，就是在人生和意識的問題上，人文主義一向沒有決定論和簡化論的觀點，而只有自由和連續的辯論，並且不一定產生可以解決質疑的最終答案，因此，布洛克認為「任何人對人文主義的看法，都不是最後的定論，而只能是個人的看法。」，這也是採取這種論述方式的理由。為了更清楚掌握人文主義的精神，以下引述布洛克對人文主義特點歸納的譯文：

一、神學觀把人看成是神的秩序的一部分，科學觀把人看成是自然秩序的一部分，兩者都不是以人為中心，人文主義集中焦點在人的自身上，從人的經驗為思考的出發點。宗教信仰和自然科學這些價值觀和知識，都是人的思想和從人的經驗中得出的。

二、每一個人本身都是有價值的，這可以稱為人的尊嚴，對人尊重的基礎就是重視人的潛在能力，也就是人的創造性和溝通的能力，以及人對自己的觀察和省思，進行推測、想像和辨理的能力。這些能力使人有一定程度的選擇和意志自由，可以改變方向，進行創新，產生改善自己和人類命運的可能性。要引發這種人性意識的潛在能力，第一個途徑是教育，另一個途徑則是維護個人的自由。

三、人文主義對思想十分重視，但是對人類思想的理解，不能孤立於社會和歷史背景之外，也不能簡單地歸結為替個人經濟利益、階級利益、性⋯或是其他的本能衝動作辯解。這意味著人文主義對人類的內心抱持興趣和熱情，對政治和社會等外在世界，也持有人性化的關懷。這一點有助於避免

對個人主義產生狹隘的誤解，也是我們常會提起「普世價值」的一個好註腳，當然也是對人文下定義的重要立足點。

總結以上的敘述和引用的資料，大概可以勉強為「人文」作如下的定義：

「人文」是人類對自己地位的覺醒和省思，也對人類的所有活動和身處的環境充分關注，更是一種以所有人類為主體的思考方式和價值觀，並形塑人類互相對待的方式和生活態度。人文的終極關懷，是生命的意義和生活的價值，思考的特點是自省、批判和極度的包容。

從這樣粗略歸納的定義來看，當代的人文思想所面對的，是一個遠比以前要複雜的世界：人口的增長和歷史規模的變化、科學技術的快速發展和生活步伐的改變、戰爭的威脅和暴力的蔓延、數位科技和全球化的影響、地球生態和環境保育的困境，以及人類價值觀的多元發展…等等。人文主義的意涵也隨之多元而複雜，它是不是能夠替人類帶來對這個新世界的信心，並沒有人敢作絕對的論斷，但人文的精神本來就是不保證結局完美，只是一直提供人類自己思考、選擇的自由而已。

人文的意涵隨著不同時代的背景而演變，用我們當前所身處的文化境況來解析，也許有助於我們對上述人文定義的理解，「後現代」現象帶來的衝擊不管是不是明顯，但它對人類文化、生活影響的深遠，應該是很確定的。直到目前還有相當多的人，對後現代現象感到不解或充滿疑慮而難以面對，這是因為後現代思潮發展的結果，將大多數人長期以來所熟悉、確信的典範（paradigm）和價值觀，都加以質疑和解構，幾乎使得每一件事都再也不具確定性。

這種不確定所帶來的混亂，確實會令人懷疑而不知所措，但是如果從人文主義內涵的發展來看，「後現代」對既有事物的權威性進行顛覆，卻是很自然的結果，人文主義的批判性，可以視為是成熟文化的特性之一，經由批判和破壞才能找到文化發展的新出發點，極致的批判甚至會形成自我否定，「反藝術」和「非藝術」的藝術表現形式出現，或許也就不足為奇了。

另一方面，人文精神在當代的重要發展特徵，就是「人」的地位因為覺醒而更受尊崇，每一個人都是獨立的生命個體，由人的主體性來定位的生命

意義和生活價值，當然也會顛覆傳統世界的秩序。以藝術為例來看，以往我們會因為藝術的崇高偉大，要求每一個人都必須謙卑的學習去瞭解藝術，並接受藝術專業權威解讀的答案。但是在後現代之後的當下，藝術有什麼樣的意義和價值，可以由每一個接觸藝術的人自己來評斷，也就是所謂的「觀者獨斷（The Dictatorship of the Viewer）」（波納米 Francesco Bonami 2003）。包括薩依德（Edward W. Said 1935～2003）的「世俗批評與批判意識」、雅克・德希達（Jacques Derrida，1930－2004）的「解構閱讀西方哲學」理論、阿諾・豪斯（Arnold Hauser，1892～1978）的《社會藝術進化史》（邱彰 譯，1987），都是這個概念的有力註解。（可參見本書第七章相關論述）

在藝術的創作和表現方面，一般人參與意願和權利所受到的重視，正逐漸凌駕專業的知識和技術訓練，歌唱走音變調的素人一夕之間崛起走紅，包括素人繪畫和原生藝術更受關注和重視，不管是不是特例或短暫現象，背後呈現的就是這種新的趨勢，以往的藝術藉由專精的知識技術，來形成藩籬並成就尊貴地位，現在面對人的自由和主體性地位的提升，這些專門技術當然必須退讓，必須尊重一般人經由藝術形式表現個人想法的權力。當然，藝術的專業性還是會存在，但專業的定義和內容卻都已經調整，最明顯的例子就是：以往，精熟的的技巧本身就是一種確定的藝術價值，現在，「技巧」的好壞或有沒有價值，則是由它和表現意圖的關聯性和意義性來判斷，先確認表現的意義性可以成立，才隨後確認技巧的應用是否合宜、巧妙，這也是當代藝術價值判斷觀念的重要演變之一。

當前的社會實際境況，人文精神在教育領域中有什麼樣的意義，還可以另外作一個補充，當代的知識發展越來越細分、專精，卻也有越來越多跨領域連結的統整趨勢（Edward O. Wilson 梁錦鋆 譯，2001 ），既然人文是一種思考方式和價值觀，它也就不是僅只在藝術的領域內被注意而已，在科學領域，發明核分裂技術而製造了核子彈，是物理學的重大成就，但只有人文精神才能警惕人類，必須隨時作出省思和改變方向；在經濟領域，開發台南七股沿海的潟湖，可以獲取商業經濟上非常大的利益，但大多數人願意把這片海埔地留給黑面琵鷺，是因為人文精神提醒我們，關懷所有的生命和生存的環境是更高的價值；

回到藝術領域，漂流木可能有很多人認為是上天賜予的免費創作材料，但人文精神可能提醒我們，漂流木是台灣山林土地的傷痕，應該有另一個面向的省思和警惕。這些例子所顯示的訊息是：人文對當代教育領域內的各個學科，應該具有全面性的意義，而不是只在某些特定的人文學科才必須關注。

對於這樣的觀點，也許有人會提出一些疑慮，擔心各個學科的系統化知識學習，是不是會因而遭到干擾或妨礙，事實上，如果掌握了人文的真正意涵，人文本來就不是一種脫離知識而獨立存在的學習對象，而只是一種蘊含在整体知識裏的生活態度和價值觀，人文精神只會隨著各學科的學習發展，擴充各種學科的學習內容和意義。因此，以「人」作為教育的主體，整合當代藝術的內涵、國民教育的性質，人文精神是三者統整的最佳觸媒。以學習者為本位的藝術教育，則是當代視覺藝術教育發展不可逆的潮流。

參、視覺藝術教師對學習者應有的基本認知

確認藝術教育的主要對象是泛稱的「兒童」，是一個個獨立的活生生的個體，那麼，認識這個多樣、複雜，又充滿各種可能性和個別差異的教學對象，就成了課程設計和教學實施必要的先備專業知識。

以下和兒童藝術學習相關的研究，常被認為是藝術教育研究的理論性資料，卻很少在實際的教學關聯上被認真探討，這其實是課程發展和教學研究的盲點，很多教學實施層面的紛擾和爭議，多半都因為這些基礎理論沒有連結到教學實務，沒有發揮教學設計的研判功能，以下的簡單提示只能算是敲門磚，必須期待更多教學實踐的印證和闡述。各項理念的相關內容，則在本書第九章另作較詳細的介紹。

一、兒童行為發展：伊爾格和阿姆斯 (Frances I. Ilg / Louise B. Ames)

以「生長階段」的概念觀察兒童的生長，理解兒童行為受家庭和其他環境影響，也同時因為先天的基因形成的個性差異，而有不同的發展可能和型態，以及成長速度的差異性等研究。兒童行為發展並非僅只是藝術教育的理論，而是教學活動方式的具體參考依據，例如幼兒的「造形遊戲」，並不是從藝術形

式的思考發展，而是依據兒童幼兒期的行為特徵，以遊戲為主要活動而思考的有效學習方式。另外如各種工具操作和媒材處理的教學時機，多半也都需要依據兒童行為發展作為教學規劃的參考，而不應該是教師個人專長或喜好的隨機性安排。

二、認知發展心理：皮亞傑（Jean Piaget）

認知發展心理認為知能的發展，是經由基本模式的建構和重整而循序漸進。認知發展階段分成：感覺動作期（2 歲前）、前運思期（2—7 歲）、具體運思期（7—12 歲）、形式運思期（12 歲以後）。認知發展心理在藝術教育的實際應用和連結，其實也經常被忽略，例如小學階段的藝術欣賞教學，常見將專業藝術的高度抽象概念專有名詞，被列為是必要的學習，或是兒童創作表現的教學，偏向形式結構的抽象概念指導，這些都忽略兒童「具體」的記憶心象和經驗，都是違反認知發展心理階段的學習方式，很容易扭曲兒童心理發展的實際狀態，造成學習障礙和挫折。

三、造形心理發展階段特徵：羅恩菲爾（Victor Lowenfeld）

認為兒童的繪畫發展具有階段性的次序，對發展內容的說明方式，則強調各階段的實際造形表現特徵，造形階段特徵的研究長期以來有很多持續性的發展，也是兒童視覺藝術教學很重要的理念依據。目前有其他的研究可以作為修正的參考，但造形心理發展階段特徵，仍是視覺藝術教育不可忽略的概念。羅恩菲爾的造形心理發展階段分六期：1. 塗鴉期（The Scribbling Stage）約 2—4 歲。2. 前圖式期（Preschematic Stage）約 4—7 歲。3. 圖式期（Schematic Stage）約 7—9 歲。4. 擬似寫實前期（黨群期 Gang Age）約 9—11 歲。5. 擬似寫實期（推理期 Stage of Reasoning）約 11—13 歲。6. 決定時期（青少年危機期 Crisis of Adolescence）15 歲以後。相關內容於本書第八章另作簡介。

心理發展階段的造形特徵是一般較為熟知的概念，是教學題材設計和表現評量的重要參考依據，但將兒童造形發展視為單一的線性發展，過份強調寫實描繪的發展趨勢，也忽略了兒童的先天氣質類型差異，所以發展階段的造形特徵在教學實務上的應用，都有必要依據以下相關研究來修正。

四、表徵系統的繪畫發展：布魯納（Jerome S. Bruner）

對兒童繪畫發展模式，刻意不強調年齡與階段性的研究取向，認為認知歷程具有合理性和複雜性的特徵，個體會以內在的認知模式或系統，主動對外界資料加以選擇、保留、轉換，認知發展就是由內在系統和外在環境互相作用的結果。

表徵系統分別是動作表徵、圖像表徵、符號表徵，這三種認知模式平行並存，認知能力和內涵是結構化的發展，並不宜作明確的階段劃分。對繪畫發展的說明方式，則是以表徵的目的性來加以分類和解釋。（表徵系統的內容說明參見本書第八章）

五、記號學的繪畫發展論（Anna M. Kindler & Bernard Darras ）

以記號學的觀點認為兒童畫是為了將意義再現，而在社會環境的互動過程中，所發展的一種記號的創造歷程，強調兒童畫不是單一的直線式發展，而是一種地圖發展模式，有若干可以選擇的不同發展路徑。而藝術的發展包含認知和圖像的學習、社會與文化脈絡的學習、語言和視覺媒體的學習等，這些學習是一種分歧與遞增的過程，共分為五個 Iconicity。（參見本書第八章）

六、兒童畫的氣質類型：里德（Herbert Read）

人類的氣質類型，也可以在藝術表現上找到很多的例證，基本上像吳靈日（Worringer）的抽象與擬情兩種美學分類，羅恩菲爾的視覺型、觸覺型兩種兒童畫類型，都是相關的概念，而里德在這方面的論述較為嚴謹詳細，將兒童的表現分為下列八種氣質類型，這對兒童藝術教育的表現分析，尤其是兒童繪畫作品的分等評審，在觀念上具有重大的引導作用和參考價值。氣質類型名稱包括「思考」、「感情」、「感覺」、「直覺」，又各自分成內、外向而有八個類型，各類型特徵詳細內容參見本書第八章。

里德的氣質類型論，雖然是從繪畫表現風格的歸納作出論述，但是對藝術教學主體的兒童而言，最重要的意義是提醒教學者：重視兒童的個別差異，這也包括對兒童造形心理發展階段特徵的觀點，必須以兒童是獨立的生命個體為

前提，確認兒童的發展可以有較快或較慢的節奏，也會有中間型的特殊氣質類型存在，不可以僵化的引用階段特徵和氣質類型，將兒童貼上標籤或歸類。

七、完形心理學：安海姆（Rudolf Arnheim 1904 ～ 2007）

格斯塔心理學（Gestalt psychology，一般譯為完形心理學）在兒童藝術學習和心理發展有獨特的意義，完形心理主要是針對「模式」「形式」或「結構」的心理研究，認為人對於事物的經驗有一個心理的整體結構和背景，人腦運作的「動態的整體（dynamic wholes）」，這種「完整型態」的心理背景，會形成視覺法則如封閉性（Closure）、相似性（Similarity）、相近性（Proximity）、連續性（Symmetry）等，在心理上對視覺對象有整體性、組織性等效應。完形心理學透過各種實驗研究視覺心理，反駁主智論的「**兒童是畫其所知，而不是畫其所見**」。在立體造形表現的階段特徵研究資料，也比羅恩菲爾以繪畫為主的研究較為豐富。完形心理學在兒童表現教學與分析方面，具有很重要的應用參考價值，例如：拿照片給孩子照抄描繪，才會出現身體或手腳切掉一部分的圖像，而正常的兒童自我表現，只會把圖像縮小來保持人物形態的完整性，類似這種並不是純理論，而是和實際教學有密切連結的應用方式很多，但這方面在目前藝術教育的實踐或研究，並沒有受到應有的重視。安海姆（Rudolf Arnheim 1904 ～ 2007）對兒童藝術造形心理的研究，可參考李長俊譯《藝術與視覺心理學》（1982 修訂版，雄獅圖書）。

其他如日本霜田靜志教授的《兒童畫的心理與教育》研究、美國羅達‧凱洛格（Rnoda Kellogg）針對幼兒繪畫發展過程的研究，包括其他各種相關的心理學研究，都可以確認兒童不同階段的造形表現，都是有重要意義而且不可或缺的歷程，即便是塗鴉階段的表現，也是必要而且必須充分滿足的活動。

對於兒童造形心理發展的認知，也必須另外建立一項重要的觀念：所有對兒童造形發展特徵的研究，並不是一種確定的標準規範，因為每個孩子都是獨立的生命個體，發展的快慢和先天的氣質類型差異，以及很多個別化的、不同的中間類型，甚至成長經驗和文化背景等的影響，各種差異性都可能會是事實上的存在，因此教學者必須個別看待每個孩子，各種造形發展的研究結果和論

述，都只是理解孩子表現的參考依據而已，並不能把孩子強加分類，以某一種發展類型硬套在孩子身上，作為表現要求的標準，那就違反「學習者本位」的基本精神了。

肆、學習者為主體的藝術教育目標取向

　　學習者本位的視覺藝術教育，並不以專業藝術作為學習的主軸，也不以社會意識來綁架藝術教育（例如用「提升國家競爭力」作為藝術教育的目的），而是完全著重學習者的主體地位，因此藝術教育目標的定位，是強調一個現代公民在世俗生活中，要尋求自我實現必須具備的能力和條件，有哪些是視覺藝術最具養成的功能和優勢，而據以規劃出教學的目標，這是學習者本位的藝術教育不同的視野。

　　學習者本位的視覺藝術教育，和一般學科本位的學習形態，目標的基本差異，可以做如下的歸納：

一、**不是看當下的學科成就，而是以生涯為著眼點**：學習者本位的教育關注的是未來，重視基本能力和孩子的人格發展，必需用耐心陪伴孩子成長，培養孩子嚴謹的工作態度和周密思考，重視孩子的表現意圖和自主性，對學習成果的著眼點是診斷孩子的狀態，而不是看重作品的完成度和效果而評斷高低。學科本位的教學眼光只放在當下，著眼於作品和技術，指導重心是由大人設定標準的描繪技術和作品，不在乎孩子有沒有自己的想法，這或許比較容易看到作品表面上的效果，但很難顧及帶得走的基本能力，也無法養成人格特質以面對人生。

二、**不是規範表現的效果和標準，而是培養自主性和自信心**：對於孩子學習的要求標準，學習者本位的教學，會引導孩子很清楚地知道如何表現是自己的事，所以孩子會從內在挖掘自己的經驗和想法，要經歷思考、判斷和激盪出新奇點子的過程，才能夠產生自己要表現的構想，並確信以自己的方式呈現自己的感受，就是會被認同的良好表現，完全沒有追求作品完成度的壓力。學科本位的教學幫孩子營造作品的視覺效果，卻會讓孩子認為表現必須符合老師、成人或比賽評審的標準，學生只關心老師要求的技法水

準和作品效果，少有機會自己去感覺、思考、判斷，結果很容易就會喪失表現的自主性和思考能力。

三、不是侷限於藝術的典範，而是關注生活中的所有事物：以學習者為本位必須關心自己和別人，會關心很多和美術不一定相關的身邊事，題材和表現會是生活經驗和社會、文化、環境等，透過反思和關懷，以自己的方式表現自己的想法，進而養成生活態度和行動力。學科本位則被藝術的專業規範綁架，在規定的題材和技術指導下，追求作品表現的成果，在表現上幾乎不會去注意其他與生活有關的事，遵循外設的指導和評價準則的結果，也很少會去思考自己真正應該做什麼？自己想要怎麼做？當然更說不出自己為什麼要這樣做，最終可能形成學習傷害，產生沒有感覺沒有想法的疏離性格。

四、不是要求符合預期的表現，而是期待意外和容許失敗的學習：學習者本位重視想像和創造力，會期待各種獨特、變通、流暢的表現，會接受孩子為了表現奇特構想而失敗的情況，並轉化為解決問題的學習，這是愛迪生式的學習，是培植樹根和樹幹的學習。學科本位只在規劃好的範圍內，完成如老師預期的表現結果，可能每個孩子都可以順利完成工作，但卻是生產線工人的學習，是只顧及枝葉和末梢的學習。

上述的各項論點可以參考以下的具體評析案例，試著歸納並理解以學習者為主體的藝術教育目標取向：

圖 6 四年級兒童自我表現作品　　　圖 7 四年級兒童技術表現作品

　　這兩件作品都是小學四年級學生作品，圖 7 明顯呈現過度的技術和畫面效果，過分描繪有如照片一樣的僵硬冷漠，缺少個人的感覺和較純真的感受性表現，或許也可以說看不到學生的積極經驗，完全只著重在描繪的技巧性。圖 6 同樣描繪孩子的活動和經驗，但人物的姿態動作卻有明顯互動關係的表現，中間人物翹起來的腳是紅色的，掉眼淚和雙手的動作，和左邊人物動作有明顯的關連性，整體人物的圍繞和姿態似乎呈現明顯的互動，畫面內容有特定的事件感受和情感表現，雖然沒有高度技術的刻意要求，但可以看出人物的圖式具有原創性，性別、肢體、服飾紋樣和細節仍有符合年齡階段的充分表現，其他如三輛汽車的造形都不一樣，這是表現與經驗有連結與觀察力敏銳度的表現，左上放大描繪的炭火和烤肉架，以及隨風噴濺的火花，則是孩子所關注並可能和事件相關的充分表現，至於左、上簡化描繪的背景，則是孩子對環境有所關注和知覺，但和表現的重點關聯不大而簡化，判斷應該是圍牆或陽台欄杆，左上角的植物或放煙火 (從烤肉活動判斷)，也是孩子對環境知覺敏銳度的適度表現，可以明確看到孩子的真實感受和積極經驗，都有充分表現在作品上。相較於圖 7 連石頭紋路和草叢的細密層次都耗費時間和精神描繪，孩子的自主性反而較為薄弱，抽離了自身感受的概念化寫實技術，畫面中看不見孩子自己的面貌。圖 6 則是一般所形容的 ”有生命力” 的作品，也真正是具充分自主性的「自我表現」，圖 7 則是受外設的技術制約，已經沒有孩子自我主體性的例子。

　　學習者本位的視覺藝術教育課程，以兒童為主體，規劃國民教育性質的人文精神目標，連結當代藝術性質特徵的學習內容，是完整的課程結構理念和實踐方法，尤其是人文精神的教學目標和哲學價值判斷，成為整個課程發展和檢驗的依據，這是以學習者為主體的藝術教育最主要特徵。視覺藝術課程內容的可實踐性，則是建立在教學目標和教學活動的邏輯關聯，「學習者本位」的視覺藝術教學目的，以及教材內容的分類方式和課程架構，具體內容則在下一章作完整的探討。

第五章：當代視覺藝術教育的課程架構

　　本書二～四章分別對教育哲學、藝術哲學、人文思想作分析和探討，界定當代視覺藝術教育的性質是「國民教育」；學習的主要媒介與內容是「當代藝術」，課程發展是以「學習者為主體」，三者的關聯性和理念的融匯方式，基本上是以當代人文精神為主軸，規劃以人為本位的整體視覺藝術教育目標，並建立教學實施內容和目標的邏輯關聯，呈現當代視覺藝術教育完整並可實踐的「課程架構」。但為什麼不以藝術為學習的核心，而強調以當代人文精神作為藝術教育整合的主軸，則有必要再釐清思考的邏輯和論述依據。

壹、人文精神和視覺藝術課程結構的關係

　　藝術除了知覺可以感知的客觀存在形式，也就是「以什麼方式呈現」，另外就是人的主觀的心智活動，包括創作者「要呈現什麼想法或觀念」，以及欣賞者「什麼樣的感受或啟發」的思維，而後者更是對藝術的**意義和價值**形成思考與判斷的主要途徑。以概括的方式來歸納藝術的內涵，可以把這些心智活動稱為「價值的尋求過程和呈現方式」，不只里德強調價值在藝術上的地位，劉文潭在所著的《現代美學》（1967）序論中，也認為藝術的活動直接關係於價值，他同時也引述了很多學者的論述：

懷德海（Alfred North Whitehead）：「**藝術將具體的事實安排，以引起對某些特殊價值的注意……藝術的習性，乃是享受生動價值的習性。**」

瑞德（Louis Arnaud Reid）：「**藝術品在於體現值得品味和享受的價值……偉大的藝術意即對偉大的價值之激賞。**」

摩瑞斯（Charles Morris）：「**藝術乃是用來傳達價值的語言。**」

閔斯特堡（Hugo Munsterberg）：「**科學家志在發現定律，藝術家旨在追求價值。**

　　當然，這些藝術所尋求、呈現的價值是複雜、多樣性的，而不是單一、絕對的，也會因時代、地域、文化的不同而有所差異，藝術的內涵就是因此而更豐富。

　　探討當代藝術與人文的關連性，必須釐清藝術和人文的區隔，避免將藝

術與人文視為一體而產生混淆，例如藝術專業技術的表現和發展，在以追求技術精純和熟練，作為表現成就和價值的情況下，這些技術和人文精神的關連性是相當薄弱的；再如抽象藝術的表現，在形式理論和藝術內容的意義方面，也幾乎很少人文精神的關連，不過，這種討論方式其實也面臨非常複雜危險的狀況，前面之所以用「薄弱」、「幾乎」這樣的語詞，是因為藝術的專業技術本身，雖然未必會關注人的地位和價值，但技術追求的過程中若含有創新的意圖，或是為了突破技術的水準，而投注了超乎尋常的精神和毅力，其中就隱含了人文的價值基礎的一部分；另外如抽象藝術的形式和內容，雖然未必有足夠的人文精神關連，但從抽象形式出現的歷史脈絡來看，它卻是極為難得的人類創造力的獨特呈現，以及凸顯人的主體地位覺醒，已經超越藝術形式的尊崇地位，這種具體表徵也契合人文主義的基本精神。

　　這些註解所要表達的意思就是：藝術不見得在各方面尤其是專業的知識和技術部分，全都具備人文的思考和關連性，但是以人文精神為出發點來詮釋藝術，卻可以探尋出不同層面的價值，甚至可以發現更具獨特意義的詮釋方式。

　　進一步探討人文和藝術的關連性，可以從前面章節的論述概括歸納兩者的定義：「**人文是一種思考方式和價值觀**」，以及「**價值的尋求與表現是藝術的本質**」，將人文和藝術連接起來的關鍵就在「價值」的層面上。但首先必須面對的問題是：人文的價值觀是從人的主體性出發，所探求的是人的地位和生命的意義、生活的價值等，而藝術所尋求的卻可能另有它專業領域的價值體系，兩者的性質和內涵似乎不能混為一談，要以人文來詮釋藝術，合理性和可行性都必須再作進一步的分析。

　　當代的哲學理論發展受到記號學（Semiotic，或譯符號學）的深切影響，將視覺藝術呈現的形式視為「符碼」，並探尋表現意含的詮釋，這是解讀當代藝術的主要方式之一，視覺藝術雖然不是一種日常說寫的語文記號，但存在的形式卻具記號的性質，因此，「**藝術經驗可以被解析為三個層次：當下體驗的層次，外化為表象的層次，反省思考的層次。**」（劉千美，2001），也就是先由經驗和感受出發，轉化為可以被知覺的具體形式，最後必須歸結於意義的思考或建構。以這樣的觀點來對照藝術的心智活動，可以理解藝術價值的本質在

於意義的思考和溝通，這也是當代藝術在世俗生活經驗中的價值基礎，至於藝術的形式則成為承載意義的「記號系統」，任何的語言或記號如果不具意義的表述，實質上就已經欠缺成為語言的條件了，同樣的，藝術表現的內容如果完全不具備可詮釋的意義，要稱之為藝術恐怕也就很難有基本的立足點。

從這樣的分析來看，**藝術的價值主要存在於藝術所探討、表現的「意義」，這些意義源自所有人類生活現象的經驗、感受、思考、批判，其內容的廣泛和複雜，幾乎涵蓋人類所有的世俗生活的實際現象和精神活動**，這可以由藝術史的藝術現象得到印證（參考本書第七章資料），藝術在人類文化中的崇高地位，也因此才得以確立和肯定。

從上述觀念再回顧前一章的人文定義，人文所探討的價值觀是從人的主體性出發，整個人類的活動和歷史都是它關注的焦點。所以，人文和藝術在內涵方面的最大交集點，就在人的本身和人類生活中所有相關的活動和事物，以及它們所探尋的價值。以這麼廣泛的交集面為基礎，以人文為工具來建構視覺藝術的詮釋方式，其合理性和可行性應該可以確認。

以人文精神詮釋當代藝術內涵的價值系統，思考依據的主軸就是人的主體地位，以及對生命意義、生活價值的探尋，這和「國民教育」的性質，以及「學習者本位」的教育目標，基本內涵本來就互相契合，因此，以人文精神連結藝術、教育、學生三者，應該可以發展出相當理想的視覺藝術課程結構。

貳、當代視覺藝術教育的課程結構分析

藝術教育課程設計和教學實施的意識型態，常會出現兩種互相對立的教育目的，一種是以人的成長和人生的自我實現為中心，是「教人」的「透過藝術的教育」，另一種是以專業藝術的技術及作品的完成度為中心，是「教藝術」的「學習藝術的教育」。「教人」和「教藝術」是非常重要的哲學價值判斷，雖然兩者可能會有小部份的重疊，但確實釐清這兩種觀念的差異，或許可以免除一些不必要的爭議。真正要落實人文精神的藝術教育，實際的課程和教學內容，就有必要建立明確的教學重點和原則，讓教學者或甚至一般人都能夠判斷

兩者的差別，同時也可以建立教材和教學法選擇的參考依據，讓課程評鑑有具體的判斷基準。

　　當代藝術教育的主體對象是學生，因此藝術教育課程的結構，必須建立「學習者」、「教學目標」和「教學內容」三者的關連性。這也意味一般僅羅列教育目標的論述方式，很有可能是一種不完整的目的論思考，而學科的教學內容和教學活動，只是一種工具性質的手段和過程，如果沒有特定意義的條件和原則作為規範，就會產生和目標的關連性模糊、薄弱的狀態，再加上當代藝術的定義和本質，有前述的所謂「歷史斷裂」的變遷，對藝術教育的課程內容和教學活動會產生影響和變動，基於上述的各項因素，藝術教學內容的教材分類，應該排除傳統的繪畫、雕塑、工藝、設計等以形式來分類，也不適合以創作、欣賞、生活實踐等教學活動的型態作教材分類。原有的「藝術與人文」課程綱要，以「探索與表現」、「審美與理解」、「實踐與應用」作為領域目標，以能力指標列舉課程目標，但是分段能力指標有些是把學習活動方式當作目標，並沒有建立目標與教材的連結關係。新修訂的藝術領域課程綱要，則是以核心素養為課程目標，但是學習內容和學習表現的敘述，則偏向學科中心的媒材、形式鋪陳，兩者邏輯關聯的薄弱更為明顯。

　　課程的基本結構是教學內容發展的依據，圖一是日本學校教育的課程「三大支柱」（大橋 功，2016），可藉以分析視覺藝術課程結構的內涵和思考方式，日本沒有「國民教育」這個名詞，但「學校教育」的意涵接近我們所慣用的「國民教育」，學校教育的課程結構三大支柱，是以學習者（學生）為主體的課程目標思考：「知道什麼、會做什麼？」、「可以做什麼、應該怎樣做？」、「為了什麼目的要做這些？」，也就是：預期要培養的學生資質和能力，以及課程內容、學習方法等的課程整體結構。

　　從一般教育的課程發展來看，無論是大至課程結構或小至單元教學設計，這三者其實都應該同時被納入思考，因此借用這個課程結構來探討視覺藝術教育課程，或許是一種更宏觀的視野，更能夠以「人」為主體，而不會侷限於藝術專業的學科思考，畢竟任何學科的教育最終的意義都應該落實在人的身上，這也是當代教育哲學的共識。

圖 8　日本學校教育課程三大支柱示意圖

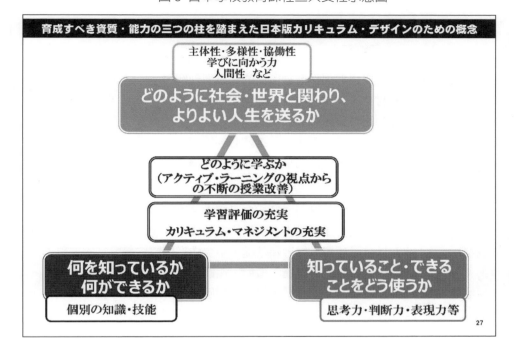

日本學校教育課程結構的三大支柱，對國民教育所要培養的資質和能力等目標，分別以「學生個別的知識和技能」、「思考、判斷和表現等基礎性能力」、「邁向學習的力量和人性化、社會化的目標」三個項目，闡述學校教育的整體目標，基本上的邏輯與關照面都具有足夠的週延性。但考量民族文化背景和教育發展歷史的差異，所以嘗試另行加以詮釋和補充，藉以深入分析視覺藝術的課程結構，並應用於國內藝術教育的課程發展與教學研究，作為「實踐藝術教學研究計畫」活動，相關的研究題材編擬和教學單元設計的依據，希望讓藝術教學實踐研究的結果，可以有效融入學校藝術課程，具備實際提升教學品質的功能。

如果將日本學校教育的課程目標結構，轉換為僅以視覺藝術教育為範圍的課程思考，三個項目的基本內容可以試擬如下表，作為課程結構分析的參考。

視覺藝術學習目標的結構表

三大支柱	視覺藝術學習的基礎與應培育的資質、能力
A. 學習主體 兒童本位的教育哲學 個人的知識、技能 *知道什麼？能做到什麼？*	A1. 符合兒童身、心成長階段與造形心理發展的表現。 A2. 支持造形創作活動所需的知識與理解。 A3. 材料、工具、技法的經驗與知能。 A4. 藝術現象理解與表現的基本觀念。 A5. 自主性的詮釋題材並選擇必要的資訊及技術。 A6. 綜合考量製作的順序並完成表現構想的行動力。
B. 教學內容 藝術學習活動的內容 思考、判斷、表現等能力養成 *如何使用已知道的和能夠做到的？*	B.1 思考教學題材的意涵或自己尋求、決定表現的主題。 B.2 結合已有知識和獲取所需的新知識，構想表現方式。 B.3 以自己感覺或思考為基礎，結合造形經驗培養豐富的表現力。 B.4 以同理心思考傳達、機能、美感等更有效果的構想和表現。 B.5 抽離藝術品的背景資料，直觀感受藝術的表現意義和美感。 B.6 客觀表達自己的觀點、想法、感覺和推論。 B.7 從共同欣賞活動接納多元意見，產生再創造的有意義表現。 B.8 關心並參與生活中的藝術活動，理解藝術的相關意義和文化。
C. 課程目標 當代人文思考與價值觀 人性價值與終身學習的能量 *如何自我實現並關懷社會，向世界展現更美好的人生？*	C1. 加強對自己的了解，並利用理解他人來認識自己，增進自己和他人的互相理解（養成多元價值觀） C2. 思考、選擇自己的生活和工作態度，同時能夠尊重他人的生活方式（自律與協調） C3. 以最大限度發揮自己的潛能，尋求表現和自我實現。 C4. 具包容性和多元價值觀，能和別人協調、合作。（柔軟性及適應性） C5. 以豐富的感性及價值觀為基礎，涵養豐富的感情，追求更好的生活及社會發展。（培養社會責任的知能） C6. 增進對文化的理解與尊重，關心文化的傳承與創新。 C7. 經由表現或欣賞的活動，能關心生命的價值、體驗美感、敬畏自然與生命。

以上課程三大支柱的內容並未窮盡，也不是絕對性的規範。以下依據個人的閱讀與思考，以及長年的實際教學和教師進修輔導、教科書主編等經驗，對這三

個項目的內容作詮釋和分析，發展出以下「視覺藝術課程結構與關連示意圖」
（圖9）。

圖 9 視覺藝術課程結構三項內容的關連性示意圖

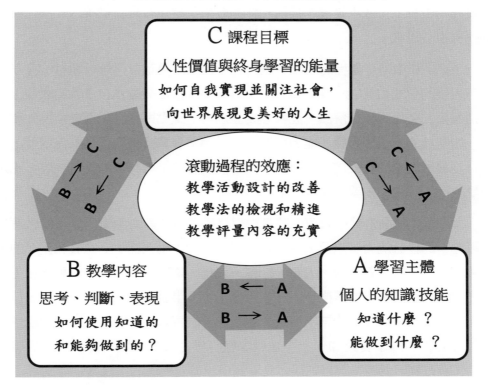

　　國民教育的視覺藝術教育課程結構示意圖，基本上是以 ABC 三個項目組
成，A 項是藝術教育的主體─學習者，也就是各個不同年級的學生。B 項是藝
術教學活動的內容，也就是常稱的課程內容或教材。C 項是整體藝術課程的教
育目標。三者的意涵以及彼此間的關連性分述如下：

一、課程結構表三個項目的意涵：

　　（一）A 項是學生的狀態和起點行為，包括各類型的生活經驗、環境、文
化等因素影響之下，自然成長的知識和概念，也包括各年齡階段的學生，可以
習得、能夠理解的知識和概念，另外則包括先天的心理、生理成長狀況；認知
發展、造形心理階段特徵；手眼協調、肌肉力量控制等，能夠有效操作或學習

的各種技術能力。這些所謂的「知道什麼」和「能做什麼」的內容，正是課程發展和思考的基礎和起點。學習者主體的另一層意含，則是當代教育哲學的人本思想，強調國民教育以人為主體的精神，所謂教學成果是有價值的學習目標落實在學生身上，並不是追求技術和作品效果，避免教育目標落入「藝能科」的學科中心思維。

（二）B 項則是課程的教學實施內容，包括由兒童自己分析題材的意涵；思考表現的形式和意義；應用媒材、工具的基本技法經驗作自主性的表現；也包括藝術和文化現象的解讀、詮釋等獨立思考。重點則在「怎樣運用所知和所能」所關聯的方法學和核心能力發展，所以藝術專業技術和作品的完成度，並不會是藝術教學的主要內容和目的，這部分也等於是教科書的應有內容，也是教學設計和評量的主要依據。

（三）C 項則是藝術教育的整體課程目標，當代教育強調「以人的生涯為著眼點」的核心能力，以及人生自我實現的條件；也包括生活意義和生命的價值觀澄清，也就是對自我、人類、社會、文化、環境…等，所持的觀念和生活態度，這些整體教育的終極性「一般目標」，多半容易羅列也較少爭議，但重點則在目標所賴以達成的該學科或教學設計，是否具備相關或優勢的功能性，以及在課程的教學實踐操作上，這些課程目標必須轉化成可評量的「具體目標」（黃政傑，2005），否則很容易淪為僅止於目的論的空談。

二、課程結構三個項目的邏輯關聯

示意圖內 A、B、C 三個項目的雙向箭頭，相關意涵及連動關係分述如下：

A → B：以兒童的實際成長狀態為基礎，才能夠評估：媒材、工具的操作難度是否適當；題材的設定是否足以讓兒童理解；教學活動所預設的表現標準是否合宜等，這是確認教學設計是否符合兒童成長階段和各種經驗，而能夠有效實施教學的篩檢機制。例如：國小學生是否具備基本能力條件，以及有沒有必要學習油畫的知識技能？

B → C：從具體的教學設計和兒童學習活動的內容，可以評估教學和相關目標

是否具邏輯關聯，這是確認學習活動的意義性，以及目標達成的可能效應的檢視機制，也等於是教學實踐研究的創意發揮空間，有多少不同的教學設計可以同樣有效達成同一目標？教學設計為因應各種差異因素可以有多少調整方式？這是課程和教學實踐研究的主軸，也可以避免教學只要有作品就算數的形式主義，或是只將技術和作品完成度當作目標的學科中心迷思。例如：全班都用固定的材料包裝配同樣的作品，這樣教學能不能達成培養創造力的目標？

C → A：從藝術教育的課程目標連結到兒童的成長狀態，可以評估某些目標必須在哪一個年齡階段才具備達成的可能性，一方面能確認哪些是各個年段學生會知道和能夠做到，或是可以經由學習和理解而習得的知識和技能。另一方面則是促成目標相關的內涵，必須轉換成教學對象可以理解、掌握的學習項目或具體目標，避免教學目標成為華而不實的表面文章。例如：藝術欣賞教學在小學階段就要求必須作藝術評價，或是只要拓展視覺經驗和培養視覺的敏銳度、關心態度？

A → C：經由「學生才是藝術教育主體」的原則，可以清晰的掌握以人為本的國民教育性質，確認人文精神和人本的教育目標，也才能夠反饋到課程目標的檢視，篩檢過於學科中心或狹義形式主義的思考，避免將高度專業的藝術知能列入課程目標，造成非國民教育必要的學習負擔，以及課程難度帶來的學習挫折，傷害國民教育的、人本的藝術學習發展。較簡單的說法是：「未來的國民—目前的學生，需不需要這項學習？」。例如：陶藝製作及素燒、釉燒的專業知識、技能，多半無法在現有課程時間有效學習，而多半由教學者或其他專業人士代為操作，社是國民教育的必要學習，或是只要經由黏土的體驗，表現，達成和題材相關的目標就可以？

C → B：以完整的人性化藝術教育目標為依據，可以檢視各個教學活動設計和預設目標是否緊密連結，也可以比對整個階段教學設計的內容，篩檢出某些目標是否在整個教學活動中有所遺漏。這是教學品質檢驗和課程評鑑的程序，也是改進教學和充實課程內容最有效的途徑。例如：各項融入議題與現實生活相關的目標，是否都能在題材設計時有效連結，而不是將跨領域統整學習當作目的，必須另行規劃學習主題和設計額外的教學單元？

B→A：從整體教學內容和活動設計，可以回頭檢視兒童所知道的和能做到的，是否足以完成教學所預期的活動和表現，或是否必須先建立基礎經驗，從先備經驗發展學習和表現的活動，這也是補救教學或修訂課程內容，補充基礎觀念和基本技法教學的主要參考。例如：繪畫材料、工具的基本技法教學，相對於繪畫心象表現教學，兩者的教學是否必須考量實施的先後程序？

三、課程結構三個面向的思考與論據

視覺藝術的課程結構的項目與關聯性分析如上，但在課程架構的發展上，仍需要探討三個項目的內涵與理論依據，避免課程架構成為純理論的空洞論述。課程結構三個項目的思考依據，具體內涵如下圖：

圖 10　視覺藝術課程結構的思考基礎

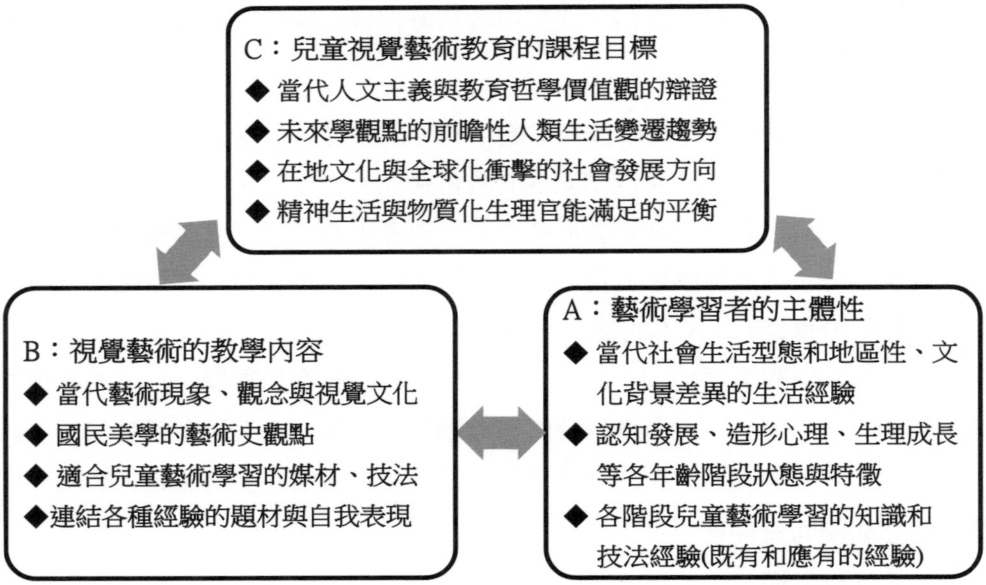

C：兒童視覺藝術教育的課程目標
◆ 當代人文主義與教育哲學價值觀的辯證
◆ 未來學觀點的前瞻性人類生活變遷趨勢
◆ 在地文化與全球化衝擊的社會發展方向
◆ 精神生活與物質化生理官能滿足的平衡

B：視覺藝術的教學內容
◆ 當代藝術現象、觀念與視覺文化
◆ 國民美學的藝術史觀點
◆ 適合兒童藝術學習的媒材、技法
◆ 連結各種經驗的題材與自我表現

A：藝術學習者的主體性
◆ 當代社會生活型態和地區性、文化背景差異的生活經驗
◆ 認知發展、造形心理、生理成長等各年齡階段狀態與特徵
◆ 各階段兒童藝術學習的知識和技法經驗(既有和應有的經驗)

課程結構的思考與分析，每個項目都具有高度的複雜性，而且有如圖示的連動關係，各個項目內容的探討依據，並沒有絕對正確的期待也並未窮盡，因此必須透過學術研討和教師研習，逐項加以探討和辯證，並保留隨時可加以修訂的彈性空間。

例如造形心理特徵，一般常參考羅恩菲爾（Victor Lowenfeld）的「年齡階段造形發展特徵」，但實際上卻必須參考非線性發展的其他論述，如布魯納（Jerome S. Bruner）的「表徵系統繪畫發展」、金德樂與達拉斯（Anna M. Kindler & Bernard Darras）的「記號學的繪畫發展論」，並結合哈柏特 里德（Herbert Read）的「兒童畫的氣質類型」論述，才能夠有更周延的看待兒童造形表現的依據。

再如教學內容以藝術為主要媒介，但視覺藝術內容的繁複度與時代性差異，再加上國民教育的性質與目標考量，當代藝術的定義在「藝術歷史的斷裂」之後（Arthur C. Danto，林雅琪、鄭慧雯譯，2004），也必須整合當代藝術哲學的「衍變」，另外定義國民教育的藝術性質特徵、觀念與意義，發展「國民美學的藝術史觀點」，才足以實踐國民教育的視覺藝術教育。

至於藝術教育的整體課程目標，面對變遷快速的社會，課程和教育目標的形成，多半要透過廣泛的社會徵詢、學術討論和嚴謹的辯證程序，以及許瓦布（J.J.Schwab）「實踐」、「慎思」和「擇宜」的交互運作來修訂（黃繼仁，2005），基於透過藝術的教育理念，本書以當代人文主義的精神為核心，強調人的主體性，因此必須尋求理論依據，建構當代藝術與世俗生活的連結，讓藝術學習的目標跳脫學科中心思維，這才是前瞻性的教育目標思考，也才能建立普遍化的藝術學習的必要性。（以上各項的相關理念與論據頗為龐雜，可參考本書前三章的相關論述。許瓦布的課程發展理論參閱第十一章說明。）

參、國民教育的視覺藝術課程架構

依據前述的國民教育的視覺藝術課程結構三大項目，可以試著發展能夠實際操作的課程架構。這個架構或許可能引發某些疑慮，認為可能會和國家頒布的課程綱要，產生理念或內容符合度方面的差異，但課程綱要本來就會不斷修訂與微調，在實際的課程實施方面，更會有很多可以另行詮釋和擴充內容的空間，因此藝術教育的課程架構，應該可以從更基礎的、可實踐性的角度來思考，從架構表的課程目標來檢驗，目標的價值和涵蓋性都相當周延，和新課程綱要的核心素養並沒有衝突或違背，畢竟藝術學習的媒介和活動型態，原本就有相

當共同的內容和形式。

　　這個參考性的課程架構表，不是絕對規範也並未窮盡，在具體教學實施運用上，有足夠的彈性和發展可能，對於課程綱要或其他藝術教學理念，應該都具有足夠的相容性。另外一項重點則是課程結構分析的概念和內容，實際上也等於是一個教學單元設計的思考模式，因此這個課程架構的主要功能，還可以包含教學專業成長的相關內涵。甚至經由完整的教學實施結果與經驗，配合藝術教育學理方面的探討與整合，可以對視覺藝術學習共同經驗的建立，發展出可實際應用的教材基本骨架，解決教學實務面長期以來的嚴重困擾。

　　面對變遷快速的社會，整體課程和教育目標的形成，多半要透過廣泛的社會徵詢、學術討論和嚴謹的程序，以及「慎思」和「實踐」的交互運作來修訂（黃繼仁，2005），本架構表考量藝術課程的可實踐性，嘗試採取以「教學模式」（呂桂生，1986）為專有名詞的敘述方式，結合教學目標和教學活動特徵，作為藝術學習教材的分類方法，這樣的分類方式可以涵蓋課程結構內容的關係，也可以呈現比較具體的教學特徵和目標關係，除了避免媒材、形式的學科中心思考，更有利於相關論述的判斷和檢驗。

　　「教學模式」與藝術教育目標的形成，除了本章的課程結構理念，主要則源自前三章國民教育、當代藝術、學習者本位的探討，雖然課程建構程序沒有經過廣泛的徵詢，也沒有考慮和現行課程綱要的目標是否對應，但是任何學習領域的教育目標，都不應該只是一種純理論性的條列，而必須以身處的真實社會生活情況為背景，考量文化、政治、價值觀和社會願景，這樣才能符合以人和生活為中心的原則，所以這個架構對教學模式的項目和內容，以及課程目標條列的各項內涵，都保留隨時可以補充和修訂的空間。

　　目前一般視覺藝術學習的教材，仍以媒材或者形式來分類較為常見，例如繪畫、雕塑、工藝或者立體、平面、設計等來定位教材，事實上這些教材和課程目標之間的連結，除了少部分技術性的目標以外，和人文的、生活的、社會的、價值觀等的目標，都很難建立明確的邏輯關聯，「教學模式」則是藝術課程結構 B、C 兩項予以結合的嘗試，基本上是一種以教學目標為主導的教學型

態，在課程實踐上更具體卻又更具彈性空間，相關細節另於下一節論述分析。以下則是依據上述當代兒童藝術教育概念，所建構的藝術課程基礎性架構。

國民教育的參考性視覺藝術教育課程架構表

C 課程目標 ＼ B 教學內容	造形表現 基礎	人格特質 成長	基本能力 養成	藝術經驗 拓展	生活實踐 體驗
（課程目標說明）	工具的正確操作與嚴謹的程序和工作態度／媒材特性的體驗與妥適、有效率的處理／表現技法實驗與題材理解、思考的自主表現／滿足自我表現的喜悅與自我潛能的發揮	充分的自主性、自我了解與表現的自信心／敏銳的知覺與豐富的感受性／多元價值觀與同理心、包容性的開放心靈／追求完美和細膩度的專注力與耐心	直觀感受與豐富的聯想能力、想像力／周密的思考與精密表現、計劃的能力／獨特、流暢與變通等創造性表現能力／因應條件獨立思考與解決問題的能力	視覺關心度與視覺經驗的多樣化拓展／國民美學的藝術史觀點建構與美感體驗／當代藝術觀念理解、詮釋、表達與再創造／關注生活、環境和社會，敬畏自然與生命	自然生態與人文、生活的關懷和行動力／生活美學的知能發展與豐富的情感／藝術文化活動的參與和協調、合作／文化傳承與精神生活價值的體認、實踐

教學內容	教學模式	內容
基本技法	教學模式	工具操作、維護／材料體驗、表現／技法實驗、應用
心象表現	教學模式	生活經驗表現／想像表現／構成表現
機能表現	教學模式	機能結構表現／機能結構設計／條件對應表現
藝術本質	教學模式	藝術史觀點建構／藝術欣賞與詮釋／人文與生活美學
生活實踐	教學模式	目的性表現／美感生活體驗／文化關懷與參與

A 學習主體

● 依據學習者年齡階段的認知發展心理、造形心理特徵與氣質類型差異、肌肉力量與手眼協調等成長狀態，編排各年段合理的工具與媒材技法學習項目。

● 工具、媒材技法與形式是藉以設計教學活動，達成教學目標的依據，這些學科本位的學習不是藝術教學的重心，而是培育基本能力和達成目標的基礎，也必須有學習經驗的組織性。

● 學習者的生活經驗、環境與文化背景、氣質類型的個別差異等，則是教學題材設定的考量條件。

註：就教學模式定義而言，「造形遊戲」、「共同創作」、「故事畫」、「觀察畫」等教學方式，雖然各有其教學形態特徵和目的，但性質屬於教學的活動與表現方式，而非與目標有明確連結的教學模式，所以應依單元目標連結相關教學模式實施，不列為教學模式的項目。

肆、教學模式的特徵與教學內容

一．基本技法教學模式—體驗藝術表現經驗最基礎的起步

　　視覺藝術的製作和表現是學習的主要活動，親身的體驗則是最有效的學習途徑，從記憶心象表現到生活感受、想像力、創造力的發揮，包括對各種題材的思考和表現，造形的表現經驗是學習發展的基礎，因此，工具操作、材料處理的基本技法，是體驗藝術表現經驗起步的原點，技法基礎如果沒有先備建立或過於薄弱，很容易造成構想和表現意圖無法達成的挫折感，後續的學習發展也隨之產生更大困頓。以多年教學輔導和教學現場的經驗，目前的實際教學以及現行課程綱要，對學生在這些基本技法經驗的假設，多半視為在日常生活中已具備基本的操作能力，或者是任由學生在嘗試錯誤中摸索，即使實施技法教學也常偏於特定效果的要求，沒有較完整並具計畫性的課程設計，也因此造成台灣學生的藝術學習，普遍沒有共同經驗的不合理狀況。

　　將「基本技法」列為專有名詞並界定內涵，相關觀念的啟蒙可以溯自 1984 年，五十幾歲還赴日本兵庫教育大學攻讀，師承西光 寺教授的呂桂生先生學成返國，在當年位於板橋的台灣省教師研習會（現國家教育研究院前身），召開全國各縣市的美勞科輔導員研習，首次以「基本技法」為專有名詞，探討兒童視覺藝術教育課程的內容。

　　以當年的藝術教育觀念和教育生態的經驗，「基本技法」這個名詞對很多的教學者而言，很容易和「技術」或「表現技巧」混為一談，因此在當年的研習和討論中，有一部分比較重視兒童自我表現的教學者，因為認同自然主義的教育理念，排斥過度的「技術訓練」，期待孩子能夠有更多的自我表現，結果就輕忽了基本技法的學習意義，另外有一部分的教學者，則因為一向重視兒童作品的完成度，只注重表現技巧和作品效果的指導，因此也沒有確實了解基本技法的真正意涵。時移境遷之下的「基本技法」教學，雖然有部分當年參加研習的基層教師努力推廣，也曾在民編版本的美勞教科書（南一書局，1994）呈現和倡導，終究卻因為藝術與人文課程綱要的修訂，並沒有納入相關的教育理念，因而沒有在藝術教育觀念和教學實施方面，產生更廣泛的影響和效應。

　　基本技法教學雖然有技術面的成分，但實際上「表現」是非常重要的藝術學習方式，「自我表現」並不完全是技術性的學習和要求，藝術的表現多半由題材連結到生活經驗或想像力，和感受性、敏銳度、創造力等都有關連；也牽涉到表現的意圖與構想；抽象的觀念和想法轉化成表現形式的思考；媒材處理和美感、設計等構思，這一連串多元智能的發展和融匯貫通的應用，並不是只有技術和作品的考量，而是一種生活和學習都必要的素養和能力。

　　視覺藝術的表現牽涉非常多樣的工具，各種工具基本上有機械原理或人體工學的設計，在操作程序和技術、效率、安全考量等各方面，必須有正確性的要求或限制。藝術表現所可能應用的媒材種類非常繁複，不同的材料各有差異與特性，處理的方法和效果也各有不同標準；而與表現相關的各種技巧，也常有其訣竅和獨特手法，都不太可能未經教導而在日常生活中自然習得。這些技法和程序是表現的基本憑藉，是藝術經驗發展的必要基礎，更密切關連到工作態度的養成，所以也是生活教育的重要環節，將上述基本技法的相關內涵列為藝術教育的目標，應該具有相當重要的意義和國民教育的適切性。

　　造形表現另一項相關的學習基礎，則是屬心理因素的「學習興趣與信心」，濃厚的學習興趣若能培養與維護，教學的成效和持續發展自然更容易達成。這除了教材設計和教學者態度的外誘因素，兒童本身具備表現所需要的技法能力，才可能滿足自我表現的喜悅感，從而培養自信和學習興趣，這是重要的內在動機和學習動力，是視覺藝術學習和表現不可或缺的基礎。

　　「基本技法」教學模式的主要內容有三部分：（一）工具的操作、維護（二）材料的體驗、應用（三）技巧的實驗、表現。

　　這三項教學經常呈現複合的型態，因為工具操作必然會關連材料的應用，材料處理或技巧實驗也多半會使用到工具，不過，實際教學操作有可能因為目標的差異，而必須將重心放在某一個項目，這就必須依據實際的教學設計和活動內容另行考量。

　　基本技法教學的課程，原則上是將工具、媒材、技法，依據兒童肌肉力量、手眼協調、動作控制的發展，以及認知發展和造形心理表現的階段特徵，將計

畫性的教學內容按年段分配，並以媒材取得的方便性、工具和教學設施的普及性、表現形式的熟悉性等，作為教學內容篩選的參考標準，例如油畫、陶藝、石版畫之類，可能就不符國民教育普遍實施的標準，否則以目前的教學時數，勢必難以負荷所有視覺藝術相關的技法學習。但在實際的課程設計與教學實施，必須保有足夠的彈性和空間，避免剝奪某些特殊媒材和形式的發展機會。例如鶯歌地區的學校，基本技法教學仍是國民教育的基本內容，但是另外特別推展陶藝教學，不但可以不受上述篩選標準的限制，反而有良好的社區資源可以利用，既可以發展出教學的特色，也能配合地區文化的發展需求，這也是學校本位課程的主要意義，至於不具備相關優勢條件的學校，在規劃學校特色教學和本位課程時，就不應該忽略了「接受者的思考」的概念。

基本技法教學的特徵，在工具操作或材料處理的教學過程，重複的練習是教學設計的基本要求，反覆練習才能達到正確和熟練，也才有比較充裕的時間供教學者巡視、個別輔導，這種教學模式為了目標的單純和達成的確定性，多半不要求作品的完成度和表現性，而透過詳細的講解、討論和直接示範正確技法，並沒有讓學生自己嘗試錯誤的空間和必要性，否則工具毀損或人身安全都會是難以預料的負擔，這也是工具教學較不尋常的特性。至於表現技巧的教學，必須以實驗的方式充分嘗試，讓學生自己探索媒材、技法的各種可能性和效果，這和工具操作教學原則有所差異，開放性的實驗可以獲得較廣泛多樣的經驗，讓學生能在後續的表現性活動，自己依據經驗選擇表現的手法和方式，而不應該為了某一種題材的表現效果，以單一的特定技巧作為教學內容。這些基本技法教學的特徵和目標相當清晰明確，與其他教學模式的特徵也有很大的區別性。

基本技法教學看起來雖以技術為目標，但從人文思考的層面來看，實際還另有更具教育意義的目標。基本技法教學特別關注工作態度的培養，因此對工作效率、安全性、工具維護、珍惜資源等，要求也會相當嚴謹，尤其在教學活動設計上有特殊的原則：**基本技法的規範性要求，並不是以教師的權威性作強制規定，而是以每一個工作細節的合理性和必要性的思考，由教師和學生共同探討出正確、適當的處置方法**。例如畫水彩時，水器的質料、容量會怎樣影響

效果與方便性？單格或分格的水器是否會影響效率和水資源的浪費？甚至水量裝滿或半滿，洗筆或晃動時的結果是否一樣？哪一種容易影響到環境整潔的維護？水器放置在桌子上或地面上的位置，是否影響工作的方便與效率？放在什麼位置比較容易不慎翻倒？水在桌面或地上翻潑的後果有沒有差別？像這樣一系列看似簡單的細節，從洗筆的方法和分格水器的用法，進而包括運用抹布控制水分、調色盤的規格選擇和應用、擠顏料的方法和色彩排列的位置、避免滴淌混濁的調色與混色方法、運筆的方法和效果等，到最後只用原來水器裡的水，不另外浪費水資源的情況下，怎樣可以妥善的清理收拾所有用具？在這些操作方法和程序的討論過程中，可以讓兒童深刻體驗到每一個工作環節的細膩思考，不但技法的要求因為經過討論，充分證明了合理性而容易被接受、實踐，更因而讓兒童知覺的敏銳度提升，討論中常要預先評估行為的可能後果，所以能夠增強思考的周密性，而追求細膩、完美的心理，也都會有充分的啟發。基本技法不只培養藝術學習的基礎，以人和生活為主體的教育理想，從這些目標的意義性與達成的可能性來看，也都不會僅只是空談而已。

二．心象表現教學模式—人格特質與心理素質的培養

處於變遷劇烈、快速的現代社會，次文化、異文化的衝擊，價值觀的更迭扭曲、物質與精神文明的失衡，外加臺灣的升學壓力，學生在目前與未來生活上的調適，已不是生活倫理、道德教育的外塑社會規範就能竟全功（蔡源煌1991）。生活適應和情緒管理，主要的關鍵並不完全只是能力的問題，人格特質和心理素質、價值觀才是更重要的決定因素，以人和生活為主體的教育，應該要更關切這方面的目標。

人格是個人適應的行為型態（張春興1981），臺灣學生自主性與自信心的薄弱，不只呈現在藝術學習的表現上，也可以由一些學生跳樓事件作推測，而自殺行為與價值觀的僵化、偏狹，以及對生命價值認知和人文素養不足，或許也都有交互作用。即使這種推論可能牽強，但多元價值觀與包容性的建立，對生活調適和社會和諧的功能，應該是頗為明確。敏銳的知覺與豐富的感受性，才能培養細膩的心靈，更是體認精神文明價值的基礎，不具感受性的人難

以親近和欣賞藝術，只能偏好於追求生理的官能刺激，也就不是毫無依據的揣測了。而追求完美才能避免草率、粗糙，生活品質的提升才具備原動力，另外，追求完美所需的執著、耐心、專注，更能對學習、工作的成效產生正面的效應。這些人格特質列為教育目標的獨特意義，應該不會引起什麼爭論，但藝術教育是否具備關連性或優勢的功能，才是探討的重點。

「心象表現」一詞在國內視覺藝術教育研究，並未見詳細討論或明確的定義，本架構以里德（Herbert Read）對知覺與想像的論述為依據，將「心象表現」定義為：「具個別性的知覺心象或視覺經驗的再現；以心象重組的非經驗意象表現；潛意識和直觀的表現。」因此本項教學模式的內容，基本上可以分為：「生活經驗表現」、「想像表現」、「構成表現」三種教學型態。

（一）「**生活經驗表現**」是完全個人化的記憶心象再現，其特徵是完全以學生個人經驗的自發性表現為主，教師不應該預設表現內容、畫面結構等要求，即使連表現技巧和美感形式的指導，也都會壓抑和扭曲了學生經驗的獨立性，以及表現內容和自我經驗的連結，所謂「心象」是每個人個別化的生活經驗、記憶和感覺，包含視覺經驗和各種活動的感受，為了美感或作品的完成度所作的指導和要求，都不符心象表現教學的原則，對心象表現的內容和表現方式的干涉，是忽略了目標特殊性質的學科本位思考，很容易扭曲了學生的個人心象，更會打擊自我表現最需要的自主性和自信心。齊澤克早期倡導的「自由畫」，被誤解為不設題材隨意塗鴉，其實就是指完全的「自我表現」，維護自主性的圖式發展和人格特質成長。

生活經驗的表現內容，可以採取題材的發展來組織教材，以「人」、「環境」、「社會」和「生活」為題材範圍，依據學生的成長階段，從自己、家人、師友等，逐漸發展到社會群體關係的認知；由居家、學校、社區，發展到整體自然生態環境；由日常生活、學習、遊戲，發展到生產分工、文化活動及社會網絡，逐漸依循生活經驗的擴展，引導學生拓展眼光與胸襟，發展出對自己生活的省思，以及人際關係和社會、環境、文化等各個層面的深遠關懷。

（二）「**想像表現**」是經常被誤解的教學型態，以為凡是非現場寫生的表

現方式，都可以歸類為想像畫，這其實是「想像（Imagination）」這個名詞定義產生含混的誤導，想像表現若沒有特定的心理活動歷程與條件，就會和記憶心象的再現混為一談，以下參考容格（Carl G. Jung）和里德（Herbert Read）的觀點，簡單釐清與「想像」相關的心理學名詞意含：

1. 「意象」（Image）：人的感官對客體事物的感知稱為「知覺」，視覺為主的知覺形成腦中的紀錄可稱為「意象」，這些紀錄包括記憶的痕跡和形態的整體結構關係。但「意象」一詞在不同領域的定義有差異，例如「意象派」是文學的專有名詞，和視覺藝術所談的「意象」定義不同。（意象在有些心理學研究的用詞是「表象」，但似乎容易引起語意的誤解。）

2. 「心象」（Mental Imagery）：也稱為「記憶心象」或「視覺心象」，中文的名詞有時也用意涵相同的「心像」兩字。「心象」意指長期記憶中的各種「意象」，也就是大量感（知）覺訊息內容的記憶形態，所以視覺心象具非常個人化的特性，有多種不同型態並有相當大的個別差異，。

3. 「聯想」（associate）：意象不是單一或分離存在的，因為人的活動、知覺具有連續性，因此意象在心理上會重複、連結，例如下雨和雨傘會產生關連，這種心理活動稱為「聯想」。

4. 「想像」（imagine）：意象是個人既有的經驗，但是意象可以經由重新組合，產生新的、非原有經驗的意象，這種形成新的意象和概念的心理活動，才是「想像」的真正意含。就視覺藝術教學來說，表現出「非經驗」的意象才有「想像」的歷程，但基礎仍是既有的經驗經過重組而來，因此沒有經驗可以憑藉和重組的題材，也難以讓學生有想像的空間和表現。而所謂「非經驗」除了沒有實際生活或視覺的經驗以外，也包括非真實的景象和尚未發生的情景等，因此教學題材仍相當廣泛。

5. 其他與藝術教學可能相關的名詞：

（1）「後心象」（afterimage）：和心理活動無關的生理性視覺現象，如色彩在視網膜殘留而產生的補色視覺現象。

（2）「夢意象」：睡眠中浮現的意象，不是意識清醒狀態的意象。

（3）「幻想（Hallcination）」：特殊情況下意識正常時浮現的意象，但有些心理學派只承認錯覺（假的知覺），相當於「幻覺」。

（4）「遺覺象（Eidetic Image）」：極為鮮明、清晰的記憶心象，類似能夠看見真實景像的狀態，一般認為是兒童比較能夠保有的現象，但不容易證實具體事例。

郝柏特・里德特別區分「想像」與「思考」的定義，藉以肯定視覺藝術教育的價值，其觀點是：想像必須以意象來連結、轉換，是屬於感覺的、感性的，而思考則是高度概念化的抽象心理活動，是屬於邏輯的、理性的，兩者在教育上不應有所偏廢，但在藝術表現上應用想像力，可以統整兩者的發展，而且是一種符合兒童成長階段的自然方式，是藝術教育應該採行的良好方式。

依據以上的論點，想像表現的教學特徵，必須設定學生沒有真實經驗的題材，才可以定義為想像表現，例如：「到彩虹上去遊戲」是學生不可能會有的經驗，但是對彩虹卻具備有知覺或認知經驗，配合學生普遍既有的遊戲經驗，就可以重新組合兩者的意象，而表現出在彩虹上遊戲的非經驗內容，而因為經驗的差異也會讓表現具多樣性，這樣的表現才具備「想像」的心理歷程。另外如故事或特定情境的敘述，講到某個關鍵情節而故意中斷，由學生自己發展後續的情節並表現，即使表現內容是既有經驗的呈現，卻仍有轉借、連結的想像歷程。所以，想像表現的教材設計原則，是以兒童的普遍經驗為依據，設計非經驗、非確定內容的題材，所以也必須避免選擇學生經驗不足或可能欠缺的題材，導致妨礙想像力的發揮和充分表現。而想像表現的教學成果特徵，原則上是每個學生的表現都會不一樣，如果是非經驗的想像表現教學，卻所有學生都呈現共同的表現內容，那就可能是教學者自己在代替學生想像，為了作品效果而強加在學生身上，那已經和學生想像力的發展背道而馳了。

想像表現的教材組織也以年齡階段為參考，逐漸擴展想像的題材和空間，同時想像表現與生活經驗表現一樣，沒有必要預設表現內容和標準，否則會壓抑了學生想像力的發揮，也沒有必要為了作品效果，過度指導畫面結構和表現

內容，反而使目標的達成受阻。

（三）「**構成表現**」是視覺藝術的形式本質，教學內容會涵蓋比較複雜的表現型態，大致可以分為「自由構成表現」、「設計構成表現」、「觀察表現」三種，各有不同性質的目標和表現特徵。

「自由構成表現」教學，較傾向於潛意識和無意識的直觀表現形式，多半以「造形遊戲」的型態實施，不要求具體形象描繪的表現。主要是援引心象表現的定義，以及學生對現代藝術非具象的表現，以及抽象、圖案設計等所獲得的視覺經驗，教學設計多半傾向引導直觀的表現，和視覺經驗再現的表現有所區隔。羅恩菲爾（Viktor Lowenfeld）的研究提出，兒童有相當比例屬於「觸覺型」，其表現傾向內心的感覺而不是視覺的形象，現代藝術如超現實主義和抽象表現主義的觀念，也強調內心直覺感應的自動化表現，因此藝術教育的教材中，應該有可以相對應的視覺藝術表現方式，來符合部分學生心理上的本能需求（包括塗鴉）。本項教學模式的特徵，就是不一定要求具體形象的呈現，而以自發性的直觀感應，配合工具和媒材的基本技法教學，表現直覺的心象或自動性技法的表現。除了可能經由情緒的紓解，提升藝術學習的興趣以外，自由構成表現可以拓展視覺藝術的視野和觀念，對自主性和自信心的培養，也都有正面的關連和效應。

「設計構成表現」的教學型態，類似傳統的視覺傳達設計教學，但一般設計教學帶有目的性表現的性質，兒童的設計表現也常和繪畫表現含混，因此設計構成表現的主要內容，比較接近包浩斯（Bauhaus）的多樣課程型態，除了一般的視覺設計教學，也包括立體構成和現代主義、構成主義等風格的認知和表現，基本上以各種視覺元素的認識和應用，拓展兒童的視覺經驗為主要目標，也涵蓋對生活環境的視覺關懷和各種日用器物的美學品味。目前有些美感教學或設計教學，學習和表現的內容多半屬這個教學型態的範圍。

「觀察表現」列為構成表現教學模式的一部份，基本上是以兒童本位的藝術課程觀點，將專業藝術學科本位的「素描」和「寫生」教學，調整成更符合當代兒童藝術教育目標的教學型態，避免太過於技術性學習的不必要負擔。

觀察表現不刻意追求輪廓、比例的正確性，而是強調各種事物特徵和細節的觀察，以表現的精密度、視覺敏銳度、專注力和耐心、細膩等態度，作為主要的教學目標，甚至表現的內容可以連結想像，發展描繪對象和題材的結構或裝飾性變化，這和一般太偏重技術或形式的教學比較，不但符合兒童造形心理發展，而能有較高學習興趣，對視覺對象構成的掌握和造形表現能力的發展，也都會更靈活而更容易有個人的特色表現與成長。

構成表現教學的教材以技法、媒材來組織，以技法的經驗為題材選擇的依據，因此常和基本技法教學聯結，成為複合型態的教學模式，表現的形式和技術難度，也以兒童成長階段和學習經驗為參考。但是到了中高年級的自由構成表現教學，往往就可以和現代主義表現的教學結合，非具體形象描繪的表現經驗，可以讓構成設計的表現較為多樣，避免設計和繪畫教學含混不清的狀態。

心象表現教學以個別的自發性表現為基礎，因此對學生的表現必須寬容與完全認同，盡可能不把技能水準與美感形式表現等，摻雜在教學目標內，而是以工作的投入和專注態度為目標，兒童的自主性與自信心才得以培養，自我表現的喜悅感也得以滿足，學習興趣才能維護，這也是心象表現教學設計，必須規劃前述特徵的主要理由。這種認同、包容所有表現的態度，也會引導兒童的多元價值觀和包容性的發展。另外，生活經驗表現的題材和表現的思考，可以引發兒童對人、環境和生活的關懷和感動，自然會有效培養豐富的感受性，而想像表現的定義和特徵，更是直接與培養想像力的目標結合。構成表現對於造形秩序的直觀感應和視覺經驗的拓展，不僅滿足兒童自我表現的心理需求，遊戲性質的活動，還可以紓解形象描繪在技術難度上的壓力和挫折感，並從表現的高度寬容和肯定，培養學生的自信心，這也是以人為主體的藝術學習目標。綜合以上所述，只要確定符合教學模式的條件和特徵，心象表現教學目標的價值，以及目標達成的可行性應該不會有太大疑義。

三．機能表現教學模式—創造思考與基本能力的成長

當代教育對培養創造力與思考能力的價值，以及創造、思考和藝術教育的密切關連，是論述很多也少有質疑的普遍認同。但創造和思考能力的培養，必

需明確界定相關的定義，才能檢視教學設計的活動內容，是否確定具有創造和思考的過程，這也是目標和教學之間邏輯關連的檢驗準則。豐富的想像力、聯想力，只是創造思考的基礎，但是想像的結果並不等於是創造。

機能表現教學對創造思考的定義，是以獨特、流暢、變通等表現特徵來嚴格定義，獨特性是指表現上的新奇、特殊，有異於一般普遍的反應方式；流暢性指的是表現上的多樣化，對同樣的題材有很廣泛多樣的對應、詮釋，而不是只有單一、概念化的反應；變通性是指對同樣的對象，可以自己再定義、另定功能或運用方式等，而不是固定的一般經驗反應。

這種比較嚴謹、明確的定義，可以讓教學目標是否達成的驗證較具體，也可以避免任何教學單元，都任意冠上「培養創造能力」目標的通病，例如單純的自然模寫、技法的教學、心象的重現等，基本上並沒有明確的創造思考心理歷程。思考能力同樣也不是唯有藝術學習才能培養，但由於視覺藝術教學具有明顯的「工作」性質，比任何其他學科有更多的實際操作歷程，因此這項教學模式能夠養成的所謂「基本能力」，是從表現構想、操作程序、工作態度以及製作歷程等層面，培養周密的思考、計畫能力、解決問題、因應條件等相關的能力，這些基本能力是從發想到完成表現的必要條件，機能表現教學也因此具備培養這些能力的優勢地位。當然，這些能力的價值並不是僅為了藝術學習而已，從「每一個人」和「世俗生活」的需求角度來看，這都是普遍性的生活相關「基本能力」，對各種學習、工作與生涯都有永續性的價值，這和前面心象表現教學模式所追求的人格特質養成，同樣最具「國民教育」課程目標的特色。

機能表現教學模式的內容，可以分為：「機能結構表現」、「機能結構設計」、「條件對應表現」三種。

（一）**「機能結構表現」**教學，是應用媒材的特殊處理手法或結構方式，所產生的很多性能上的變化，例如支撐力、彈性、牽引、動態等機能性，而發展出具有特殊機能表現的教學活動。較常見的如摺紙產生支撐力或浮力、長紙條的彈簧摺產生彈性和擺動、鳩眼釘的牽引活動、曲軸結構的動態性、槓桿支點的平衡晃動、軸承與套環的旋轉或滾動等，都是以前「美勞科」教學常被

採用的教材。機能結構應用的表現教學，基本上因為兒童的經驗限制，必須先教導材料如何產生特定機能的結構技術，但後續的表現必須採取開放性的題材和表現空間，鼓勵個別化的多樣表現，由兒童依據結構的機能性，自己構想可能的應用和表現方式，所呈現的結果則強調個別的獨特性和變化，並以肯定特殊表現方式的原則來鼓勵學生，創造思考的歷程就很確定了。較複雜、特殊的機能結構，同樣沒有太多讓學生自己嘗試錯誤的空間，無限上綱的探索和實驗可能耗時又沒有學習意義，直接指導機能結構方式，並不是過於主導或限制學生，而是因為學習的重點在機能結構的應用，目標是獨特應用方式的思考和創意發展，把學習時間留給機能結構的摸索、嘗試、實驗，才是比較合理的實施方式。

（二）「**機能結構設計**」教學，是熟練相當多樣機能結構的應用之後，鼓勵兒童自己設計具有機能性的結構，並發展出具個人特色的機能表現方式，是一種比較高階、直接關連創造力的學習方式。機能結構設計的教學，必須以已經相當熟練的工具和材料經驗為基礎，才能讓兒童順利呈現自己的構想，所以多半必須依循基本技法和機能結構應用的經驗來發展教材，並以結構的難度作為教材組織的依據，基本上大多必須在高年級階段才比較適合實施。機能結構設計和機能應用是完全不同的教學型態，前者由老師指導結構，由學生發展結構的應用可能和表現，後者是老師只提出要求的機能條件，但產生機能的結構方式完全由學生自己思考和設計，甚至可能連媒材都由學生自己選擇、決定。

機能結構設計教學的參考例：製作一輛車輪可以轉動、頂棚可以活動打開和覆蓋的敞篷車，這兩項「可移動連結」的機能結構是條件，表現方式完全由學生自己設計製作，教學者只要考量學生的能力和經驗，在媒材和工具上做適當的規劃，就可以完全由學生自己進行思考和表現。另一個教學例：製作一座橋樑，要求的機能結構是橋樑可以移位，讓出原來橫跨的河道讓船舶通行，這個橋樑連結又可以移動，也能回復原來位置的機能性條件，由學生自己利用滑軌或套軸、牽引等各種可能的方式，自己構想、設計符合條件的機能結構，這和由老師教會材料的機能結構方法，而由學生發展結構的應用方式，在難度和性質上都有明顯的差異，在學生經驗足夠難度也適當的情況下，這種具挑戰性

有有較大自我表現空間的學習方式，多半常會引發學生較高的學習興趣。

（三）「**條件對應表現**」是權宜名詞，主要從教學引導和目標的特徵歸納而來，在視覺藝術的啟發式教學中，常有這種以特殊的條件限制，來規範表現內容或形式的方式。以前述的機能表現教學為例，如果將機能性列為表現的條件，例如：以柔軟的紙張為材料，要求製作一件能夠直立並可以承受相當重量的結構，或是設計製作一座橋，條件是橋面必需具有動態結構，能夠移動位置而空出可以讓船通過的航道。這種教學模式並不直接指導機能結構的特定製作法，而是以機能的要求來形成條件和問題，讓兒童自己發展材料結構的方式和技法，以因應條件並解決問題，因此這種教學模式和機能結構設計經常可結合實施。

條件對應表現的教學特徵，與機能結構表現很類似，但兩者在思考和呈現上是相反的方向，機能結構表現的媒材結構和技術，是由教師提供或指導，應用的構想和發展空間完全留給學生，條件對應表現，則必須由學生自己尋求或發明對應的方法，也可以說機能結構是條件對應的基礎，兩者有明確的差別。尤其是條件對應表現，可以透過平面媒材表現，參考的教學例：以故事畫的教學形式，複合條件對應和想像表現模式，要求兒童畫出由各種鳥類把小朋友帶上天空的情景，「條件」則是小朋友被帶到天上的方法，一定要每個人都不一樣才行，這種表現雖沒有機能結構的特徵，但卻有思考和表現內容的條件對應要求，促成學生必須有流暢性的創造表現，這種教學模式也是培養創造力的特殊形式，而這個教學例要上天空的小朋友人數，則是表現和學習難度的關鍵，人數越多難度越高，也越能考驗學生的流暢性創造能力，但太高難度如何避免挫折，則是教學專業的呈現和考驗了。

條件對應表現的教材組織，也以技法學習的熟練為基礎，必須依據兒童的媒材機能結構經驗，和認知發展階段來設計教材，所以機能結構應用教學有部分可以在低年級實施，機能結構設計和條件對應教學模式，多半只適合在中、高年級以上才實施。

機能表現教學在目標的對應上，與創造的定義有明確的關連，也和獨立思

考、計畫、解決問題等能力有密切關係，將機能表現視為創造思考教學的代表模式，應該不會有太大的疑義。這些基本能力在生活上的價值和重要性，應該也不用再作太多的申論，處於社會多元發展和產業轉型的臺灣現況，創造力和思考能力，更是學習、工作和生活上自我提升不可或缺的條件。藝術教育不一定是培養這些能力的唯一學科，但還是具有相當優勢的地位，藝術學習和一般生活的關連，也可以再次得到印證。

四．藝術本質教學模式─藝術觀念與人文素養的養成

當代藝術教育的目標，當然必須涵蓋藝術欣賞的能力，能夠理解藝術的本質和意義，培養現代化國民應該具備的人文素養，進而體會藝術在生活中的意義，建構人生哲學、生活態度和價值觀。要達成這項目標的學習途徑，必須以人文的藝術史概念為基礎，才能理解藝術本質的時代性差異，並進而自己詮釋藝術的意義，體驗藝術所呈現的人文意涵。

從藝術出發卻回歸到生命價值和生活意義的探求，不僅是國民教育的目的，也是藝術可以豐富人生的應有功能。因此藝術本質的學習，事實上是「透過藝術」的跨領域統整學習，並不是藝術專業的學科中心學習，但也因為學習媒介和題材的關聯性，專業藝術的相關知能是學習的工具，因此並不會在學習內容中失落，而只是藝術學習目標的重心，回歸到學習者本位的思考而已。

藝術史的資料繁複龐雜，詮釋也有很多不同的取向與方式，從國民教育的立場來思考，藝術本質教學應該避免專業藝術史的艱深和複雜，但又必須對藝術的意義和人文意涵，建構簡單、概括性但又有效的全面理解，確實是教學設計的一大挑戰。藝術欣賞和詮釋的藝術本質教學，教師必須以「國民美學的藝術史觀點」為基礎，建構自己的當代藝術哲學觀點，以及自己理解各類型藝術的欣賞能力，並具備能夠具體操作的藝術欣賞教學法，才有可能勝任相關教學。建構國民美學藝術史觀點的相關論據，以及藝術欣賞教學的相關理念，請參閱本書第七章較為深入的探討。

藝術本質教學是重新思考後修訂的教學模式名稱，原有的教學模式名稱是「多向文本」教學，「多向文本」（Hypertext）也譯作「超文本」（鄭明萱

1997），這個目前似乎還沒有定論的翻譯名詞，原先是指使用電腦網路流通的革命性文本，是一種非線性的文件書寫和閱讀方式，特徵就是文章的閱讀可以隨意的跳動和連結，完全沒有線性的邏輯結構和順序，目前有些比較開放性、可以共同書寫的網路部落格（Blog），就是一種多向文本的雛形，參與者隨時可以加入自己的意見和內容發展的書寫，或是就既有的內容提出修正、增刪，也可以另外發展出新的情節和論題，文本讀和寫的界限已經不存在，多向互動的多元化文本內容，難以預測也不一定會有結論，是一種持續演變的「再生產」過程。以前採用「多向文本教學」作為模式名稱，就是借用上述的特徵，讓學習成為多元意見和經驗交流互動的過程，但是將教學活動方式列為模式的名稱，會模糊了教學目標的關聯性，因此回歸藝術本質學習的模式名稱，應該是比較合理的修訂。如此定義的藝術本質學習，其實也契合當代教育的「主題式學習」型態。

藝術本質教學模式的內容概略劃分為：藝術史觀點建構、藝術欣賞與詮釋、人文與生活美學三項。

（一）「**國民美學的藝術史觀點建構**」，基本上依據當代人文主義的精神，從人類對生命意義和生活價值的關注，另行建構藝術詮釋的工具和系統，相關的論述已經在前三章有充分的探討。藝術史觀是面對各個時代和各種類型藝術，能夠自行作出詮釋的基礎背景概念。要體會藝術的本質精神價值；要體驗讓生命更具活力的經驗形式；要檢視文化和生活內涵的意義，都必須以國民美學的藝術史觀為工具，連結個人經驗與社會文化現象、生活感受等，但這卻是以往兒童藝術教育長期欠缺的一塊拼圖，也少有相關的論述和課程實施的參考。藝術本質的教學目標規劃，本來就是以藝術史概念的學習，理解藝術的意義和生活的關連，培養人文思考為主軸的價值觀，因此在目標的達成上，是一種直接的關連，主要的關鍵只在題材的選擇是否適切，以及教師本身在藝術史和人文方面的素養，是否能對教學活動做良好的引導。

藝術史觀建構的教學，以現行的藝術課程結構和教學實施的空間，並不容易規劃系統化的教材，因此只能在藝術學習過程中，選擇適當時機將歷史觀點的概念，融入教學討論的內容，並隨時引導學生共同歸納藝術史的架構。但就

課程實施的有效性而言，仍舊必須另外規劃完整的課程，依學習階段組織學習的內容和經驗，使當代藝術史觀點成為每一個國民的基本素養。國民美學的藝術史綱要可參見本書第七章。

（二）　「藝術欣賞與詮釋」的教學，隱含當代「視覺文化」的教育概念，除了藝術品以外，可以包含人文景觀和生活文化的題材。開放的討論和教師適當的引導，就可以把藝術的時代性背景；藝術表現的形式、內容和意義；藝術和社會、生活的關連及價值等學習內容，透過討論和學生的經驗連接起來，促成思考、判斷和感受的發表，形成非常多元的溝通和互動，也可以進一步就學生的意見，彙整出創作表現的題材，以及個人自主性的呈現方式，這樣的創作活動自然會比較具開放性，也能夠有思考的歷程為基礎，表現的意義性的思考，就會比技術性的要求更優先被考慮和呈現。

欣賞教學的題材內容除了視覺藝術作品，低年級階段可以包含兒童作品，但建議依據兒童的表現形式，選擇部分表現手法類似的藝術作品，以對照的方式呈現。中年級以後逐漸介紹各類藝術作品，但必需考量本土藝術家與外國藝術家的比例以及民俗藝術、原始藝術的介紹，依據兒童審美判斷的成長階段，作為欣賞題材選擇和組織的依據。

人文景觀和生活文化的欣賞，並不像作品欣賞注意藝術形式和審美經驗，而以文化認知，自然環境關懷為重心，在實施上必須有較明確的目標對應。教材組織則由地域性逐漸擴展到世界性，低、中年級以景觀的特色和生活關係的認識為主，高年級則可採用不同地域、文化的景觀比對，引發兒童對生活環境和自然生態的反省，並建立對土地的情感與生活態度。

藝術欣賞也可以從議題的討論出發，題材也更具視覺文化的性質，可以和生活經驗有緊密的關連，或是從教學的意義和目標作規劃，九年一貫課程的融入議題，像是人權、環境、性別平等、資訊、生涯發展等，就很容易連結成教學的主題，而來自網路和媒體的視覺經驗，例如具有教育意義的社會事件、特殊活動等即時的生活影像和經驗等等，都可以成為教學的題材，在討論的過程中，教師可以就議題的內容和性質，連接到藝術的學習上，介紹相關的藝術表

現範例，或鼓勵學生收集有關連的藝術資訊，藉此建構學生對當代藝術的理解和詮釋經驗，而各種討論的意見，也可以發展出學生對相關議題的表現構想，不論是在表現內容呈現對議題的另類解釋，或是借用某些藝術形式的經驗和感受，發展出其他的議題表現，學生對表現意義的思考和構想，都會更具自主性與多元化，也較符合當代藝術觀念的表現型態。

（三）「人文與生活美學」的教學，基本上並沒有系統化的教材內容，但是在藝術學習的活動方式，特別注重讓學生擁有自主性的思考歷程，從不同意見的衝擊中，習得包容性或修正自己固有的觀念，這種學習過程培養的思考方式和多元價值觀，本身就是人文素養的一部分。例如從臺灣社會的現實面來看，「拼經濟」只是一種政治口號，經由媒體的渲染卻似乎成為社會價值觀的共識，但如果認真檢視和思考，就很可能會發現這是一種扭曲的價值，臺灣的經濟成就一向並不太差，反而是生活品質一直有相對的明顯落差，從民生基本需求的飲水、空氣、食品到公共安全，次及環境、景觀和生態保育，最終到精神生活的文化、藝術和休閒活動的品質，長期都跟不上經濟成長的水準。這些生活品質的問題如果不受重視，卻把經濟收入當作是最高層次的價值和目的，那麼為了獲取錢財而傷害他人或社會，甚至引發層出不窮的經濟犯罪活動，或許就會成為很多人潛意識中默許的行為。為了追求被視為較高層次的經濟財富價值，犧牲次要的價值如人格尊嚴或正義公理，就很容易找到行動合理化的藉口了。價值的扭曲使拼命賺錢的目的也模糊不清，除了奢華的物質炫耀，對社會文化和精神生活欠缺關懷，生活的目標若是僅止於此，社會的沈淪恐怕就令人不得不憂心了。人文與生活美學的教學連接哲學價值澄清，可以依據特定的目標設計教學，也可以融入藝術史觀或藝術欣賞教學，雖然教學模式因為議題連結而獨立性並不明顯，但教學目標的重要性和價值則非常確定。

藝術本質教學的三種形態常會互相牽連和轉變，這也是多向文本的特性，這種教學模式和目前風行的主題式教學，或是大單元統整教學，在活動形式上有類似的地方，但教學的內容和目標，卻可能會具有差異性，產生差別的主要原因，和本章一開始提到的目標取向有關：學科中心的主題式教學，藝術的討論會趨向於美感形式分析，以及背景資料的認知等；以人和生活為中心的多向

文本教學，目標的重心會趨向於人文思考，使藝術和生活的意義形成連結，從而建構藝術詮釋的基礎經驗，並逐漸發展各種生活層面的價值觀。

　　藝術本質的教學特徵，形式上是視覺藝術欣賞和詮釋的活動，但討論必須是一種多元化的多向互動，並且以延伸的表現思考和活動，強化藝術學習的「親身體驗」歷程。藝術的欣賞以人文思考為主軸，討論的方法則以現象學為基礎，強調以學生的經驗和直觀來面對藝術，形成多元化的意見交流和互動，並且聚焦在藝術表現的意義性，以及和生活的關連與價值上，對於藝術現象的解讀，特別重視藝術所具備的人文意涵，也就是人對生活的態度、信念和價值觀。至於視覺元素和藝術的形式，則是視為承載意義的「語彙」或「符號」，欣賞的重點放在形式和表現意圖之間的關連性與合宜性、創造性等。而美感教學的規劃，則強調直接的體驗，不是灌輸傳統的美感形式原理。

　　藝術本質教學模式的教材範圍非常廣泛，從藝術或視覺現象的欣賞和探討出發，可以選擇特定議題的藝術表現，配合藝術史觀點的學習需求，作為教學題材編選的參考。從議題的討論出發，可以考慮由學生的生活經驗和認知，配合社會文化現象的解讀和批判，作為教材組織的主軸。人文生活美學的學習，則以視覺文化的識讀和關心度為核心發展教材。這種教學模式因為牽涉學生的認知發展階段，以及思考和表達的能力與經驗，基本上可以考慮從中年級開始才實施，隨著生活經驗和認知發展心理的成長，才漸進地增加學習的分量。

　　教育一向脫離不了意識型態和價值觀的影響，教育目標也不能迴避價值觀的引導和價值澄清，例如現行的課程目標，希望國民都能夠從事終身學習，這本身就是一種社會價值判斷的結果。而終身學習的實踐，主要的關鍵並不一定是能力的問題，反而是心理因素占比較重的成分，除了職位的升遷或所得增加之類的外在誘因，自我成長和追求理想等主觀的動力，多半是由價值觀的內在驅迫而來，對終身學習和生涯規劃這種類型的目標而言，藝術本質教學的討論和價值澄清過程，應該是一種非常優勢的學習途徑。

　　要深刻的體會精神生活的價值，建構重視生活意義的社會文化背景，藝術本質教學應該是相當有效的途徑，而且符合當代藝術的詮釋方式。另外，教師

的引導和學生的互動，如果能夠掌握教學模式的特徵，教學內容和活動的選擇，就比較容易在教室裡面形成最後的決定權，使課程的實施雖然是目標模式，卻具有「過程模式」的特徵，而議題連結是「超越學科」的學習方式，也更貼近後現代教育的理念。藝術本質教學模式的教學構想或許還不很完備，課程實施的方法和教師的條件，也都還需要進一步討論，但教學功能和意義應該可以確定。本書後續三章對視覺藝術欣賞教學的相關論題，作較大篇幅的分析與探討，也正顯示對藝術本質教學的特別重視。

五．生活實踐教學模式—藝術生活和文化參與的體驗

生活教育是國民教育的重心，將藝術學習的經驗和世俗生活作連結，不僅具有提升生活品質的功能，也能夠促進社會文化的發展，應該是當代藝術教育的重要目標之一。生活實踐教學模式，以培養兒童對生活內容的關心為起點，形成相關知能發展的動機，同時將生活美化的重心，著重在精神價值的層面和生活態度，而非日用生活物質的追求，以文化傳承的體驗和價值認知，以及藝術文化活動參與的體驗為目標，並進而引導兒童拓展視野，達成整體生活內容和價值的關懷。

學校的藝術教育如果要強調生活實踐，事實上是相當假設性的目標，學生在學校裡的生活和學習活動，是不是真的能夠促成學生在日常生活中，實現和藝術有關的態度或行動，實際上取決於學生在家庭中的地位，以及行動的自主能力和家長態度，就這一點而言，家庭生活的實際狀況，以及家庭教育和親子互動的方式，才是主要的關鍵，而教師和學校教育在這方面能夠產生的影響，以及實際生活可能的實質作為，多半是相當薄弱的誘導和鼓勵而已。能夠將藝術經驗應用於生活中，必須是成長到某一個相當獨立的階段，才有可能具體行動，因此這種教育目標的實現，可能也是國民教育這個階段，所難以掌控、評估的。

藝術在生活上的實踐方式和內容，是一個相當模糊又充滿歧義的論題，生活實踐教學模式的目標重心，如果放在生活的精神價值體認，以及文化、藝術活動的參與，無論是藝術的欣賞或表現，每個學生都有機會投入，才是實質

的參與和親身的體驗，當藝術不再是一種非常個人化的表現，感受到身為藝術活動和社會的一份子，才能夠真正體會藝術的樂趣和價值，因此學習的方式和內容，也必須是議題連結的統整學習，或是配合文化活動的主題式學習，這才是在生活中實踐藝術經驗的有效途徑。生活實踐教學的內容，大致可分為：「目的性表現」、「美感生活體驗」、「文化關懷與參與」三個項目。

（一）「目的性表現」的內容，類似早期課程的「設計」類教材，目前較常見的藝術實踐教材，多半偏向於應用美術的實用功能，例如卡片、海報的設計，玩具、用品的製作，日用器物的裝飾，教學環境布置等，這些目的性表現的學習，如果用先前界定的藝術定義來檢視，偏向技術與作品的學習，其實並不是藝術教育真正的重心。因此，目的性表現教學的積極面，並不僅是以表現的功能性為主要目標，只重視可用、可玩等機能目的，而必須考量從人文精神出發，目的性表現背後的人文思考，才是真正的教學中心。例如製作一張母親節的賀卡，不是注重卡片製作的技術是否高明？作品的精緻度和美感表現水準如何？而是要引導學生去思考：為什麼要製作這張卡片？媽媽所期待的會是什麼樣的卡片？用什麼材料和方式來製作，才能真正表現自己心裡的想法？像這樣的引導、思考和表現過程，會將目的性表現引導為生活和情感的思考，連結到精神層面的價值體認和生活態度的省思，以及卡片的結構和細節所具備的意義，這不但貼近當代藝術表現的觀念和本質，也是真正脫離外塑的技術性，而趨向於人文素養的藝術教學。

目的性表現的教材內容，依據技法學習的經驗，以及技術的難度來選擇媒材，並以兒童的心理發展和成長階段，規畫題材和教材的組織，而題材的內容包括傳統童玩和民俗技藝的體驗與製作，以及可用性和裝飾性的用品設計製作，並可以學生或學校活動的需求來設計教材，包括個人生活或學校環境的美化布置，以及視覺傳達設計等的構想與表現。

（二）「美感生活體驗」的實踐，從人文思考的角度來評估，最主要的意義和目標，應該是生活態度和價值觀的思考，生活美感是心靈的、精神活動的境界，而不是物質的、表象的追求，更不是專業美學原理原則的技術學習。例如，旅遊或教學參訪的活動，除了景觀的美感欣賞和感受，也必須連結到環境

維護和生態保育的觀念，包括消費行為和整體環境品質關懷的思考，以及旅遊的深度和文化探索等，甚至對風景名勝的概念，也可以轉換為「社區文化地圖」的表現，由學生就自己的生活經驗和感受，表現社區生活中「有特殊意義」的所謂「景點」，學生自己定義環境的特色和價值，才能夠建立對社區的感情和記憶，引導的方式如果強調：自己有特殊經驗或感覺的商店；感覺很有特色的建築物；曾經讓自己感動的特殊場所；甚至是一塊大石頭上的青苔；或一棵在炎熱天氣提供涼蔭的大樹；曾經體驗過有一些人集合在某一個地方，做某件讓人感動的事⋯。這一切從經驗出發的學習題材，可以讓藝術詮釋或表現的難度降低，自主性的表現也會自然呈現，對待生活和土地的態度，也會由內在產生體認和改變，常被期待的所謂「深度旅遊」，也可以由此奠立基礎。美感生活體驗教學，不只強調品味與生活美感在心理上的意義性，也培養能主動尋求生活美感的心理需求。生活美化在日常生活中的實際內容，是一種非常開闊的自主性空間，可以留給學生自己主動思考和實現，而不是「票選十大觀光小鎮」的制約，也不是由大人外設標準答案的名勝古蹟，這也是美感生活體驗教學目標的特徵。

（三）「**文化關懷與參與**」的教學題材與內容，包括傳統文化、童玩和鄉土藝術、民俗活動等，可能與欣賞教學的題材共通，也可能與目的性表現或其他教學重疊，從文化傳承與民俗藝術的價值體認來看，這種特定題材的教學內容，教學目標有獨特的地位，目前氾濫的電動遊戲和工業生產的組合玩具，占據了兒童和青少年主要的休閒空間，這雖然是現實生活的實際轉變，但是反思傳統童玩對大自然媒材的親近，以及自己動手滿足個人需求的體驗，相關教學應該有相當重要的教育價值。

臺灣各個族群的民俗活動和節慶、祭儀，都有深刻的文化意涵和獨特價值，各種傳統的偶戲和其他戲劇表演，具有非常精緻的技巧和細膩的表現要求，如果有深入的了解和體驗，多半會深受感動而產生關心，所有的民俗藝術和祭儀，幾乎都具有各種不同的文化特色，更是一種無可取代的人文資產，藝術教育如果欠缺這方面的關心和體驗，將無法促成社會大眾的關注和投入，不但文化的傳承和發展會窒礙、衰退，所謂的「文創」更會淪落為文化的商業消

費行為，人文素養的教學目標也會很容易落空。世界上很多國家在這方面的發展狀態，其實不但足以作為藝術學習的借鏡，從文化發展和生活品質追求的面向來看，都是非常值得深思的課題。

生活實踐教學的實施，多半可以和其他教學模式結合，並不會造成學習內容的額外負擔，而生活實踐教學的目標達成，多半和教學題材直接聯結，或是和活動的內容直接相關，教學活動和目標的邏輯關連相當明確。

六．基本的教學模式以外的特殊教學型態

兒童視覺藝術教學具有相當的複雜性，以「教學模式」來分類教材並連結教學目標，雖然有其必要性和合理性，但實際上仍無法窮盡所有教學型態的特性，因此另外有一些特殊的教學型態，可以在教學實施時和教學模式連結，讓藝術教育的課程規劃更靈活、更豐富。例如「造形遊戲教學」、「共同創作教學」、「寫生畫教學」、「故事畫教學」等，這些教學型態各有不同的特徵和目標類型，以及教學實踐方面的不同條件和教學意義，所以另於本書第十三章《視覺藝術教學型態的分析》作較詳細的討論。

伍、藝術教育課程和教學模式的實施

從課程架構和各種教學模式的分析，可以理解當代視覺藝術教育，並不是單純只有「學藝術」一件事，而是要從多種高度複雜、甚至觀念或態度可能衝突的學習，組織成完整的「全人教育」的課程。例如基本技法教學一絲不苟的嚴謹態度，對應心象表現完全自由的開放性，藝術學習內容的複雜度和多樣性，唯有透過課程的組織和計畫，才能夠拼湊出以「兒童為本位」，以「人應該怎麼活」為出發點的整體教育樣貌。就這樣的觀點也可以理解，本書課程架構表所列的教學模式和目標項目，是一種並未窮盡也不互相排斥的列舉方式，畢竟藝術教育的課程和目標雖然必須嚴謹明確，但是課程實踐應有足夠的寬廣空間和多樣可能，教學研究也允許各種不同的思考和嘗試，才足以讓課程有良性的發展，可以因應社會生活和思潮的變遷，而有逐漸趨近於完善的可能性。

課程架構的實際應用，會因為教學活動在時間上是一個延續的流程，所以

教學模式和教學目標並不是單一的對應，而是隨著教學的發展階段可能連接到不同的目標項目，例如基本技法教學的基本目標，主要連結到造形表現的基礎，但是教學過程對技法正確操作的探討，和人格特質的「知覺敏銳」、「細膩度」、「專注力」會有關連，和基本能力的「周密思考」、「解決問題」也有相關。同樣也因為教學流程的發展，一個單元教學活動的設計，也會複合兩個甚至三個教學模式來實施，例如基本技法教學模式的前半段，多半是工具和媒材的操作探討，但是後半段教學由兒童自己體驗和熟悉技法的過程，多半會結合心象表現的「自由構成」或「聯想」、「想像」表現，讓兒童的技法操作具有表現的意義性和趣味性。

　　教學模式和教學目標的妥善連結與應用，正足以呈現專業素養和教學品質，也可以檢驗目前教學時間數緊縮的狀態下，教學活動的內容是否具有明確的意義和學習價值，而不會用一些藝術表象形式與作品導向的方式，隨意拼湊成所謂的藝術課程。課程架構表最基礎的應用原則，必須是一種「目標主導」的教學設計思考，從學生的表現分析藝術經驗和能力的缺口，再據以考量教學目標的項目和發展，應該就可以自行設計出合宜的單元教學活動。

　　退而求其次的課程架構與教學模式應用，可以就現有的教科書教學單元，或既有的教學設計和構想，參考架構表作初步判斷，考量這個教學活動處於整體架構的什麼位置？只要能夠確認教學設計是屬於什麼教學模式，就可以檢驗教學目標的連結，教學內容和教學措施的選擇和判斷，自然就會有明確的方向。

　　藝術課程的教學實施，原則上必須以相當的期間為階段，將各種教學模式複合安排成教學計畫，並重視學習經驗的程序性，也就是基本技法優先於表現性教學，滿足表現的喜悅優先於作品的表現水準。教學活動和教學計畫的實施，可以試擬教學計畫表進行自我檢測，增進對課程架構進一步的理解。至於課程架構在國民教育體系中的應用，大致會呈現如下的結構和組織：

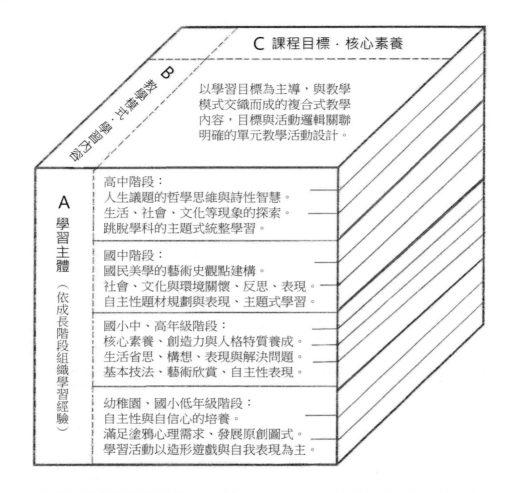

C 課程目標・核心素養

B 教學模式・多元形式

以學習目標為主導，與教學
模式交織而成的複合式教學
內容，目標與活動邏輯關聯
明確的單元教學活動設計。

A 學習主體（依成長階段組織學習經驗）

高中階段：
人生議題的哲學思維與詩性智慧。
生活、社會、文化等現象的探索。
跳脫學科的主題式統整學習。

國中階段：
國民美學的藝術史觀點建構。
社會、文化與環境關懷、反思、表現。
自主性題材規劃與表現、主題式學習。

國小中、高年級階段：
核心素養、創造力與人格特質養成。
生活省思、構想、表現與解決問題。
基本技法、藝術欣賞、自主性表現。

幼稚園、國小低年級階段：
自主性與自信心的培養。
滿足塗鴉心理需求、發展原創圖式。
學習活動以造形遊戲與自我表現為主。

　　這個架構是藝術課程的基本骨架，三個向度涵蓋藝術學習的完整面向，但並沒有規範具體的學習媒介和教學題材，可以保留教學實施的擴充和修訂空間，基本的用意就是能夠對應教育理念的變遷，將早期的「美勞科」和「藝術與人文」課程綱要，包括目前的十二年國教新課程綱要和這個架構做比對，將會發現並沒有什麼扞格和牴觸，而是可以透過實踐藝術的理念而達成永續的課程發展，教育要避免經常性的全盤「翻轉」，保有實踐的經驗而累積能量，這個架構表或許是可以促成深思的參考範例。

　　本示意圖將課程架構的 A 項學習者，以學校教育的各年級層層堆疊，可以有螺旋式課程的學習經驗組織，每一個學習年段的課程內容，則由 B、C 兩

項的目標和教學模式交織成具體的學習單元，目標可以隨課程理念作整體規劃，教學模式可以避免學科中心思維，達成以學習者為主體的當代藝術學習，也能對應各種教育哲學變遷的課程理念。但必須特別強調，本架構唯一對基本技法教學作了明確規範，這是解決目前教育現場實際問題的考量，除了是台灣學生藝術學習共同經驗建構的途徑，也是藝術學習態度和人格特質養成的基礎，各種教學模式都是「超越學科」的學習方式，以人為主體、以生涯為著眼點的教育，不應該視為不符新課程綱要精神，唯有回歸教育學理的探討和前瞻的視野，才是面對教育研究該有的態度。

第六章：當代美學思潮衍變與視覺藝術教育

　　或許是受到傳統美學或字面聯想的影響，臺灣的藝術教育似乎有個很普遍的現象，就是將「美感」當作是藝術的主要價值和意義，在本書第一章的代序已有部分相關論述，如果以中文的語意和「美學」原有的概念來分析，其實「美」和「美感」是兩種不同的意含，「美」是一種上位的本質存在理念，「美感」則只是人對這種本質理念的感知方式，可說是一種附隨於「美」的後設認知方式，兩者的內涵都會受各式各樣的生活變遷因素影響，本書部分論述以「藝術哲學」取代「美學」的用詞，也和上述的觀念差異有關。

　　從國民教育和透過藝術的教育立場來考量，「美感教育」或「審美教育」的推展可能衍生的差異，是一個相當值得深入思考和探討的論題。簡單的分析是美感教育可能會偏向生活與現實面的取向，審美教育較傾向哲學思維與精神活動價值探討，但定義與內涵如何判斷和抉擇，則是教育哲學價值觀的課題，而教學實施可能的學習效應，就只能由實際的課程和教學內容作評估了。

　　「美」的定義極為含混，而且明顯具有主觀性和流動性，從當代藝術的發展內容來看，「藝術」與「美」並不具有必然的關連，里德早就宣稱：「**藝術並不必然為美，不論是從歷史或從社會學來看，藝術常常是一種非美的事物。**」（杜若洲 譯，1972）；丹托（Arthur C. Danto 1924 ～ 2013）在《美的濫用》一書也提到「**美無關乎藝術概念，藝術之為藝術，無關乎美或不美。**」，他認為「美」是藝術概念的特質之一，但藝術在美之外還有許多其他要素（鄧伯宸 譯，2008）。因此，將藝術教育定位為美感教育，或將美感的定義置於感官的愉悅上，或將精緻的物質生活帶來的情感上的滿足，定義為生活上的美感品味與藝術行為，而提出所謂的「文創產業」和「生活藝術」這些意含相當模糊的名詞。甚至主張將這種「美感」，當作國民教育的主要學習內容。現行課程綱要在小學低年級階段，將藝術學習依附於「生活領域」課程內，高中課綱將必修的藝術學習訂名為「美術」和「藝術生活」，從比較嚴謹的藝術定義來看，這些觀念和作法其實有必要再深入思考和探討。

　　「藝術生活化」和「生活藝術化」，其實可能是概念上互相衝突的命題。

藉由語意學試作分析：「藝術生活化」所強調的是以生活為重心，目的是要排除藝術封閉的尊貴和純粹性，要求藝術表現的題材和內容、功能，必須貼近世俗的真實生活，回歸到在日常生活中具意義性的連結，這是一種藝術哲學的觀念和價值判斷、選擇。而「生活藝術化」所強調的，卻是藝術的尊貴和崇高地位為主體，所要求的是在一般的日常生活中，必須追求更多精緻藝術的成分，認為生活的品質和價值是由藝術所增添。這兩種論點的藝術觀念並不一致，而藝術的定義則都界定於專業藝術，要以這兩種互相衝突的藝術觀點，讓「藝術生活」成為藝術教育課程的主要內容，如果沒有確實釐清「藝術」和「美感」的定義和內涵，其實是很容易出問題的訴求。

美感是藝術意義和價值的一部分，藝術的精神、觀念和思考、表現，也可以轉化為一種和美感相關的生活態度，但必須強調的是，藝術不僅涵蓋美感和生活方式，在更廣泛且深刻的層面，藝術思考人類生命的終極價值，也探索各種世俗生活和精神活動的意義，並將這些思考和探索結果，以特有的形式表現出來，形成人類獨有的思想表達和溝通方式，或許這才是藝術價值的真正定位，也是探討藝術的定義和本質不可忽略的原則。當然，要把這些深刻的思考、表現、溝通也定義為是美感的內涵之一，倒也未嘗不可，但這卻是藝術哲學的另一種論述和語意學方面的重大問題，而目前的美感教育推展也沒有觸及這些概念。比較簡單、直接的處理方式，或許應該是藝術教育就是「藝術」教育，不必附加本來就有的「人文」意涵，更不必附加形成侷限的「生活」或「美感」，重點則是藝術的當代意涵和美學的定義如果明確、完整，藝術教育應有的內容和目標就會清晰，也自然能夠呈現課程的價值和重要性。

從比較嚴謹的藝術意含出發，才能夠更清楚確定藝術的學習價值，國民教育的藝術課程如果停留在「美感」，而且美感一直也只是模糊的概念，那麼藝術教育被視為只是可有可無的點綴科目，恐怕就難免是意料中的事。為了釐清藝術教育和美感教育的內涵和差異，讓視覺藝術的教學實踐，可以有比較清晰的參考依據和方向，美學哲學的分析就成了無可迴避的課題。

壹、美感定義與美學的哲學史概要

本書第一章提到「美感」的定義，就是對「美」的感知能力和經驗。或說是個體透過視覺或其他知覺感官，審視並知覺了對象的美感特質之後，所獲得的一種較高層次的心靈感受。要能獲得美感經驗，其關鍵在於主體與美感對象的互動（吳采純，2009）。但是這些論述都忽略了「美」的定義，一向處於含混又極具爭議性的狀態，探討藝術教育和美感教育的前提，還是必須從根源的美學哲學作概括性的探討。

以下嘗試依據西方哲學的美學史，歸納出美學的概念和內涵的演變，基本的參考資料除了部分西方美學的原著翻譯本，最主要的理論依據包括朱立元主編的《西方美學名著提要》（昭明出版，2001）、華騰柏格（Thomas E. Wartenberg）編著的《論藝術的本質》名家精選集（劉藍玉、張淑君譯，五觀出版，2004）、高千惠《第三翅膀》（典藏出版，2014）；以及高宣揚《後現代論》（五南出版 1999）等。

一般美學研究比較常見的是深入探討一家或一派之言，但是從視覺藝術教育的立場，以及國民教育的需求而言，只奉一家之言為圭臬，或僅以一派之論為典範，恐怕是一種不可能周延的危險討論方式。因此，整體掌握整個美學的歷史架構和觀念變遷，綜觀美學的全貌和發展趨勢，或許才是建構藝術課程的合宜探討方式。另外，基於美學的深究並不是這篇論述的目的，而是要建立探討藝術教育需要的宏觀眼界，所以必須嘗試盡可能將艱深的哲學專有名詞和論述，轉換成接近通俗觀念的日常語言來闡釋，期待能夠形成一般世俗可以理解的美學概念，並有助於藝術教育和美感教育的探討，雖然難度很高也難免疏漏，但仍必須勉力一試並期待指正。

附帶說明，以西方美學作為探討的重心，並不是故意忽略中國和其他文化的美學理念，這一方面是因為中國哲學較缺系統化的美學論述，帶著神祕主義色彩的中國美學，常體現在個人（藝術家）的生平和言行（孫良水，1998），同時以「氣韻」、「意境」、「玄美」之類留有後設詮釋空間的論說方式，使中國美學成為「未完成的美學，生存方式只能是：後人的解釋」（潘知常，1993），因此讓中國美學理念的爬梳倍增困頓。另一方面則是很多中國美學的

詮釋和整理，多半還是採用西方美學的系統論述為依據和工具，薩依德的《東方學》雖然批判這個現象，但並沒有解決現實上的問題。所以還是必須重申：美學探討只是尋求清晰的概念，而實際應用於視覺藝術課程的規劃，當然還是本土的、學習者本位的前瞻思考為主軸，面對全球化和視覺文化的藝術教育發展，這應該不至於是偏見或短視，也希望不至於造成教育思考的盲點。

「美學」（Aesthetics）的討論一向多從柏拉圖或甚至古希臘哲學家開始，但這個名詞其實是 18 世紀德國哲學家包姆嘉通（Alexander G. Baumgarten）於 1750 年提出，原意應該是「感覺學」或「感性之學」，一般認為美學哲學的研究只是探討美和美感，其實是翻譯名詞引起的誤解，目前有些針對西方哲學的美學部分的探討，常採用「藝術哲學」這個意含比較廣泛的名詞。

「美學」原本就是哲學的一部分，大多數的美學論述如果脫離了哲學背景，多半會顯得突兀而且難以詮釋，因此，依據西方哲學的歷史沿革，可以把美學分為「本體論」、「認識論（知識論）」和「語言學（語意學、記號學）」三個發展階段（朱立元，2001）。

一、本體論（Ontology）階段：約古希臘羅馬時期至 16 世紀

本體論基本上是探討「存在（存有）」的哲學，是用概念的邏輯推論所建構，探討的是普遍性和必然性的「純粹理念」的存在，以及這項純粹的理念如何存在和如何被感知。本體論美學的「本體」指的就是感性的存在、美的存在、善的存在等的「理念」，而這個「理念」是原始的存在，是先驗的、自有的、普遍的，超越一般的感官感覺和表象的事物，也因此才稱之為「本體」，所以說「善與美正是許多事物之所以被認識的本原」。

本體論美學最早的形式主張，由亞里斯多德（Aristoteles，B.C.384 ～ 322）提出，認為美的主要形式是「秩序、勻稱與明確」，後來由阿奎那（St. Thomas Aquinas，約 1225 ～ 1274）修訂為「完整或完美」、「適當的比例或和諧」、「鮮明」三個特徵。而本體論所謂「最高的本質的美」、「完全真純的美的本身」，則是和中世紀神學本體論一致的美學本體論，是「本質絕對統一的、純粹的、非創造的存在」，而藝術和文學（詩）的美是被創造的、非自在、

本有的存在，只是用來證明本體存在的形式而已。

本體論美學的長遠發展也產生一些小差異，被歸類為「實在論」者強調「完善的觀念」，是最高、最完美的存在，近乎神性的最高存在；而「唯名論」者則認為普遍的最高觀念並沒有獨立、高超的存在，而是只分別存在於各種個別事物的真實存在。而所有本體論所強調的美和存在，都是形而上的存在，但無限上綱的崇高位階都只是推論的概念，也就是所謂的「唯心論」，所以引發認識論的發展幾乎也是必然的結果。

二、認識論（Epistemology）階段：近代至 19 世紀

文藝復興促成了人對自我地位的覺醒，人的價值與尊嚴重新定位，使哲學的重心從本體的存在產生轉向，人本身對世界的認識和獲取真理的途徑的探討，激發了哲學的認識論發展。認識論的美學從法國笛卡兒（Rene Descartes，1596-1650）開始，經過大陸理性主義和英國經驗主義的共同發展，再由德國古典哲學完成美學的認識論總結。

認識論的哲學探討內涵分為兩種：一種是探討知識起源、本質、限制及有效性的理論，這個定義在使用上與知識論 (Gnoseology) 相通；另一種是將哲學視為知識的理論 (Theory of Knowledge)，系統的分析人們認識世界所運用的知識概念（楊龍立，2000）。笛卡兒的理性主義認識論美學思想，就不再將美當作一種純粹客觀的本體存在，而認為是對象與主體判斷之間的一種特殊認知關係。

英國的經驗主義美學，採取經驗歸納的方式探討美感和審美標準，因此是以感覺的經驗為基礎和起點，以認識論的概念探討美學，「重點是主體（人）的心理結構，尤其是感覺和想像力等感性心理機能，包括感覺、想像力、判斷力和感性經驗，藉此來顯示美、崇高等審美現象的特性。」（朱立元，2001）。經驗主義基本上認為知識的認識和真理的獲得，是從對個別事實的感性經驗，經由觀察、實驗形成認識的基礎，也就是理智倚靠感覺經驗所得到的資料，經由歸納而提升到對科學的認識及發現自然規律。經驗主義的代表人物休謨（David Hume 1711 ~ 1776），就否定美的對象具有客觀屬性，認為美只

存在於主體的感覺和感受，因此審美品味的標準具有差異性和多樣性。而經驗主義後來的代表博克（Edmund Burke 1729～1797），認為審美品味以「感覺」為基礎，最重要的則是「創造性的想像力」，再加上「推理的判斷力」，最後對「崇高」和「美」作出區分和詳細描述，是經驗主義美學的重要論述。

大陸理性主義採取理性的演繹方法探討美學，反對人的認識僅從感覺和經驗而來，認為人的心靈有天賦的先天理性，因此審美活動兼具感性直觀和理性認識的雙重特點，讓「美」的認識論基礎更為完整明確，「美學」成為專門的感性認識學科也在此確立。法國理性主義的代表布瓦洛（Nicolas Boileau-Despreaux 1669～1711），強調遵循理性是最高原則，將藝術定位為認識以及再現真實和真理，奠定理性主義的認識論基礎。理性主義典型的代表是為「美學」定名的包姆嘉通（Alexander G. Baumgarten 1714～1762），在傳統哲學只研究**理性認識**的邏輯學，以及專門研究**人類意志**的倫理學之外，創立了專門研究**感性認識**的美學，並以「**美是感性認識自身的完善**」來定義美的概念。

德國古典美學也是認識論的一脈，康德（Immanuel Kant，1724～1804）的三大批判，探討理性認識的機制、道德意志、審美判斷力。黑格爾（Georg W.H. Hegel，1770～1831）整合了本體論、認識論、方法論，對康德作出批判和修正，可以說是認識論美學的集大成者，闡明了藝術和美是用感性形式對理念和真理的認識與關照，這種認識的三種形式分別是「**直接的、感性的認識**」、「**想像的意識**」、「**絕對心靈的自由思考**」，其後 19 世紀的美學也還是都在認識論的範疇內，包括法國的實證主義美學，美國桑塔耶納（George Santayana，1863～1952）的自然主義美學，以及承續德國古典哲學美學的馬克思主義美學。

認識論美學具有相當的分歧和複雜度，以下大膽採取未必很恰當的「假設主張」敘述方式（何秀煌，1997），也就是可以重新檢討但暫定不成問題的論點，嘗試用更淺顯的方式，希望可以提供一些理解認識論美學的參考：經驗主義和實證主義美學可以概括為「科學的美學」，也就是透過心理學為主的科學研究，探討人的美感反應和歸納美的形式原理，理念上傾向於美是客觀的存在，也是系統化的專門知識，所以必須透過學習才能夠體驗美感。理性主義和

古典美學則可以概括為「哲學的美學」，也就是強調人的先天的心靈和精神活動，美是人類與生俱來的心靈本質，只需要被誘發感知而不是被教導，形而上的美可以經由直觀或理性的演繹而來，未必要藉助外在的形式才能感知。基本上這兩種美學理念有所衝突，但也互相彌補成就了認識論美學的完整性。

三、語言學（Linguistics）階段：20世紀以後

本階段美學的哲學轉向雖然複雜但並不難理解，不過「語言學」這個名稱的翻譯和運用，或許是採取廣義的定義，卻仍可能在名詞的定義上有含混的疑慮，一般無論是理論語言學或應用語言學，重心多半是在語言發展的科學研究，而實際影響當代哲學和文化等思潮發展的「語言」學，其實和記號學（Semiotic，也譯作符號學）有很深的關聯，記號學意含的語言學主要內涵，分別是語意學（Semantics）、語法學（Syntactics）、語用學（Pragmatics），涉及語言、邏輯、認知科學、心理學、人類學等廣泛的領域，廣義的語言學探究人類語言表達的精確性和意義，因此使哲學所關注的重心，從知識、真理轉為探討「意義」問題，「哲學不再是一種知識的體系，而是一種活動的體系，是確定或發現命題意義的活動」（石里克 Moritz Schlick，洪謙 譯 1982）。美學的語言學轉向以英美邏輯實證主義和分析哲學為主，但也呈現在歐陸人文哲學（現象學、存在主義、詮釋學等），並延伸到後現代主義思潮。

但是影響整個美學哲學的語言學轉向的關鍵，應該是被稱為記號學之父的瑞士語言學家索緒爾（Ferdinand de Saussure，1857～1913），他提出「語言和言說的區分」、「符號的能指和所指的區分」、「語言的共時和歷時的區分」、「符號橫向和縱向組合關係的區分」，藉由語意、語法、語用的探討，確定語言的意義的精確性，建立了語言成為一種表達觀念的符號系統，影響當代美學哲學發展極為深遠。

分析哲學的主要代表維根斯坦（Ludwig J.J.Wittgenstein，1889～1951），從日常語言哲學的論點，否定「美」具有統一的本質，認為人類對美的談論只不過是表達了各自不同的情感和態度而已（朱立元，2001）。這種類似美學取消主義的觀點，就是克羅齊（Benedetto Croce，1866～1952）標舉的「語言就是藝術、美學就是語言」。包括現象學主要代表海德格（Martin Heidegger，

1898 ～ 1976）、建構現代哲學解釋學的伽達默爾（Hans G. Gadamer，1900 ～ 2002）、結構主義的李維史陀（Claude Lévi-Strauss1908 ～ 2009）、解構主義的德希達（Jacques Derrida，1930 ～ 2004）等，無論具體論述和觀點有什麼差異，基本上都承續了索緒爾的結構語言學脈絡。至於不同論述之間比較明顯的差異，分別是解構主義以及實證、分析哲學和現象學、存在主義三者的美學主張，雖然都強調語言的主體地位，但是在語言本質的認識和評價上，解構主義是從語言的顛覆和意義的消解入手，透過解構重建語言的意義結構。實證、分析哲學則認為語言是表達人的思想的工具，因此著重在美學語言不當誤用的批判與辯證上。而現象學、存在主義則是將語言置於等同於「存在」的崇高地位，語言不是工具，而是美的存在和人的基本生存方式。三種論述的不同方向的交互發展，形成當代美學哲學的亮點。

不過，當代美學除了語言學的影響，其實另外還有當代人文主義、科學主義和後現代主義等不同的流派，也各有哲學論述上的特點。當代人文主義摒棄傳統的理性主義訴求，各種相關的論述包括：表現主義的美學詮釋以「直覺」為基礎；精神分析美學將「無意識」奉為核心；存在主義用個體的生命存在方式、自由意志的選擇、自由想像等心理活動來解釋文學、藝術；現代人文主義以生命意志和直覺、生命體驗闡釋美學；另外如現象學強調主體的知覺，可以創建審美對象的功能性和動態作用；記號學將藝術解釋為「情感的符號形式」，而符號是「人的生命形式」；法蘭克福學派為主的馬克思主義美學，批判工業社會和物質文明對人性的扭曲和壓抑，並認為藝術是文明和生活的救贖之道。概括而言，「人文主義強調人在審美活動中的主體地位和決定作用，追求審美的絕對自由和超越，用非理性因素來解釋藝術創造和鑑賞的本質。」（朱立元，2001）

現代科學主義則承襲經驗主義，以邏輯實證主義為基礎，建構了哲學的嚴謹、完整的語言形式理論和意義理論，確立了語言問題在哲學認識論研究中的主體地位，基本上以生物學、生理學、心理學等科學研究，強調主觀經驗與純粹形式的審美結構、藝術與心理對應的結構等，嚴格來說並未跳脫認識論「科學的美學」範疇，但因為論述受語言學的影響，而呈現較精確的不同樣態。

　　另外值得一提的是當代美學的後現代主義，對傳統美學價值體系的批判和顛覆，開啟美學超越原有哲學領域的多元化發展新視野，探討的範疇涉及社會文化的各個層面，各種思潮更跨領域、交疊、衍變而交錯影響，涵蓋文化、生活、社會、現代性、後現代性、後殖民、文化霸權、媒體、性別……，似乎所有和人的生命意義與生活價值相關的議題，都可以被納入美學哲學的探討，美學也從至高無上的本體概念，被拉下來回歸世俗的真實生活，「美」的定義似乎更為複雜，但也似乎更為具體而貼近現實，因為可以由人自己定義而讓人疑慮，也因為可以自己定義而有更真實的意義。

　　語言學轉向之後的當代美學，基本上已經解構了本體論和認識論的美學哲學，「美」的定義也趨向於複雜甚至被消解，或者說美感更趨向於個人化的主觀感受，也**脫離了視覺對象的表象形式而強調意義的探尋**。以經驗主義和邏輯實證主義為主的現代科學主義哲學，承續認識論哲學的藝術形式分析，發展出系統化的美學形式理論，導致因此有論者認為形式分析，是美感體驗和藝術詮釋的唯一途徑。但這種觀點卻必須面對兩個問題，首先是科學分析的美學，只是繁雜多樣的藝術哲學理念的一部分，用它來解釋所有的藝術現象，必然是很容易產生謬誤，當前許多後現代和新媒體藝術，以及具有反文化性質的前衛藝術表現，形式主義的既有理論系統和分析方法，幾乎可說完全無能為力，形式分析的困境，布洛克（H. Gene Blocker）在《美學新解》一書有詳細論述（劉雯 譯，2001）。另外，以存在主義和當代歐陸哲學為主的當代人文主義哲學，相當程度已是引導當代美學和藝術哲學的主流，無論是藝術的意義或人生的「美」，「哲學思考之美」當然會比「視覺形式之美」更具重要份量。

貳、當代美學與美感教育的概念與關聯

　　關於美和藝術、美和生活的關係，丹托的說法或許是一個很好的註腳：「若要美回到他以前在藝術中的地位，那就不僅要在品味上來一場革命，甚至在生活本身亦然」，「在任何情況下，審美不會是孤立（於形式）的。審美是整個更大架構的一部份，因為藝術本身是無法與生活的其他部分分割的。整個生活才是未來的議題。」（鄧伯宸 譯，2008）。

　　當代美學如果要做一個簡單的註解，應該可以說整個哲學和美學所探討的核心，就是物質世界以外的「精神性的更崇高的價值」，這個合理而且不難理解的詮釋，其實可以和先前幾章所探討的「藝術定義」和「人文意涵」所強調的「價值」，有相當一致的關聯和發展軌跡，就如自然主義美學為美所下的定義：「美是一種積極的、固有的、客觀化的價值。」、「美是一種價值，不只是對一件事實和一種關係的知覺；更是意志力和欣賞力的一種感動。」（王哲平，2001）而無論是美學或藝術的探討，「時代性的差異」則是不可忽略的概念，藝術教育的課程發展，當然也必須以前瞻性的眼光來審視藝術哲學。

　　為了對西方美學勾勒一個概括性的全面輪廓，以及用世俗但精確度或許不足的語言，意圖增進非專業人士對西方美學的理解，以下的《美學體系概念簡表》和《拈「花」微笑》，則是不可能精確和完整的敘述，因為當代美學的發展和衍變，呈現相當多元而且複雜、分歧的論述，過於概括性的歸納未必是一種可行的方式，但是當作一種參考性的概念架構，或許可能有助於掌握美學的概略輪廓，比較容易藉以發展視覺藝術的審美課程。

一、美學體系概念簡表

本體論	「本體」是概念和邏輯推論建構的，泛指實體物質和心理感知以外更高階的存在，也就是探討精神性、理念、真理、本質等「形而上」存在。	
	◎美的主要形式是「秩序、勻稱與明確」。 ◎感性世界的美是依附在「最高本質的美」的存在才能呈現並被感知。 ◎美以形式為基礎，基本要素是：「完整或完美」、「適當的比例或和諧」、「鮮明」。	

認識論	理性主義；古典美學（哲學美學）	經驗主義；實證主義（科學美學）
	強調理性演繹的真理，也就是人類心靈天賦的自由思考，能發展理性、感性和自由意志。	以經驗歸納的科學方法認識世界。認識和真理是以感覺經驗為基礎，透過科學認識發現自然的規律。
	◎美就是完美的感性，認識的本身。 ◎美感是情感現象經主觀理性判斷力獲得。 ◎美是絕對理念、真理的感性形式的表現。	◎美只存在於觀賞主體的心理感覺。 ◎審美以感覺為基礎，經由創造、想像力等感性心理機能呈現。 ◎人的審美趣味有先天的共通性，也具有多樣的個別差異性。

	當代人文主義、現象學、存在主義、詮釋學	分析哲學、現代科學主義、結構主義	後現代主義、解構主義、馬克思主義
語言學	語言等同於存在。反傳統人文主義的推崇理性，強調人的主體性，認同直覺、無意識、自由意志等非理性、心靈絕對自由的作為和價值。	語言是表達世界的形式，有其獨立性和能動性。也是確定和發現意義的活動體系。	批判顛覆傳統哲學價值體系，跨域衍變而開啟多元文化視野，有入世精神並回歸世俗社會的價值觀。
	◎人在審美活動中具主體地位和決定作用，有追求審美的絕對自由和超越性，藝術創造和鑑賞的本質並非理性。 ◎美的本質必須要用語言的本質來確認。	◎取消形而上學和美學，否定美具有統一的本質。 ◎審美是主體與對象的心理對應結構。 ◎藝術是日常、自然經驗的延伸並應該具實用性。	◎藝術和文化是社會的深層結構，意義和價值的探尋超越了對美的探討。 ◎物質文明對人性產生壓抑和扭曲，藝術是救贖之道。

二、拈「花」微笑

這是個人天馬行空式的遊戲文章，欠缺學術嚴謹度的將西方美學簡單化的花言花（巧）語詮釋。讀者可嘗試替換以下敘述的「花」這個名詞，並自己修訂比喻和闡釋的方式，至於是否能增進對美學比較完整的認知，就不得而知也不敢保證了。

●**本體論**：花之所以「美」，是因為有神聖、本質、真理的「美的本體」存在，所以才能夠讓「美」有所憑藉於「花」而被感受到。而這個邏輯推論的、形而上的、神學性的「本體」和「存在」，就是本體論美學探討的重心。

●**認識論**：花的「美」必須被確認是否真實存在、如何存在，以及如何感知這種存在。認識論就是這種演繹或歸納「花」是否存在、怎樣存在的哲學探討。

●**理性主義和古典美學**：用理性演繹真理（花的美），因為人的心靈有理性、感性、自由意志和判斷力，所以能感受花的美。

●**經驗主義和實證主義**：從經驗歸納花的美的形態特徵，花瓣形狀、色彩、結

構…等符合「美的形式」，所以能夠被人的心理感知。

● **語言學**：花的美是因為語言的言說才能呈現，沒有語言就沒有「美」，甚至是只有語言而根本沒有「美學」（語言與存在是一體）。

● **當代人文主義、現象學、存在主義、詮釋學**：「花未必是美的」，人的心靈有絕對的自由來判斷花美不美，可以有自己對花的各種不同觀感和描述，也可以不接受「花是美的」這種假設說法的制約。（例：花看起來很舒服、花讓人心情好，但舒服和心情好是不是就等於是美？）

● **現代科學主義、邏輯實證主義、分析哲學、結構主義**：「花是美的」這句話根本沒有意義，因為每個人感受到的和所述說的「美」，其實心理的感覺和內心真實意思都不一樣，美並沒有或不一定有共通的標準和答案。（例：心情好時花可能是賞心悅目的美，也可能是孕育果實的期待，心情沮喪時花可能是青春易凋的感傷，也可能是生命無常的頓悟…。）

● **後現代主義、解構主義、馬克思主義**：「花的美」在面對不同品種、不同顏色或長相的花、一朵或一棵或一整片、插在花瓶或長在地上或擺在花店售賣的…等等沒完沒了的差別狀態時，「花是美的」感覺和講法當然也都應該不一樣。（例：含苞待放的花是含蓄、盛開的花是奔放、凋零的花是淒涼，但更重要的是：誰都可以否定以上的講法，每個人可以有不同的心情和講法…）

三、當代美學的「非最後結論」

「花（或藝術）美不美」已經沒有討論的必要性，因為花（或藝術）究竟有什麼意義才是重要的事。如果一定要談論花（或藝術）的美，那是非常個人化的事情，幾乎什麼樣的「說法」都可以成立。更誇張一點的講法是真實生活中的花，可以唯美、可以妝點、可以傳情、可以營商、甚至…可以吃（茶飲或入菜），不過這個說法已經「越軌」、「後現代」的脫離了美學探討範疇了。

另一種簡單化的說法：花就是花，花和美沒有絕對的關係，「美」應該從人生的真實生活和精神性的層面體現，真誠、認真、探求智慧、追尋理想…，有很多途徑可以自己定義「美」、感受「美」、體驗「美」，美未必要經由視

覺表象或知識學習才能認識，但必須經由「修煉」讓美和自己的人生合一。

參、當代美學與視覺藝術教育的美感教育

　　透過當代美學哲學的概括分析，探討當代藝術教育的美感教育，首先必須面對的應該是教育哲學問題：「美感的本質是在媒材、技術和形式，或是在藝術內容與世俗生活的關連和意義？」，這種基礎性的問題透過「課程」的觀點，或許才能作比較周延的探討，因為藝術和美感教育聯結的內涵和功能，涵蓋很多複雜而且互相關連的概念，甚至牽涉到社會生活與文化的發展現況，藉由課程基礎理論的檢視，或許才能提供較具啟示性的探討與評估。

　　「課程」這個名詞的定義廣泛而且不是非常明確，但至少牽涉到「學科」、「經驗」、「目標」與「計畫」等面向（黃政傑，2005），目前討論美感教育多半以「經驗」作為課程定義（教育部美感教育計畫的課程觀就是明顯的例子），經驗課程傾向以學習者為中心，符合當代教育哲學理念，但是以經驗來界定課程內容，常會涉及經驗的性質和範圍等問題，例如來自社會文化和大眾傳播媒體的經驗，和學校教育所給的經驗，就常會有差異或衝突，學校的教育不能忽視這些經驗的影響，否則教育和真實生活欠缺足夠的關連，教育的意義也就很容易失落。教育所提供的預期經驗，也會有未實現的經驗和潛在課程的問題，這是以經驗來定義課程不可忽略的課題。

　　目前學校教育所著重的藝術經驗，多以創作經驗和美感經驗為重心，但值得警惕的是這些經驗的內容，多半屬於表象形式的性質，創作活動方面的教學，偏重於媒材、技術和作品形式，至於表現的根源—內化的經驗、生活的體驗、內心的感受、自主的思考、想像與創意…等，這些不但是創作的意識和起點，也是評估表現意圖和觀念、意義的藝術本質學習，卻都常在教學實施中被忽略了。

　　美感體驗教學方面也有類似的問題，大多數的藝術欣賞課程，除了著重背景資料把藝術當知識學科，多半把美感形式原理的認識和分析，當作美感經驗最主要或唯一的內容，但依循本文對當代美學的分析，可以理解當代藝術對真

實生活意義的關切，美感和形式分析也不再是當代藝術的主軸。事實上，從當代美學理念和一般的經驗都可以驗證，要體會廣義的美感經驗，未必只能藉由藝術的途徑，也不一定要借助美學原理原則，因為美也可以直觀感受，大多數的人被藝術感動的經驗，常有相當個人化的差異，不僅每個人受感動的對象會不一樣，有些人即使被同一個對象感動，感動的方式和內涵也會不同，尤其是這些感動多半不一定經由形式分析而來。

當代藝術關注許多和人類切身相關的問題，必須要探索藝術呈現的意義，才能夠確實理解藝術的價值，因此，「藝術的經驗」才是課程的重心，它不但涵蓋「美感經驗」，而且在每個人對生命意義的探索，以及生活價值的尋求過程中，這些經驗的廣度、深度和價值，都更可能產生面對自己人生的思考，形成各種啟發性與正面功能，藝術教育和一般人的生活關連也因此確立。

再從美感的定義來看美感經驗，經驗主義和科學主義美學將「美」視為是客觀的存在，必須透過學習美的形式才能認知美的存在，但是理性主義和當代人文主義美學，主張美來自於脈絡情境和意義，更可以是主觀的感受和個人重新定義，也因此當代藝術幾乎不再處理有關美的事，而是專注於探究生活的意義和生命的價值，並處理這個議題下衍生的一大堆問號，當這些問號被提出或嘗試解答的時候，不只拆除了藝術既有的形式藩籬，甚至連美不美都已經不再是重要的議題了。

當代藝術的「美」，已經不存在於形式中，而是存在於一種獨特的思考方式，以及隨之而來的啟發性表現之中，思考和表現的智慧才是當代藝術的美，這種美感定義的擴展和質變，無論有些人是否喜歡或能不能接受，卻已經是當代藝術哲學發展的趨勢，而且在可見的未來是不會回頭了。

回顧前述的當代美學概念，目前視覺藝術教育在大環境一些因素影響下，有些美感的含混觀念在教學者並不自覺，或甚至認為理所當然的情況下，往往成為藝術教育的大問題。這些會對藝術教育形成困境的觀念，分別以「狹義形式主義」、「視覺中心主義」和「美學享樂主義」來加以說明。

一、狹義形式主義

　　形式（Form）一向是充滿歧義的語詞，一般語言應用中和「質料、內容、意義」相對，本文則是以「狹義的形式主義」為指稱對象，基本上對應的是形狀、輪廓、排列、結構等呈現於感官的視覺秩序（賀瑞麟 2015）。

　　哲學領域的「形式」是西方美學探討的重心，從本體論開始，經文藝復興時期對透視、比例的追求，到認識論美學的經驗主義，持續到語言學階段的現代科學主義，美學形式本身已形成一套體系完整的系統化論述，形式分析也曾經成為藝術學習和價值判斷的重要典範。形式主義發展到現代主義藝術而達到巔峰，直到後現代主義與歐陸哲學的影響下，才終於沒落而出現 Arthur Danto 所謂的「藝術歷史的斷裂」論述。但是本文借用形式主義這個名詞來討論藝術教學，其實有兩個層面的意涵：

　　首先談到一般日常語言的形式主義，將視覺藝術教學視為是一種追求形式表象的活動，所以只要是造形、媒材、技法符合藝術的表面形式，不管題材和表現內容如何，只要是畫圖、捏黏土、做工藝，通通簡單化的認為都是藝術教育，似乎只要符合形式表象就一切都功德圓滿。這種學習者不具主體性地位、教學目標完全無法對應的模糊狀態，就是讓容易造成學習傷害的材料包橫行無阻，而且並沒有受到應有關注的主要原因，只有狹義形式的藝術教育，多半會是學習浪費或甚至是學習傷害，這也是藝術教學必須警惕和反省的課題。

　　其次從美學的狹義形式主義來檢視，形式分析本身也許沒有問題，但這卻是非常專業化的藝術知識和技術，以此作為國民教育的學習內容，是一種高度學科中心的思維，恐怕很難符合國民教育的性質。另外，形式分析也不是理解和受藝術感動的唯一途徑。尤其是當代藝術哲學的思潮變遷，美學從本體論轉向知識論，更進而轉向語言學的重大變革，從真實生活和社會現象探討藝術的意義，尋求自我人生意義和生命價值的實現，或許才是當代藝術學習的重心，要求將生活在未來世界的孩子，只著重於學習傳統形式主義，必要性其實非常難以成立。

　　以上兩個層面的分析，對目前大多數的視覺藝術專長教師來說，恐怕會是一個難解的魔咒，因為台灣藝術文化的大環境和師資養成的管道，都是在傳統

形式主義的背景下成長，想要讓科班出身的老師們，在排除了藝術的形式和技術之後，還能夠尋求出其他更有意義的教學內容，恐怕是很多專長教師必須拋棄包袱，開始自我檢視並重新出發的重大課題。

但另外從現實面來看，視覺藝術教育並不能排除廣義的形式主義，藝術必然要經由形式呈現，所以藝術教育的「藝術形式」永遠都在，差別只是在釐清當代藝術教育的形式不再是目的，而是成為呈現藝術觀念和表現意義的承載工具，在教學上並不是完全排斥形式學習，而是必須關注在內容和意義以及教學目標。當然有人會認為形式和技術的學習，仍然有它的獨特價值並產生在一般生活上的功能和效應，這是確定可以成立的說法，但在邏輯上就應該把這樣的效應當作教學目標，而不是以形式和技術為學習主軸，卻用模糊不清的所謂目標和價值來支撐和論述，混淆了「專業教育」和「國民教育」的分際。

二、視覺中心主義

這個名詞意指一種更窄化的形式主義，也就是只重視作品技巧和視覺效果的追求。事實上有很多科學美學的實驗研究指出，美感經驗具有多樣的個人偏好差異性，將這種個人（家長、教師、評審…）喜好的外設標準當作學習和表現的目標，其危險性是不言可喻的。不過，從視覺藝術教育的立場進一步分析，視覺中心主義另有一些更嚴重的盲點。

第一個問題是藝術教學如果只追求作品的視覺效果，這種外設的所謂美感表現標準，不管內容和水準如何，都將會逼使孩子向外尋求表現的標準範例，也包括技法和形式上的模仿，視覺中心主義者會認為這是孩子表現水準的提昇，但是孩子透過自己思考、用自己的方式表現自己想法的「自我表現」型態，就可能完全被忽視或遏阻，最終的結果是弱化了感覺而欠缺感受性、沒有獨立思考、沒有獨特的表現能力，所謂學習傷害就不自覺地產生了。

第二個問題是視覺中心主義過度重視作品效果，除了教學目標的自主性、感受力、思考能力、創造力、解決問題等能力，很容易失去體驗和成長的空間。更麻煩的是視覺中心主義的觀點，會嚴重影響教學者對兒童表現的評量，只重視作品的視覺效果，就會忽略了兒童表現的意圖和自主性的思考與表現意義，

在教學和兒童的成長上會變成惡性循環，教學者將忽略或沒有判讀兒童表現的專業，教學目標達成的評估，或補救教學的判斷和規劃必然也因而落空。不過這個影響深遠的論題，是另一個更複雜的作品表現分析和教學評量的問題，分別在本書第八章至第十專章作深入探討。

三、美學享樂主義

美學享樂主義基本上是出於對藝術理解的程度，以及隨之引發的一種面對藝術的態度，比較嚴重的是以輕忽的態度看待藝術，把藝術當作是休閒娛樂和消費行為，以物質化的裝飾性和生活樂趣等為目的，以致無法體會精神活動的深層內涵，無論是欣賞或表現的活動，很難養成用腦筋去思考的習慣，更難體會到藝術背後可能會有的深奧意義，所謂的「淺碟子文化」多半也因此生成。

藝術也許不一定要很嚴肅或很沉重，但藝術絕對有它深刻思考、探究人生議題、展現創造力、內容豐富卻又充滿隱喻表現的隱晦面，而藝術的思考和探險所獲得的理性和感性的滿足，其實才是深刻的樂趣和享受，忽略了這個面向，恐怕藝術學習的內涵和意義就大打折扣，藝術教學在國民教育範疇裡的必要性，也就不那麼容易成立，藝術教育也會因為享樂的性質，很容易有可替代性的其他活動方式，欠缺了藝術學習的獨特價值和理解，而更難以挽回遭多數人忽視的情況，借美術課去上要考試的科目就理所當然了。

美學享樂主義的另一個樣貌，其實就是形式主義和視覺中心主義的顯現，有些教學者或藝術創作者，玩弄媒材、技術和形式，並滿足於這種技法的專長經驗，擴大解釋為這是藝術的全部內涵，很多純以技術和作品為訴求的畫班，無論是成人的心理滿足或尋求誇耀，或者促成孩子經由過度指導追求比賽獲獎，多半都是以上沒有完全理解藝術教育的心態。這個部分雖然有些是藝術課程內容的問題，但也顯現教學者面對藝術的態度，以及對當代藝術觀念理解的深度，這些都會密切影響教學題材的選擇和教學實施的內容。當然，一個必要的註腳是：美學享樂主義在真實生活中未必有錯，美更是生活中的必要成分，但藝術一向並不只處理美的問題（Arthur C. Danto 2008），所以藝術教育也不能只談美感，尤其是美學享樂主義的所謂美感。

肆、視覺藝術教育的美學識讀能力

從教育的立場來看，當「美」不再只是客觀的存在時，所謂美感教育的重心，就轉移到知覺的關心度和敏銳度，欠缺視覺的關心度，就容易漠視對生活和環境的美感需求，美感的動機和基礎也就完全失落。而一個人知覺的敏銳和細膩度，可以提升感受的豐富性和感動的可能性，美就有可能無處不在，不只存在藝術的一部分裡，也不只大山大水是美，在牆角溝邊的雜草叢中綻放的一朵小花，也會是一種生命和自然的美，而一個獨特的想法或生活上的創意，雖然未必和藝術相關，但卻都是美的一部分。美感教育的關鍵只在一個人是否關心，是否能看見、是否能自己去發現和定義而已，這和會不會分析色彩、結構，懂不懂美感形式原理，並沒有太大關連。

但是美學的哲學觀點的藝術教育，若僅只止於視覺關心度和知覺敏銳度的美感態度養成，到高年級或中學階段以後很可能學習深度不足，只停留在美的愉悅感和心理滿足，也就是停留在「美學享樂主義」的型態，這種欠缺哲學思維的學習，將難以體驗當代藝術學習的深層意義，也就是無法連結人文精神，以及各項人生議題的反思。鄧肯對於「美學識讀力」（aesthetically literate）的探討，認為美學是以感官知覺應用於廣泛的文化場域，回應方式也和純藝術的美學意義不同（Paul Duncum，魏意雯 譯，2019），推展美感教育如果忽略了美學識讀，可能對美感的意含無法有完整的認識。

從社會層面分析美感的效應，美感教育或許意圖透過審美心靈的交流，可以建構美的社會秩序感，但歷史事實卻證明將美學當作社會文明化的手段，反而增強了社會階級的區隔對立，中產階級的美學品味集結，會排擠、貶抑社會中下階層的「粗俗」美感，甚至「**美學只能被少數精英份子欣賞，成為壓制不被馴服的行為和團結社會的手段。**」，這可能是強調美感很少被關注的層面。從資本主義的經濟社會看美感效應，所謂的「美力」強調的美感力量，其實是將美感附庸於市場經濟機制，商業設計的美感是為了吸引消費行為，美學是商品的行銷成分，這和美學尋求精神性價值的本質，已經是背道而馳的落差了。美感在真實生活中的效應，需要從美學的內涵反思教育的目標，才能夠發展出

符合人文精神的教學型態。

　　美學識讀力在藝術教育或美感教育的實施，是一項重要的前瞻性思考，面對視覺文化現象與網路媒體的大量資訊，美學識讀在教育和真實生活中的學習意義，遠超過美感形式分析的瑣碎和表面化，以藝術欣賞和審美活動替代美感教育，其實是面對整個美學的哲學思潮變遷，必要的國民教育立場的因應。

　　審美教學涵蓋於課程架構的「藝術本質教學模式」，教學實施以目標為主導，包括當代藝術概念建構，以及培養專注力、關心度、敏銳度、感受性和表達能力、包容性，以及透過藝術欣賞或審美教學，連接到生活經驗及人文精神，進而關注生活、社會、環境、人際等議題，這個課程發展的龐雜課題，或許另外以專書探討才是比較適當的方式。不過有關藝術欣賞和審美的具體教學參考策略如：怎樣培養兒童的專注力和審美態度？如何有效引發兒童對視覺對象的「感覺」？如何讓兒童理解「看」和「對話」的方法？如何引導兒童自己能夠「發現」和「表達」？這些和教學實施相關的基本教學原理，則於第八章另做深入探討。

第七章：國民美學的藝術史觀與綱要

以語意學的概念來分析「藝術」這個語詞，定義其實相當含混而且充滿歧義，難怪里德（Herbert Read）會認為它是「人類思想史上最難捉摸的觀念之一」，溫圖瑞（Lionello Venturi）也認為「藝術是極其複雜的人類活動，我們無法為藝術找到既成的定義是無足為奇的」。

或許是因為藝術發展因素的複雜，讓論者可以從很多面向切入與界定，例如從藝術的成因、表現和形式、意義和價值等不同角度，而有各種不同的詮釋方式和結果，因此藝術的解讀和藝術史的詮釋，自然形成多面向和多樣可能。本文以「藝術」為概稱，探討的實質內容則聚焦於「視覺藝術」，希望書寫的方便性不會引起意含的混淆或質疑。

國民美學的藝術史觀點，是以本書第三章對藝術定義的探討，採取國民教育立場的概括方式，詮釋「當代藝術」的性質特徵，將藝術的意含界定為「人類對價值的尋求過程和表現形式」。對價值的定位則是以「人文」為基礎，人文的意含參見本書第四章的論述，界定為「人類對自己地位的覺醒和省思，對人類的所有活動和身處的環境充分關注，終極的關懷是生命的意義和生活的價值。」，國民美學的藝術史觀點，就是以價值的探尋作為人文和藝術的連結點，連結自我生活經驗與人文精神，建構個人化的藝術詮釋途徑，並不完全仰賴專家的典範論述。

本文嘗試以人文精神為核心，以國民教育為前提，結合「當代藝術」的意涵，建構「國民美學」觀點的藝術史綱要，並藉以界定國民教育的「視覺藝術」性質特徵，作為視覺藝術學習的媒介和課程發展的依據，也試圖以藝術史綱要，建構欣賞教學的基本教材結構。但面對藝術史料的浩瀚與複雜，以及課程目標與本土主體意識的糾結，綱要性的藝術現象、資料與詮釋，必然是無法窮盡也非絕對性的敘述，實際的視覺藝術史學習與課程發展，基本上必須另外做完整的規劃和基礎研究，才可能有具體可實踐的藝術史課程架構。但就目前教學現場的實際需求而言，整體性的視覺藝術歷史輪廓，卻是教學者必要的基本知能，沒有歷史觀點和架構的參照，面對極度繁複的悠久藝術發展現象，教

學實施將無法引導學生討論藝術，也難以適當詮釋藝術來設計教學活動，因此提出參考性的藝術史綱要，仍是視覺藝術教學實踐與研究的必要工作。

壹、國民美學的藝術史觀點的論據

建構國民美學的藝術史觀點，雖然是因應上述國民教育教學實施的邏輯思考，但仍然必須有相關的理論依據作為支撐，以下的論述也概要引述部份第二章的文字，相關論據也許並不完備，但基本上可以顯示國民美學的藝術史觀，是藝術教育系統論述的一環。

一、「當代藝術」內涵的衍變性和流動性，形成藝術觀念的多元化和複雜度與包容性，後現代思潮徹底摧毀現代主義的純粹性，也使得藝術本身就提供了多樣詮釋的可能性。其次如歐陸哲學、當代人文美學等理念和論述，強調人的主體性，芝加哥當代美術館（MCA）典藏展：《沒有你（觀者），我（藝術）什麼都不是》，所宣示的主體位置轉換，就是一個具體的實例。因應國民教育的性質和目標需求，藝術是「全人教育」的媒介和工具性質，依循「透過藝術的教育」的學習內容和目標，對當代藝術另外建構因應教育理念的詮釋方式，並非不合理或不具可行性。

二、薩依德（Edward W. Said 1935～2003）的「世俗批評與批判意識」一文（呂健忠 譯，《反美學》，1998）提供的註解：「基於人類的歷史網絡中，所有的文化內容之所以獲得充實，多半有賴於全體人類的創造力與活力，因此任何文化都可以也應該有世俗的詮釋空間」。因此主張「人文呈現的干涉主義」，期望文化詮釋能開放並容納世俗的經驗，讓各種專業知識與真實生活有實質的關連，這種專業論述和現實社會運作的聯繫，可以視為一種社會文化價值的解構與重建，是一種意義和價值探尋空間的擴展，可能帶來更深刻的思考和全新的判斷。較詳細的論述可參見本書第二章。

三、雅克‧德希達（Jacques Derrida，1930－2004）提出「解構閱讀西方哲學」的理論：文本不能被解讀成只傳達單一的訊息，而應該容納各種文化或地域等的差異觀點，解讀成各種可能的不同呈現，包括或許具有衝突性的差

異性解讀結果。文本被解構之後，會顯示出多元、衝突並同時存在的各種詮釋，包括在一般閱讀中會被壓抑與忽視的觀點。文本的解構並不完全是典範詮釋的否定而已，「解構」其實是為了要求語詞和敘述的精確性，而針對文本的脈絡和社會意義的複雜性，必須允許和因應的多元詮釋發展。詳細論述同樣參見本書第二章。

四、阿諾·豪斯（Arnold Hauser 1892～1978）依循黑格爾美學論點的《社會藝術進化史》（邱彰 譯，1987），關注藝術發展的變動過程中，廣義的社會因素形成的多元化影響，藝術的意義也因此不停改變而沒有永恆的真理，這是藝術詮釋的另一種眼界。

五、當代「視覺文化」的藝術教育理念，關注日常生活的視覺資訊，探討人類知覺事物、文化、意義等的方式，尤其是強調觀者的主體性，人可以自主性詮釋視覺訊息，而不是接受被制約的固定反應和答案。因此，視覺文化的教育觀點，是結合個體經驗、主觀意識、想像力、生活態度等，綜合影響下的視覺活動詮釋與文化省思。視覺文化連結到視覺影像來源的「人」和社會背景，也將藝術教育的學習範疇，從傳統精緻藝術為主的結構，延伸到日常生活中所有的視覺符號，這種將教育內涵擴展，並和日常生活連結的教學型態，讓藝術教育內涵產生結構的變化，建構國民美學的藝術詮釋方式，也自然成為必要的工作，也因此更具可行性和合理性。

貳、國民美學的藝術史觀的相關概念

捨棄很多資料和評述都很完備的藝術史論著，另外建構一套以人文為詮釋工具的藝術史，主要的用意是因應國民教育的性質，這樣的權宜作法雖然具理論依據和合理性，但是在可行性方面仍會面臨兩個嚴重的難題，一個是藝術的形式分析，這個專業學術的內涵不是國民教育的目標，但要了解藝術卻又不能完全捨棄對形式的認識，所以，用什麼樣的方式來詮釋藝術的形式，才能夠讓一般的藝術學習者，有效地體會各種藝術形式的意義，是一個難度很高的問題和挑戰。

另外一個難點是藝術史的龐雜廣泛，不但有時代更替上各種不同階段的差異，更有各種藝術類型在表現觀念上的差異，甚至即使是同一時代的同一種藝術類型，也各有非常多樣的表現方式和不同的理念，想要作出符合國民教育學習範圍的簡要敘述，又要能夠涵蓋藝術的本質和全貌，恐怕是高度艱難而且必然會有爭議。面對這兩項難點，本書選擇以視覺藝術作為主要的討論範圍，希望能夠讓呈現的內容比較清晰，也能夠作出比較精確的判斷，也期待以這種權宜的方式，提出概括性的藝術史架構，作為尋求各種討論意見的具體依據。

對於藝術形式探討上的難題，則是用「藝術語彙」的概念取代形式分析，以這個定義有點含混的名詞，作為替代的思考和討論方法，主要理由是語彙有「敘述工具」的意含，因此可以涵蓋媒材、技術、形式的相關探討，而語彙一詞所指涉的語意有「言說」的功能指稱，它所「敘述」的主要內容就是藝術所要呈現的意義和價值，採取這種替代的討論途徑，一方面不會太偏離「形式」原有的功能和語意，另一方面也符合當代藝術創作和鑑賞的基本理念，不至於將形式、技術當作是藝術的價值指標，這應該會是一種比較可行的討論方式。

藝術的形式和類別，並不等同於它的意義和內涵。引用里德探討藝術定義所採取的觀點：「藝術深切的涉及知覺、思想、與有形動作的實際過程。」從這樣的觀點出發，一方面可以避免只專注於藝術的實體作品表象，卻忽略了探求藝術內在意義的通病，另一方面也可以避免藝術的濫情，只是無限上綱的推崇藝術的尊貴偉大，卻無從經由比較嚴謹的理解來詮釋藝術。

從上述的探討起點，可以認識到藝術有兩個最重要的內涵：一個就是藝術藉以呈現的有形動作結果（客觀存在現象）：「形式」（form），另一個就是人類心智活動的主觀意識：「思想」（idea）。比較通俗的說法就是：面對藝術的時候，必須探究以下兩個問題：「這項藝術要呈現的是什麼樣的想法？」；「它是以什麼樣的方式來呈現的？」

「形式」是一個意涵很複雜的名詞，但是如果用在藝術討論裡的狹義解釋，一般而言應該是容易理解的，藝術所呈現出來的樣貌，讓我們的感官可以知覺到的所有訊息，都屬於形式的範圍，包括媒材、技術也都涵蓋在形式的討

論之中。由於形式承載著藝術的內容和意義，成為具體的傳達、溝通符碼，因此以經驗主義和邏輯實證主義為主的現代科學哲學主義，經由藝術的形式分析，發展出系統化的美學理論，甚至因此有論者認為形式分析是藝術詮釋的唯一方法。

但這種觀點卻必須面對兩個問題，首先是科學分析的美學，只是繁雜多樣的藝術哲學理念中的一部分，用它來解釋所有的藝術是很容易產生謬誤的，尤其是以存在主義和當代歐陸哲學為主的現代人文主義哲學，儼然已成為引導當代美學和藝術哲學的主流，當前許多具有反文化性質的前衛藝術表現，形式主義的既有理念和分析方法，幾乎可說是完全無能為力。

其次，專業化的藝術哲學和形式分析技術，幾乎是藝術評論家的專業養成教育，以此作為國民教育的教材，是否合宜也有很大的商榷空間。個人並不否認適當的形式分析，有助於某些藝術的欣賞和理解，但對國民教育的教學對象和目標而言，這一部分的學習內容和學習方式，勢必要另外作適當的篩檢和規劃，才可能有學習的意義和預期的效應。

藝術除了知覺可以感知的客觀存在形式（以什麼方式呈現），人的主觀的心智活動，是藝術表現和鑑賞的過程中，對藝術的意義和價值形成思考與判斷的主要憑藉（要呈現什麼想法）。而把這些心智活動定位為「價值的尋求過程」，本書第五章第一節提到里德對於「價值在藝術上的地位與重要性」的強調，以及劉文潭所引述的很多學者的相關論述，將藝術和價值尋求的關聯性多所闡述，都是上述理念的論據。

這些藝術所尋求、呈現的複雜、多樣性的價值，不是單一、絕對的，也會因時代、地域的不同而有所差異。人文和藝術的關連性，可以回歸到兩者的定義上，人文既然是一種思考方式和價值觀，而價值的尋求則是藝術的本質，要將人文和藝術連接起來的關鍵就在「價值」的層面上。

當代藝術哲學的發展趨勢，強調藝術的價值主要存在於藝術所探討、表現的「意義」，這些意義源自人類的生活經驗和感受、思考，其內容的廣泛和複雜，幾乎涵蓋人類所有的世俗生活以及精神活動，這也可以由藝術史上的所有

藝術表現得到印證，藝術在人類文化中的崇高地位，也是因此才確立和肯定。

回顧本書第四章所界定的「人文」定義，人文精神所探討的價值觀是從人的主體性出發，整個人類的活動和歷史都是它關注的焦點。因此可以說人文和藝術在內涵方面的最大交集點，就在人的本身和人類生活中所有相關的活動和事物，以及它們所探尋和呈現的價值。以這麼廣泛的交集面為基礎，試圖以人文精神建構藝術史的詮釋方式，其合理性和可行性應該可以成立。

參、國民美學的藝術史綱要

要對視覺藝術的歷史作出描述和詮釋，時期的劃分是個不容易解決的問題，基於國民教育的性質和學習份量，本書採取比較粗略的分期方式，原則上不以專業藝術史的資料來細分藝術歷史的階段，嘗試以藝術表現意義的共通性作為分期的準則，期待比較容易從人文的意涵作出詮釋，也較方便掌握藝術史的整體輪廓。這或許是一種權宜的討論方式，但是人類文明和藝術發展的過程，本來就沒有截然劃分的時期，同一個時空中不同的藝術理念和表現，常是交錯糾結在一起的，時期的劃分並沒有絕對的標準規則。

藝術的歷史事件和相關資料，是一項客觀存在的事實，本書只是以人文的意涵提出不同的詮釋，並不可能另外杜撰藝術的歷史和事例，因此細心的讀者應該可以發現，人文的藝術史觀點和時期劃分，其實和一般藝術史的各種分期方式，仍然是可以互相比對的。

至於各個時期的藝術內容和現象，本書多半只有簡單的抽樣介紹，只因應藝術意義詮釋的需要，選擇較容易理解的藝術家和作品，並沒有顧及史料的完整性或藝術評價的代表性，圖例資料不足是一項不容易克服的缺憾，更嚴重的問題則是以西方美術史觀為主軸，必然會遭遇文化主體性的質疑，而台灣本土的歷史觀點是否必須依附於中國美術史，又遭逢意識形態和美學詮釋體系的嚴重歧異，從事實考查似乎也從未見中、西美術一體探討的案例，這或許是本質上根本無法克服的文化障礙，也是個人學識和能力都不足以對應的難題，只能在各個時期稍作中、西藝術現象的簡單比對供參考。

　　另外，國民教育課程所規範的藝術學習分量，以及對藝術史細節探討的深入程度方面，並不適合以專業藝術史的標準作要求和撰述，因此，本書以藝術觀念的建構為重心，至於藝術史料內容所留下的缺口，讀者可以依據相關的概念，蒐集其他藝術史資料作對照，或依自己的興趣和需求作探索和補充，也許把這項延伸活動當作習題，可以更充實讀者本身對藝術史的理解，或發現一些有特殊意義的問題，面對知識爆發和多元價值發展的現況，應該也較符合主動學習的原則。

一、人類心靈和精神活動的起源－原始（小型社會）藝術

　　遠古時代流傳下來的所謂「藝術」，其實和我們目前所慣用的藝術定義，有著相當大的差異，從整個人類的歷史來看，最早期出現的視覺藝術，應該就是考古學所發現的「原始藝術」，或稱「史前藝術」，它所涵蓋的年代最長久，大約從三萬年前到西元前三千年左右，留下來的資料和作品卻最少，詮釋的難度也相對的比較高。但「原始藝術」這個名詞只是權宜性引用，以藝術人類學家雷頓（Robert Layton）的研究觀點，認為「原始」是以歐洲文化為主軸的不客觀用語，而主張用「小型社會」藝術來取代原始藝術的名稱，但本書仍沿用通俗的「原始」為名稱來探討。

　　我們對原始藝術內容的了解並不完整，因為有些不耐久的材質所製作的藝術品，並沒有留存到現在，現有的原始藝術大致上只有兩種，一種就是洞窟裡的壁畫，另一種就是用石、骨或象牙所製作的小器物，一般稱為纖細藝術（Miniature art）。對於原始藝術的成因和意義的詮釋，考古學家和藝術學者的說法相當分歧，考古人類學者理察・李基（Richard Leakey），就列舉了五、六種不同的詮釋方式，包括可能是狩獵的魔法、區分性別或地位的象徵、祭儀的痕跡、經濟分配的紀錄、族群代表的象徵、巫師作法的符號…等，各種獨持的見解卻都論據薄弱，所以最終各種解說的共同看法就是：「我們的所知有限」。

　　從人文的角度來詮釋原始藝術，比較表面的看法可以從原始藝術呈現的內容來解釋，原始壁畫的主要內容多半是動物圖像，小器物除了少數的動物造形和類似飾物之外，女性人體的造形也占很高比例。以原始時代的人類處境而

言，食物的獲取和種族的繁衍，應該是生活中最重要的事情，如果說原始人類經由藝術所要表現的，就是對人最有意義、最有價值的事物，那麼蛋白質的來源和生育的象徵，成為藝術的主要表現內容，或許就不是那麼難以理解了。

圖 11 拉斯科洞窟壁畫，
　　　16,000 ～ 14,000BC。法國。

圖 12 威廉多夫的維納斯，
　　　27,000 ～ 23,000BC。
　　　11cm。
　　　維也納自然歷史博物館

　　至於很多作品上都有穿孔的小物件，有些解釋為首飾和配件，認為是原始人類愛美的證據，但是考古人類學的看法，則認為這些小物件是身分的代表，是一種社會組織和階級的象徵，也是社交和溝通的信物。這些看來似乎合理的解釋，如果我們謹慎一點的話，還是必須承認有著太多後設的主觀揣測，並沒有足夠的具體事實和證據，可以讓這種看法獲得明確的佐證。而藝術人類學的研究，則認為很多可能是生活實用性的器物紋飾，並不是完成後再加以裝飾，而是那些紋樣和細節，本身就是製作時必要的同步儀式，有生活和文化方面的脈絡意義，用美感來詮釋這些表現，其實未必符合當時人類的內心世界。

圖 13 維士多尼斯的維納斯　　圖 14 歐夫查瑞渥《祭祀的一幕》小陶器　4,000BC。
　　　26,000 ～ 24,000BC。　　　　　保加利亞 Turgovishte 歷史博物館
　　　8.5cm.
　　　捷克 Moravian 博物館

　　原始藝術受限於可考史料的欠缺，相關的詮釋眾說紛紜也沒有共識，如果
以人文的定義為基礎，原始藝術的主要意義和價值，似乎可以把它定位在「人
類心靈的起源」上面，它是遠古時代的人類祖先，已經藉由藝術展現心靈活動
的證據，也是人類從所有物種中發展出獨特、唯一地位的起點。

　　人類心靈的演化充滿奧秘，丹尼特（Daniel C. Dennett）對心靈的研究，讓
我們深切地體會到人類心靈意識的珍貴，感受、想像、思考、創造…，這是人
之所以成為「人」的重要起點，我們很難確實了解原始藝術被創造出來的原因
和目的，也無法討論原始人類是不是「為藝術而藝術」，原始藝術給我們的最
有意義的訊息就是：唯有人類才有藝術創造的意圖和能力，從遠古時代到今天，
藝術一直是人類呈現意義和價值的重要方式，而且這些價值是由精神活動產生
的，人類的生活並非只是物質性的而已。我們很難找到原始人類和現代人在生
活上的共同點，但原始藝術卻是一個有力的證明，讓我們確實知道：人類的心
靈自遠古以來，追求精神活動的心靈和我們是共通的。這也是當代視覺藝術欣
賞的核心概念，可以建構藝術是「精神活動」的基本觀念，藉以抗衡藝術市場
操作商業價碼，作為藝術價值判斷指標的物質化概念。藝術的欣賞和收藏如果
淪為商業投資行為，藝術的本質價值就有必要再做深思和探討了。

　　從人文的角度詮釋原始藝術，並不刻意去分析形式、技術，也不會去強加解讀它的美感形式，因為這種強作解人的詮釋方式，事實上不可能真正貼近原始人類的原有心思，而只是一種揣測的後設解讀方式，摻雜了太多主觀的情感抒發而已，類似這些以美感經驗和個人感受為主的鑑賞方式，其實可以把空間完全留給欣賞者的直觀，反而會有更多樣性的欣賞樂趣和可能性。本文嘗試以人文精神詮釋原始藝術的案例，應該能印證藝術學習的意義可以更豐富，對藝術的觀照層面也更廣泛，可以增加我們對藝術意義的理解，更符合當代國民教育的性質和發展趨勢。

　　台灣的原始藝術從考古學的出土遺物，可以推溯到兩、三萬年前的舊石器時代，台東的長濱文化是目前所知最古老的史前遺跡。至於新石器時代者以台北圓山貝塚為代表，芝山巖遺址出土的玉器相當豐富，而在原址下層發現更古老的文化，出土的文物以彩陶為主。另外包括卑南文化和十三行遺址，都有豐富的台灣史前文化出土文物，可供原始藝術欣賞教學的參考。

二、社會結構發展的支柱－古代藝術

　　一般談到人類的古文明，大致都以西元前三千年為起點，如果往前推到最早期的農耕和陶器出現，則屬於新石器時代，大約是西元前五到七千年開始，本書對古代藝術時期的探討，參考李長俊的分期方式，以西元四世紀古希臘、羅馬文化的結束作為段落。

　　最早期的古代藝術品，大概以陶器的數量最多也最具代表性，中國的仰韶文化和世界各地的陶器文化，距離現在六、七千年一直延伸到三千多年前，在各個不同的古文明地區都保有相當的分量。古代陶器的造形和紋飾都具相當的美感，但是將它們以「藝術品」來看待，在藝術的定義上還有待商榷，因為這些陶器原來的製作目的，多半屬生活器物或祭儀用品，依據前述藝術人類學的觀點，應該從小型社會的生活和文化來詮釋，如果完全以造形藝術的觀點，分析這些陶器的形制和美感形式，恐怕是一種後設的本位主義，難免過於專業化而造成一般人理解的困難，而脫離世俗生活的經驗，也未必是適當的藝術意義的詮釋方式。

從人文的國民美學立場來看，這些陶器製作的精緻和細膩的紋飾，或許可以看作是人文價值的重要呈現：古代的人類並不僅止於滿足物質上的實用功能，優雅的曲線和精密的描繪，是一種結合文化、信仰的「追求價值」的表徵，這也是真正讓我們感動的部分，我們無法確定古人是否為了藝術目的，而特別費心的製作這些精美的陶器，但無論是任何原因，這種**執著的工作態度和追求完美的結果，呈現出超乎實用性的精神價值需求和表現，其實再度證明心靈活動超越物質需求**，這樣的活動也蘊含了藝術的本質和意義。換一個比較明確的說法：古代藝術的價值並不在形式和美感上，而是在製作過程的心靈活動，以及精神價值的追求和表現。

圖 15 仰韶文化彩陶雙耳罐，5.000BC。　　圖 16 翠坡文化圓錐形罐，4,000BC。
　　　日本天理參考館　　　　　　　　　　　　牛津艾許莫林博物館

除了這些留存下來的生活用具，古代藝術最主要的內容，就是彰顯統治權力象徵的相關建築和器物，以及早期宗教祭儀和墓葬的相關物件。這些古代「藝術」的製作動機和用意，也一樣不適用現代的藝術創作定義來詮釋，因此，回歸歷史的定位並以人文的觀點來看待古代藝術，應該會更容易掌握古代藝術的意義。

古代人類的文明發展，從農耕部落到城邦的興起，統治權力和社會結構的發展，幾乎可以說是依附在神話傳說和早期宗教信仰，古代藝術的主要內容和歷史定位，也具有同樣的性質。以人文為出發點來看待古代藝術，主要的意義

大概可以從兩個方向來談，一個是當時整體社會的價值體系，另一個則是古代人類對生命的態度和價值觀。

　　古代藝術大多是由工匠和奴隸所完成，原來的作者幾乎不可能有藝術表現和自我表現的意圖，如果忽略了這項事實，完全以純粹的藝術形式分析來詮釋古代藝術，恐怕未必是一種很好的解讀方式。當然，只強調統治者的權力和宗教的威權，因而故意貶抑古代藝術的價值，大概也很難讓大多數人接受。因此，從歷史來為古代藝術尋求定位，或許才是比較客觀也比較貼近真實的方式。古代人類最尊崇的就是宰制一切的宗教神祇，而社會的統治者也一向是神的代位者，具有崇高無比的地位，在當時的時空中突顯統治者和神明的尊榮，是維繫人類族群和社會發展的重要基礎，應該也是當時人類生活中最重要也最有價值的事，而表現的方式就是採用具有崇高意義的形式—「藝術」。

　　古代藝術在墓葬和祭儀方面的關連，顯示人類對生命現象和意義的重視態度，死亡以後的世界和生命，是否可能加以掌控或如何延續，恐怕到現在都還是人類非常關心的命題，用藝術來表現這些人類高度關心並重視的事物，一向是藝術在人類文化發展中的重要題材和目的，這也明確的呈現了藝術與人文的密切關連性，同樣符合藝術表現重要人生價值的原則。

圖 17《死者之書》1,500BC 大英博物館　　　　　圖 18 長沙馬王堆帛畫 150BC

　　以這樣的觀點來面對古代藝術，應該是詮釋古代藝術比較合宜的途徑，不但比較容易理解古代人類的藝術表現和意義，也讓我們更能夠確信：藝術一向就是人類尋求和表現價值的重要方式。至於古代藝術的形式能給我們什麼樣的美感經驗，或是讓我們對人類生活的演化和轉變，有什麼樣的感受和省思，那可以是一種很個人化的探索和思考，也是藝術欣賞應有的多樣化可能空間。至於想要對古代藝術作出標準答案的詮釋，或是企圖對古代藝術的形式，作出系統化的詳細描述或比較，無論其必要性和價值如何，或許都不屬於國民教育範圍內的事了。

　　中國古代藝術的時期約略等於秦、漢到魏晉之前，目前留存的藝術品應該只有陶器、銅器和墓葬的畫像磚、帛畫，器物的形制和紋飾多半和祭儀有關，畫像磚的題材多屬神話和生活景象，這些古代藝術的詮釋方式和西洋藝術歷史並沒有重大差異。

　　台灣的古代藝術大致可以上推十三行遺址，已經發現有煉鐵的遺跡，可列為新石器時代結束的象徵，這個時期最重要的藝術資料，應該是以台灣原住民的文物為主，包括木雕、陶器、織品及民俗、墓葬等，都是文化和藝術欣賞教學的主要資源。

三、宗教信仰與神權的榮耀－中世紀藝術

　　度過了人類文明的蒙昧時期，人類的社會結構有了重大發展，而維繫社會運作的主要精神力量，其實和藝術有重要的連結關係，藝術的定義和人類的生活也有新的關連。中世紀藝術所涵蓋的年代，一般大約是指西元五世紀到十四、五世紀這一段期間，也就是古希臘、羅馬藝術末期到文藝復興（Renaissance）開始之前約一千年的歷史。

　　中世紀時期的西洋美術，幾乎可說是以宗教文化為中心，藝術的主要發展就在教堂的建築上，包括壁畫、雕塑、玻璃工藝等的較高成就，也多半是基於宗教上權威支配的需求，也就是以榮耀神權為目的而產生。在同時期世界其他地區的藝術發展，幾乎也都有共同的特色，也就是都以突顯宗教和統治階層的榮耀為主，這一點和古代時期的藝術或許沒有很明顯的差異，但留存下來的藝

術品數量和樣式都比較多，這和年代較近以及人類數量的增加、文明的進展等都有關係。

　　中世紀藝術的主要內容，宗教性的建築最具有代表性，教堂和神殿建築的宏偉，以及雕刻和裝飾的精巧細膩，在這個時期達到了最極致的表現。從人類文明發展的歷史來看，這個時期也是宗教最嚴密宰制人類生活的階段。從人文精神的立場來看待中世紀的藝術，事實上可以引申古代藝術的詮釋觀點，也就是人類為了呈現生活中最重要的價值，最主要也最具特殊意義的方式，就是採用藝術的形式來表現，這也是探討藝術的定義時，和藝術的本質有相當密切關連的項目。

圖 19 沙特爾天主教堂，12 世紀。巴黎

圖 20 卡鳩拉荷印度教神殿，
11 世紀。印度

圖 21 吳哥窟神殿，12 世紀初。柬埔寨

以人文來詮釋中世紀藝術，或許還有一個觀點可以加以補充：中世紀的藝術雖然具有以宗教為中心的共同特徵，甚至宗教性的建築物也多半出現以雕塑來裝飾的共通點，但是在不同區域的宗教建築卻各有特色，雕塑作品的內容和樣式也各有差異，這一點從人類的文化發展來看，具有相當特殊的意義：中世紀時期美洲、歐洲、亞洲之間，幾乎是互相隔絕的狀態，但我們卻可以發現，人類在藝術的表現上具有心靈的共同點。這個現象一方面顯示人類文化、藝術發展的共通性，另一方面卻又讓我們認識到，人類文化的多元發展和各自獨有的特色，這是一種真實自然而且值得珍惜的現象。這種人類一體卻又多元發展的體認，其實也正是面對藝術應有的基本態度。

圖 22 宏都拉斯　　圖 23 卡鳩拉荷印度教神殿雕像　　圖 24 龍門石窟 壁雕佛像
　　可邦馬雅神像　　　　11 世紀　　　　　　　　　　　9 世紀
　　石雕碑柱
　　8 世紀

在當代人類文化發展更見密切交流、融合的趨勢下，侷限於以西洋美術為正統，或是死守民族傳統風格，恐怕都是一種欠缺宏觀角度的方式。這是以人文精神詮釋中世紀美術，自然會衍生出來的思考結果，而在視覺藝術的欣賞教學目標方面，尊重、包容、感動、多元價值觀和開放的心靈與思考等，重要性應該遠高於形式分析吧。欣賞中世紀的藝術品，美感形式的分析和藝術的意義並沒有太大關連，因此只要對不同藝術的文化背景和歷史，具備一些簡單的基本認識，就能夠獲得比較深刻的體驗和理解，這是用人文來詮釋藝術的方式，將藝術放在文化的脈絡中，也是藝術學習的「統整」方式。

　　約略是中國魏晉、南北朝到元朝的中世紀，東晉顧愷之的《女史箴圖》和《洛神賦》絹本著色圖卷，可能是現存脫離壁畫形式最古老的作品，雖然原作遺失或缺損，現存於倫敦的《洛神賦》作品也只是摹本，但是兩件作品都是將文學作品轉換為繪畫，是非常獨特的表現形式。中國中世紀藝術的主要留存也大多和宗教相關，敦煌的壁畫和石刻、彩塑的內容都是佛教的題材。

　　唐代除了宗教性的繪畫之外，也出現以帝王威權為主的宮廷人物畫，這和歐洲中世紀藝術相當類似，但唐朝因為描繪帝王活動，發展出李思訓父子的青綠山水，形式與內容的特色和西洋藝術有很大的差異。而王維的文人畫風格大大影響了五代和宋朝的繪畫發展。

　　五代時期的山水畫奠定了中國繪畫最主要的題材和風貌，荊浩、關仝、巨然的「主山堂堂」和董源的「瀟湘平遠」，顧閎中的《韓熙載夜宴圖》人物畫，顯示了中國繪畫題材的擴展。宋代的范寬、郭熙、李唐等知名畫家承續山水畫的發展，以及張擇端描繪京城生活的《清明上河圖》之外，宋代的花鳥畫和陶瓷則是最為耀眼的藝術成就，尤其是相較於中世紀的西洋美術，被宗教完全宰制、侷限的情況，這種文化和美學體系的差異，其實是藝術欣賞教學不可或缺的重要議題，這也有待視覺藝術教學研究的開發。

　　中世紀的台灣視覺藝術或許因為保存和紀錄的殘缺，幾乎沒有留存可見的重要資產，基本上仍舊以考古和原住民的文物為主，但這種空窗狀態，卻也可能是視覺藝術學習的特殊題材？

四、人文的自覺與啟蒙－近代藝術

　　以「近代」作為時期名稱，指稱十五世紀文藝復興時期開始，到十九世紀印象派（Impressionism）之前的藝術，或許不是一種很普遍的藝術史分期方式。一般的藝術史多半將這個時期作較細的劃分，但本書強調以人文精神詮釋藝術，因此參考亞諾・豪斯（Arnold Hauser）的西洋社會藝術進化史（The social history of Art），將這四百多年的藝術發展歸結為「近代藝術」。

　　近代藝術的主要內容，大致還可以再劃分為文藝復興（Renaissance）時期、

巴洛克（Baroque）和洛可可（Rococo）時期、以及浪漫（Romantic）時期三個主要階段。文藝復興運動於十五世紀初起源於義大利，原意是要重新尋回古希臘羅馬藝術的榮耀，結果卻發展出影響深遠的文化新面貌，甚至影響了整個歐洲的歷史發展。文藝復興運動在十六世紀末衰微，以雄壯華麗來表現宮廷和貴族權力的巴洛克藝術，成為十七世紀歐洲藝術的代表。十八世紀初形成於法國的洛可可藝術，背景是平民崛起的社會新貴勢力，以精巧、優雅的風格呈現現實生活的裝飾、享樂，和巴洛克藝術的追求宏偉相異其趣。十八世紀中期到十九世紀中的浪漫時期，涵蓋新古典（Neoclassicism）、浪漫（Romanticism）、自然（Naturalism）、寫實（Realism）等表現風格，藝術表現的內容和技術的發展受到特別關注，並因為人文主義的影響而有非常獨特的進展。

　　相較於近代時期的歐洲藝術發展，多數古文明的文化發展都處於停滯狀態，包括美洲新大陸的發現，歐洲的殖民勢力遍及全球，這使得歐洲的藝術成為近代藝術發展的主導力量，因此將西洋美術當作近代藝術的探討主體，是客觀的事實所形成的結果，並不是意識型態或價值判斷的選擇。

圖 25 達文西《蒙娜麗莎的微笑》，1503。巴黎羅浮宮

圖 26 米開蘭基羅《最後的審判》1541。梵蒂岡 西斯丁教堂

圖 27 拉斐爾《雅典學院》1509。羅馬 梵蒂岡 拉斐爾室

　　選擇文藝復興作為近代藝術的討論起點，具有相當特殊的意義，西方傳統人文主義，一般也是從文藝復興談起，但是有些論者認為，將文藝復興視為是

藝術的復古運動，其實有一點偏向於表象的誤解，文藝復興運動的起源，雖然肇始於當時學者的批評，認為西方文學、藝術處於一種長期衰退的情況，因而以古典藝術的復生為動機，但是文藝復興運動所發展出的實際結果，完全迥異於中世紀藝術的內涵和理念，它對長久的基督教信仰提出新的觀點，例如萊茵畫派的《天堂花園的聖母》，宗教聖者和天使圖像見不到傳統的輝煌背景和光圈，只配上猶如郊遊野餐的花園景觀，穿著的服飾也類似尋常百姓，這種幾乎和傳統宗教繪畫的明顯差異表現，似乎是一種宗教觀點的改變，聖徒和凡人之間的界線開始模糊，出現了前所未有的宗教威權鬆動。

圖 28 佚名《天堂花園的聖母》15 世紀中期。
　　　法蘭克福市立美術館

圖 29 凡・艾克，《阿諾芬尼婚禮》1434。
　　　倫敦國家藝廊

在同一時期，視覺藝術也初次出現全新的意涵，成為表達對人及社會的某些想法的新工具，凡・艾克的《阿諾芬尼婚禮》的畫面情境，可以確定是婚禮的儀式，服飾和居家的背景顯示畫中的人物的高社階地位，貴族的婚禮竟然不在教堂中舉行，這在十五世紀時代簡直是不可思議的情況，宗教的威權在世俗生活中的衰退，這兩件作品透露了一些明顯的訊息。

藝術家受到尊重並有了社會地位，創作技巧和個人風格也相當受重視，像凡・艾克在油畫材料和技巧上的高度成就，對西洋繪畫藝術的發展產生極為深遠的影響，並引領了「技術」在藝術評價上的地位，這和中世紀時的作者只

是沒有名字的工匠，情況是完全不同的。

　　這些現象讓我們體會到，人類的文化發展其實從來沒有走過回頭路，另外從人文主義的精神來看，藝術家地位的提升也就是人的地位覺醒和改變，這也是前面探討人文定義的一項印證。文藝復興的這種人文主義精神，延續並影響近代藝術的整體發展，以人文來詮釋近代藝術，它的脈絡是非常清晰的。

　　文藝復興時期的視覺藝術，在題材和內容的表現方面，絕大多數仍受到宗教的局限和影響，但是從本書所選的圖例中，卻可以明顯發現宗教的束縛正逐漸瓦解，世俗生活所受到的重視，也在藝術中呈現前所未有的分量，人類價值觀的變遷，就會在藝術內容的改變中具體顯現，人對自己的地位有了新的體認，藝術也隨著產生新的內涵，這是人文對藝術的意義性所作的詮釋，也可以增添我們對藝術理解的面向。文藝復興晚期的作品如圖 21，藉由傳說題材和豐富的想像力擺脫宗教的束縛，呈現獨特的趣味性。圖 22 描繪宗教聖徒卻幾乎是風景畫為主題，聖徒也不再具光環和宏偉形象，這些都是大量宗教題材之外，較獨特而別具意味的表現，面對文藝復興時期的藝術品，辨識藝術表現內容的復古或是創新，對生活和人的地位是否有所省思，或許是另一種相當具趣味性的探索。

圖 30 克西莫《蜂蜜的發現》，約 1510。
　　烏斯特藝術博物館，美國麻州

圖 31 貝里尼《聖法蘭西斯可》1485。
　　佛力克美術館，紐約

　　巴洛克藝術是宮廷貴族和教會權力的象徵，藉由宏偉、誇張的華麗表現，展示著宮廷的富足和權威力量，這種反抗宗教改革勢力的藝術表現，一方面是舊有權勢對文藝復興人文精神的抗拒，另一方面卻也是文藝復興剛開始時復古目標的達成，可說是相當吊詭的有趣現象。洛可可藝術則是對巴洛克藝術的反動，小巧、精緻、甜俗的裝飾性，是世俗生活講求實利和享樂的中上層社會觀點，這種社會新興起的資產階級趣味和勢力，與巴洛克濃厚的宮廷氣氛和宏偉張力形成對比，這也是藝術在社會價值觀與人的地位變動之後，社會階級的勢力抗衡下很自然的結果。

　　巴洛克和洛可可藝術其實也可以視為是一種世俗美學，脫離威權而切近世俗生活的感官喜悅追求，希望擺脫貧窮與禁慾主義，嚮往追求幸福與甜美生活的渴望。因此有一項特質是高度想像或「幻覺」，將宗教威權宰制下反抗與偽裝的激情，以及世俗慾望的幻想從內心解放出來。而本書以前論及的藝術是在尋求價值、表現價值的一貫本質，也就此再次得到印證。

圖 32 巴洛克藝術的代表科托納《巴爾貝尼宮屋頂壁畫》1633-1639。

圖 33 洛可可藝術的裝飾性，尚伯恩《費斯堡 凱瑟大廳》1749-1754。

　　浪漫時期的藝術，在宗教改革、文藝復興運動，以及法國大革命的時代背景影響下，和人文主義的精神有更密切的關連。藝術家地位的提升，表現技巧和風格的受重視，使得「完美的形式表現」一度成為藝術的最高準則，這種對

古典藝術的尊崇，形成了「新古典」主義，但因為強調形式規範的保守性，壓抑了藝術的創造性和個人表現的空間，很快就被浪漫派所取代了。法國大革命結束和產業革命、人權思想的發達，藝術家要從古典風格的形式框架中尋求解脫，比較自由、個人化、帶著想像和奇幻場景的浪漫派作風，開創了大膽自由的藝術表現空間，藝術表現的內容有了空前的改變，神話、傳說和歷史事件描繪成壯大的場面，甚至市井人物和風景畫，也第一次在藝術題材上出現，這是人類將眼光從宗教和王權上，轉向自己所身處的現實境況，因而在藝術所尋求的價值呈現上，表現出這種重大的轉變。

圖 34 傑利柯《梅杜莎之筏》，1819。巴黎，羅浮宮博物館

　　浪漫派雖然在藝術表現的內容有重大的開創性，但是絕大多數幻想、誇張的題材，對世俗生活的關注卻仍是逃避的，同時，浪漫派對藝術的觀點和作風仍是貴族化的，中產階級的崛起形成保守的資產階級，他們對藝術的態度承襲舊有的宮廷貴族觀點，將藝術視為彰顯財富和社會階級的高貴行徑，在十九世紀平民階級已經是社會主體的環境裡，毫無意外的就沒落下來，被自然主義和寫實主義所取代了。

　　有些藝術史的論者，將自然主義歸納於寫實主義的一部分，並將寫實主義列為現代藝術的起始，主要就是因為自然主義和寫實主義，才是真正和平民階級產生關連的藝術。將畫架搬出畫室，在楓丹白露森林寫生的巴比松畫派，不僅實地觀察、描繪自然景色，成為印象派的先驅者，自然主義描繪田園農舍和

農民、勞工，對真實的世俗生活投注深刻的關心，和浪漫派喜歡營造強烈誇張的大場面，是截然不同的表現。而寫實主義強調真實描繪生活中所見的事物，反對浪漫派那種不真實的存在，更因為受社會主義平民階級運動所影響，有很多藝術的表現都關注中下階層的生活，寫實主義對人的尊嚴和社會的平等、公義，特別有著高度的關懷和表現，藝術觀念仍舊歸結到人的地位覺醒和價值觀的呈現。

圖 35 米勒《拾穗》1848。巴黎奧塞美術館　　　　　　　　圖 36 賀寇瑪《罷工》1891
。倫敦皇家藝術學院

　　以人文精神來綜觀整個近代藝術，或許可能比較輕忽某些層面的藝術價值，例如在攝影技術尚未發明的時候，能夠忠實重現視覺影像的描繪技術，當然具有時代性背景下的獨特價值，對這些表現技術的價值追求，也使藝術對完美形式有極為難得的系統發展，但個人認為這些價值是依附於作品形式上的，比較偏向於專業藝術的探討範圍，和人文的關連性也較低。以國民教育的立場而言，「**藝術對一般人有什麼樣的意義？**」或許才是更值得關注的重點，因此，著重藝術所表現的內容和時代背景，以人文的意涵作為藝術詮釋的工具，應該更能夠增進我們對藝術的理解。近代藝術的發展，充分顯示宗教和宮廷勢力的衰微，使人的尊嚴和社會的自由平等，成為當時人類所追求的最高價值和理想，而藝術則是人類呈現這些價值的主要方式和見證。

　　中國近代時期的明、清兩朝繪畫發展，因為因襲傳統而缺少獨特的重要表現，除了揚州八怪的文人畫特色，相較於西洋美術的蓬勃發展，藝術現象形成非常明顯的落差。如果再回顧中世紀的東、西方藝術內涵的重大反差，這種潮起潮落確實是值得深究的文化議題，在藝術學習中探討維護傳統和創新、遵循典範和批判、追求技術或意義等，相關層面的探討，或許更能夠碰觸藝術哲學的觀念和思考，這才是當代視覺藝術的重要學習內涵。

　　台灣在近代時期的後段，已經留存有較多藝術現象的資料，除了原住民的文物，早期移民的生活工藝如織繡、鑲嵌、陶瓷器皿等，廟宇文化如雕刻、剪黏、交趾陶等，以及豪門士紳階層的庭園建築，都可以一窺台灣近代生活的視覺藝術風貌，至於文人與科舉帶動的繪畫活動，因為受中國文人畫淵源的影響，重臨摹和筆墨而少創新，一向並不受重視，清代台灣畫家最早期有乾隆時期的莊敬夫，其他如林朝英、林覺、謝琯樵都有留存作品至今。台灣近代畫家的作品以所謂的正統藝術評價系統來判斷，可能沒有非常重要的地位，但以本書當代藝術教育的人文精神來思考，如果以文化的主體性來建立話語權，其實可以在藝術欣賞教學重新詮釋歷史地位，地方俚俗或草莽拓荒是否可以在主流之外，在地域與時代差異條件之內，另外建立本土性的價值評斷，又是另一個藝術哲學的有趣論題了。

五、藝術的純粹性與自我批判－現代藝術

　　本書所討論的現代藝術，是泛指十九世紀後半從「印象派（Impressionism）」開始，到二十世紀前半約一百多年期間的藝術，以「現代」作為藝術時期的名稱，若不小心很可能會造成誤解，因為二十世紀最重要的藝術理念和文化現象，就是以「現代主義」（Modernism）為名，所以在閱讀和討論時，必須小心避免兩者的混淆。

　　現代藝術由於年代距離我們很近，而且藉科技發展之賜，藝術發展所留存的資料相當豐富完整，一般藝術史的研究都以藝術派別作較詳細的劃分，本書將現代藝術的內容歸納為三個部分：（一）印象派；（二）二十世紀初的藝術；（三）現代主義。這三個部分的內容其實都相當複雜，印象派可以

細分為前期印象派、新印象派（Neo-Im.）、後期印象派（post-Im.），以及象徵主義（Symbolism），二十世紀初的藝術包含野獸派（Fauvism）、表現主義（Expressionism）、立體派（Cubism）和未來派（Futurism）等。現代主義的定義和內涵都很複雜，本書則專指達達（Dadaism）、超現實（Surrealisme）、抽象（Abstraction）及普普（Pop Art）等重要的現代藝術派別。這樣的歸納方式和某些專業藝術史的敘述方式，可能多少會有些差異，本書採取這種簡約的劃分方式，是企圖掌握現代藝術的整體輪廓，在後續的敘述中也會做一些必要的資料補充，希望有助於一般非專業人士對現代藝術的了解。

（一）印象派

　　印象派的名稱源自莫內的畫作〈日出－印象〉，可能是臺灣最多人知道的美術史典故，但是印象派的繪畫理論和表現形式的特徵，和「印象」這個名詞的意含並沒有什麼關聯，在欣賞時必須避免對畫派名稱的聯想或誤解。到目前為止，印象派的表現形式仍占有臺灣繪畫界的相當分量，倒是藝術教育和藝術觀念的發展方面，相當有趣也值得深思的問題。

圖 37 莫內《日出、印象》，1872。巴黎，馬摩坦美術館

　　印象派所受到的主要影響，來自當時新興的光學和色彩科學的研究，重視色彩在光線和陰影下的微妙變化，所以發展出留下筆觸和運用補色的新技法，掌握物體在某一個瞬間的主觀性真實景象，成為繪畫表現的主要目的和最高原

則，也因此每一個畫家表現的差異性變得明顯，藝術史上強烈的個人風格第一次出現並受到推崇。

從人文的觀點來詮釋印象派的藝術，就必須回顧當時的社會背景，十九世紀中期社會革命和工業化的生產方式，使社會文化的變遷相當的快速，新的思潮和新的產品迅速更替，以前穩定靜態的社會結構和秩序突然間瓦解了，這種不安定感和印象派美學的「瞬間性」、「改變性」是相通的。不安定和變動會改變人對生命的態度，印象派的藝術是一種被動的、旁觀者式的，對現實生活的積極面和嚴肅主題逃避的結果，我們可以明顯發現印象派藝術的主題和內容，壓縮到只剩下人物、靜物、風景三者，表現上也訴諸於個人感官的主觀經驗，視覺的色、光效果是藝術的最終目標，除了個人風格，以前的藝術曾有的想像力、人道關懷；對歷史的、文學的、生命的觀點，印象派的藝術都是冷漠而且迴避的，因此用「美學的享樂主義」來形容印象派，從人文的立場來看似乎相當貼切。印象派僅止於表現視覺所見的具體事物，所以也讓一般人最容易「看得懂」，這或許和印象派在臺灣特別受關注有些關連吧？

圖 38 高更《伊亞・拉那・瑪利亞，1891。紐約，大都會博物館　　圖 39 塞尚《蘋果籃靜物畫》，1894。芝加哥，藝術學院　　圖 40 梵谷《星夜》1910，紐約，現代美術館

但是從另一個角度來看，印象派在人文價值方面，還是具有獨特的意義，藝術家個人風格的受推崇，和個人的自由以及社會地位的重大改變，有很密切的相關，在歷史上，人類從來不曾據有這麼獨立的地位，可以完全依照自己的

意識去表現真實的世界，藝術也擺脫了所有的規範和威權的限制，藝術只要表現藝術本身就夠了。這種個人的自由和獨立的價值獲得確定，由印象派的藝術表現得到驗證，也使人文精神得以增添更豐富的內涵，持續影響人類的社會、文化發展和生活的各種層面。

　　在二十世紀來臨的時候，印象派的風潮席捲一切，但值得特別一提的是同時存在，卻沒有受特別重視的「象徵主義」，除了莫侯（Gustave Moreau）和魯東（Odilon Redon）以外，常被列為表現主義的克林姆（Gustav Klimt）、孟克（Edvard Munch）也是具有象徵主義風格的畫家。象徵主義的主要特色，就是在表現上強調個人想像的重要性，而不願完全受限於視覺的感官經驗，這種帶著幻想、情感暗示的表現，著重於內心和精神面的活動，和印象派有非常明顯的表現差異。從人文的立場來看，這種現象印證了個人和藝術家的獨立、自由，也讓我們得到了另一個啟示，那就是現代藝術的另一項本質：藝術是沒有單一的確定規範或標準答案的，人的自由造就了藝術多元發展的可能，也確定了創造力在藝術表現上的價值，在十九世紀以前，這些現象和價值觀幾乎是不存在的。

圖 41 克林姆《接吻》，1908。維也納，　　圖 42 孟克《吶喊》，1893。
　　　奧地利美術館　　　　　　　　　　　　　奧斯陸國立美術館，挪威

（二）二十世紀初的藝術

　　所謂「二十世紀初的藝術」，並不是一個藝術派別或時期的確定名稱，這裡所指的是在理念上反印象派，技巧和風格的演變卻受印象派影響的藝術活動，主要的就是野獸派、表現主義、立體派和未來派等，有些藝術史將它們都歸為現代主義的一部分，本書則基於人文精神的詮釋和藝術哲學方面的差異，採取分別敘述的方式來處理。

　　野獸派是以馬蒂斯（Henri Matisse）為首的一群藝術家，但是並沒有正式的組織或共同的審美觀，只因為這些畫家大多在色彩的運用方面，不再承襲印象派的視覺效果，偏好採用強烈、鮮豔的誇張色彩，這種比較尖銳、不自然的色彩運用，是這群畫家個人風格以外的共通點，也因此而被評論者以「野獸派」為名，歸列成一個團體。

　　表現主義是一個在一次世界大戰時達到巔峰的文學、藝術反叛運動，活動的重心和特質都是以德國為主，康丁斯基（Vassily Kandinsky）和貝克史丹（Max Pechstein）是主要團體的代表人物。表現主義特別強調內心體驗的重要性，這種注重內心情感世界和精神狀態的表現，色彩就不是自然主義而是心理的顏色，筆觸和形體的輪廓也經常是變體的表現，這和印象派只注重知覺感官和外在世界的觀念，形成非常明顯的對立。也因為藝術要專注於內心世界，堅持內在的視野而輕視技巧形式的表現，很多表現主義的藝術家跨界從事繪畫、文學、音樂、戲劇等的創作，表現主義的定義也因而籠統不清，在藝術上的表現呈現出非常多樣的風貌。也有史學家就將孟克（Edvard Munch）、克利（Paul Klee）、克林姆（Gustav Klimt）、席勒（Egon Schiele），甚至畢卡索（Pablo Picasso）等人也都列為表現主義畫家。除了表現主義本身風格和理念的多樣走向，有些藝術家因為創作方向的追求，並沒有一直停留在表現主義的風格和創作理念，例如康丁斯基後來轉向抽象表現、孟克遊走於象徵主義和表現主義之間、畢卡索更是無法定義屬於哪一個單一畫派，這些都是明顯的例子，也使得表現主義的定義更為模糊，但也因為這種前衛的姿態而長遠發揮影響力，這種帶著詩意追求精神狀態的特質，很自然的容易和各種新的藝術思潮結合，而或隱或現的呈現於當代藝術的各種創作型態。

圖 43 馬諦斯《生之喜悅》，1906。　　　　圖 44 席勒《死亡與女人》，1915。
梅里恩.巴恩斯基金會，美國賓州　　　　　　維也納奧地利畫廊

　　立體派最早是由畢卡索和布拉克（Georges Braque）共同發起推展，主要的特徵就是將物像的形體歸納簡化，同時採用多視點合併來呈現物象，突破印象派以單一視點觀察景物的傳統方式，對物體的觀察著重在形狀的結構和分析，並不將重點放在色彩方面。立體派將物體的形狀簡化為幾何形體，並將不同視點的形體並置在同一平面上，藉此表現內心視野與視覺經驗複合性的「立體」世界。

　　未來派是西元一九〇九年馬利內提（F.T.Marinetti）自己出版宣言而成立，著重於呈現動態的環境意象，所以有很多在平面上表現時間歷程的手法，使畫面具有流動、多變而錯綜重疊的感覺。未來派和立體派彼此認同並互相影響，有些論者就認為兩者是抽象藝術的前驅。

圖 45 畢卡索《三個樂師》1921。　　　圖 46 杜象《下樓梯的女人 No.2》
　　費城美術館　　　　　　　　　　　　　1912。費城美術館

　　二十世紀初的藝術有著相當繁複多變的樣貌，但是比較值得我們重視的，卻是這些變化和發展，幾乎都源自於對印象派的批判，無論是出於自覺或不自覺，藝術對自身的批判精神成為創造力的源頭，人文精神強調的個人主義和自由精神，明顯的和藝術的表現互為因果，也因此成就了個人風格和藝術形式的多樣發展。

（三）現代主義

　　「現代主義」並不是某一個畫派的名稱，也不是一種共同的觀念或表現形式，一般在界定現代主義的重要指標「現代性」，指涉的是以人的獨立自決權力為主體的個人主義，對應資本主義政治、經濟、文化和整個社會制度時，在思考、行為模式和生活方式上所衍生的基本原則和態度，因此現代主義很難有明確的定義和範圍。現代社會的個人主體性和整體社會的互動關係，是影響現代主義發展的重要因素，也是現代人文主義關注的焦點，本書依據這樣的觀點，將現代主義藝術的討論範圍，界定由達達主義開始。

　　「達達」是個偶然採用而且沒有特殊意義的名稱，一般都以文明發展卻帶來戰爭的時代背景，將達達主義視為是因為對戰爭破壞和文明發展的絕望，因而引發的對藝術的破壞行動，但是達達對現代藝術所產生的重大影響，甚至密

切關連到「後現代」藝術的發展，卻可說是二十世紀最重要的藝術運動之一。

達達反傳統、反制度的「反美學」行動，見諸於藝術形式上的特徵，就是採用現成物或相片、實物的拼貼（Collage），面對這種懷疑、否定藝術傳統的表現，傳統的形式分析是根本無能為力的，也難以理解達達的主要價值和影響。

在達達以前的藝術創作內涵和思考，一向源自歷史的文明經驗、知識的傳統，以及理念和形式的遺產，而達達主義承續了表現主義注重內在思維的精神，關注的是和生命直接相關的事實，以及人類存在的各種相關問題，並進而懷疑外在的形式化事物，是否真的能表達人類真實的內在思想（高宣揚）。這種觀念和形式主義（Formalism）從此形成了深沉的對立，而這項並存的對立成為二十世紀最重要的藝術論題，也使得現代藝術的詮釋，增添了更多的複雜性和難度。

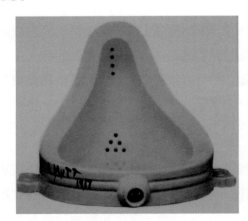 

圖 47 杜象《噴泉》1917。　　　　圖 48 曼·雷《禮物》1921。
　　印第安那大學美術館。　　　　　　（複製品）芝加哥，紐曼夫婦

抽象藝術源自表現主義和立體主義的影響，主要的特徵就是不呈現具體的形象，也捨棄了圖像的象徵功能，完全以視覺的元素：線條、色彩、色調及結構作為表現的形式，在理念上的本意也是要捨棄事物的外觀，追求人類精神上的本體和事物不變的特質，但這項特徵也常引發藝術詮釋的誤解，將「抽象」的概念和「抽象藝術」混為一談，誤以為沒有具體形象描繪的就是抽象藝術，其實並沒有真正理解抽象藝術的精神和理念。抽象藝術追求內在本質表現的方

法，有很多就採取直覺的自動化技巧，這樣的發展內容和方向，逐漸趨向於追求純粹的形式，也和達達的反形式主義完全背道而馳。

　　抽象藝術發展出相當份量的觀念論述，藉以支撐這種藝術形式的合理性和地位，企圖以純粹的形式表現最直接的內在知覺和美感。抽象形式的出現和發展，無論就藝術的視覺經驗或表現形式來說，具有藝術史上前所未見的獨特性，或許可以認定是人類在藝術形式發展上，創造力最強發揮的表現，但令人覺得相當意外的結果，卻是抽象藝術似乎成了形式主義的最後堡壘，在藝術史和藝術價值方面留下的地位相當孤立，對當代藝術現象的發展或引導，似乎並沒有非常明顯而可確認的影響。

　　抽象藝術或許沒有留下極致的歷史地位，最重要的影響反而呈現在視覺設計方面，現代工業設計和商業設計、視覺傳播設計的發展，受惠於抽象藝術最多也最深遠，甚至可以說抽象藝術是形塑當代視覺文化的原動力，影響遍及日常生活的各種層面。抽象藝術對形式和純粹性的追求，原本完全遠離世俗的真實生活，但在純粹藝術方面並沒有持續性的成功和發展，反而是在原來逃避的現實生活面，留下非常豐富的成就和影響，各種服飾的紋樣、商品包裝設計的圖案、視覺傳達設計的符號等，幾乎隨處可見抽象符號的應用，藝術的無限可能和不可預料，在這裡又留下一個值得玩味的例證。

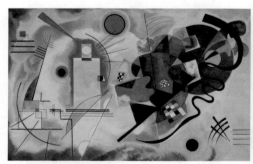

圖 49 康丁斯基《黃、紅、藍》，1925。　圖 50 帕洛克《一》（第 31 號）1947。
巴黎龐畢度中心　　　　　　　　　　　紐約現代美術館

　　一般人如果用印象派的鑑賞經驗來面對抽象藝術，往往會遭遇很大的困惑，因為印象派重現自然景象的表現，和人類的視覺經驗是可以比對的，但抽

象藝術所追求的「內在本質」，源頭來自個人主義的獨立和自由，基本上可以說是創作者內心的自說自話，也等於完全無視欣賞者的存在，這或許也是抽象藝術陷入孤立困境的主因，所以一般人在欣賞抽象藝術的時候，除了了解它的理念和背景，也只能以直觀的感受去體驗，而沒有必要去探尋意義的解釋，至於是不是能獲得感動，那也是欣賞者自己個人的事了。

超現實主義在理念上深受達達的影響，但是在質疑和反對傳統藝術的背景下，引用佛洛伊德（Sigmund Freud, 1856-1939）的精神分析學說，從人類的潛意識找到藝術表現的出路，幻想的、非現實經驗的情境，以及和抽象主義相同的「自動性表現」，也成為超現實的特徵。

超現實主義對幻想性、神祕性和潛意識的注重，開拓了藝術表現的寬闊視野，除了超脫現實的神祕趣味性，也提供了另一種文化觀照和思考方式，超現實主義和抽象主義的基本理念，認為每一個人都可以是藝術家，只要因內在的驅使而真實表現內心世界，無論是出於意識或無意識，都可以視為是藝術的表現，這不但促成了「原生藝術」（Art Brut）的受重視（洪米貞，2000），也間接對當代藝術的「公眾參與」有啟發性的影響。

圖 51 達利《煮熟的四季豆的柔軟構造：
　　　內戰的預告》1936。費城美術館

圖 52 夏卡爾《農莊與我》1923。
　　　費城美術館

現代藝術一百多年間的發展，內容的繁複多樣和藝術上的成就，遠超過之前人類文明史上的任何時期，但是對一般人來說，卻可能覺得最複雜、最不容易理解。現代藝術令人難解的主要因素之一，來自於它本身最主要的特徵—「純粹性」，強調藝術的純粹性—「為藝術而藝術」的結果，藝術成為只是一系列「形式」的發明，與同時代的文化、社會、政治等完全不相關連，也因此強調藝術詮釋的絕對權威就是藝術本身，藝術家強調自己創作的獨立性，對作品的是否可理解，或是否必須具傳達、溝通的可能性或目的，完全不在意也沒必要承擔責任，對純粹的現代主義者而言，欣賞者的地位幾乎從來不被考慮。

但藝術具有追求創新的本質而自然會自我批判，對現代主義純粹形式的自省和反思的叛逆，引發六○年代發生於美國的「普普藝術」活動，承襲「達達」反美學秩序的精神，但卻將這種挑戰納入既有權威的秩序中，企圖呈現日常生活事物的意義和價值，想要將藝術回歸到尋常的世俗生活，所以實際抄寫各種生活器物和招牌、廣告、漫畫等，或甚至把實物搬出來擺置、堆放，強迫觀眾用另一種眼光正視生活周遭的事物。普普藝術活動的時間並不長，在藝術史上也許沒有顯著的地位，但它代表的是藝術觀念對立形勢的持續，對當代藝術理念的發展有啟發性的影響，從藝術哲學和人文精神來看，具有相當特殊而且重要的意義。

圖 53 安迪．沃荷《210 個可口可樂瓶》
1962

圖 54 克來斯．歐登柏格《盤裝食物》
1962

　　現代主義對形式的極致追求，一方面使得藝術的詮釋完全落入專業化的形式分析，一般人想要理解形式的價值，多半都會遭遇到專業知能不足的困擾，有些欣賞者若企圖要從形式中尋求涵義，也多半會陷入「強作解人」的困境，因為「菩提本無樹、明鏡亦非台」，純粹的形式本身就是目的，根本就沒有意圖承載其他的訊息和意義，這是現代藝術脫離世俗真實生活所帶來的窘境。

　　另一方面，現代藝術以發明新的形式為最終目的，也引發了藝術形式本身的模糊和變遷，各種媒材的廣泛引用和技術的發展，拼貼、實物、自然環境、數位影像，甚至包括身體、行為等都成了藝術的媒材，「美術」這個名詞也逐漸被「視覺藝術」所取代，從語意學來探究，這不只是字面上的替換，而是代表藝術本身的質變，也等於由此種下了所謂「藝術終結」的種子。

　　從人文主義的精神來看現代藝術，藝術的純粹性源自個人主義的覺醒和自由主義的盛行，早自印象派追求風格的建立開始，就因為個人地位的獨立性，反對一致的美感標準和表現方式，因而崇尚個人風格的地位和價值，從此引發了一系列形式追求的發展，「形式」成了藝術本身的目的，無視於周遭社會和欣賞者也就不足為奇了。

　　但值得我們特別注意的是，這種由人文主義引發，結果卻違反了人文精神的情況，並不是那麼絕對的現象，例如達達對藝術本質的自省和批判、超現實主義對內心世界的重視、普普藝術對世俗生活的關注和執著，都對純粹的形式有反對的意圖，前面提及從達達開始的形式和反形式的對立，是由人文的自由思想和批判性而來，人文和藝術的關連性也在此再次得到印證。另外一個對現代主義純粹形式反思的例子，則是藝術家將純粹形式的作品結合於生活情境，讓作品具有可以實際接觸和互動的功能，例如野口 勇和堀內 紀子的作品，利用「可使用性」來取消形式的純粹性，也是意圖從現代主義的「出世」轉向「入世」的另類嘗試。

圖 55 野口 勇《遊戲雕塑》，1992。
北海道，札幌 moere 沼公園

圖 56 堀內 紀子《網結之城》，
1981。箱根，雕刻之森美術館

　　本書對現代藝術的各種流派，採取比較簡約的派別歸類方式，對於一般
人認識現代藝術的需求來說，應該是比較方便的途徑。就以封答那（Lucio
Fontana）的作品為例子，由於他在創作理念上所發表的宣言，而被某些論者歸
類為空間派（Spaceism），但是這種細微繁複的派別分類方式，對於一般人而
言究竟是有助於理解現代藝術，或是造成認知上的負擔和困惑，仍有相當大的
探討空間。

圖 57 封答那《空間概念
MT364》1961。
倉敷大原現代美術館

圖 58 亨利.摩爾《兩個斜躺的人像》，1959。
箱根雕刻之森美術館

　　如果參考本書對現代藝術的詮釋概念，將封答那的作品歸為廣義的現代主
義，其實就可以把這些對空間的表現和追求，視為是一種形式上的尋求和突
破，單色的畫面和刀切的裂口，是繪畫從來沒有出現過的表現形式，形式創新

的追求是現代主義的最高目的，可以從這個現象得到印證，而這件作品的評價
和地位也可以藉此確定，除此之外並沒有其他的意涵，尤其是對人的生活和社
會現象，或是創作者的情感、經驗並沒有什麼關連性，試圖作這方面的解讀其
實是不必要的。至於美感形式方面的分析，也很不容易呈現什麼明確的意義。
當然，從世俗的藝術欣賞立場而言，一般的欣賞者或許可能因為單純的強烈色
彩和刀痕而感動，也可能因為個人經驗而有獨特的感受，甚至或許會因為潛意
識或各種可能的因素而有特殊的啟發，這些多樣的可能性就是親近藝術的樂趣
之一，這種很個人化的收穫和心得，多半不一定要仰賴專家的專業解讀，當然
也不能成為藝術詮釋的單一標準答案。

　　另一方面，現代藝術對形式的追求和發展，在人文方面最重要的特殊意
義，就是「創造性」和「批判性」的價值，明確的在藝術表現上被確定，印象
派尋求個人的風格，憑藉的只是一種技術面的探求，但是現代主義對發明形式
的追求，卻不可以忽略它心理活動的價值，對藝術的既有成就和權威的批判，
強調創造的自由精神，使藝術不再遵循偉大但可能僵化的典範，也不再承襲高
超的技術而產生價值，反而必須去顛覆或超越既有的成就，藝術的本質和定義
也因此有了新的內涵，這是形式追求所衍生出來的重要價值。如果忽略了這一
點，卻只是從形式分析去肯定形式的價值，恐怕是一種因果關係的混淆，在藝
術意義詮釋的途徑和方法上，或許也是一種本末不分的疏忽。

　　想替藝術的純粹性提出辯護或許難免，然而從現代藝術的發展來分析，藝
術實際上很難「純粹」，向來脫離不了現實生活和科技文明的影響：光學理論
和色彩學影響印象派；世界大戰引發了達達主義的旋風；相對論給立體派和幾
何表現有所啟發；工業技術影響了未來派、結構主義（Constructivism）和包浩
斯（Bauhaus）的發展；佛洛伊德的精神分析和超現實主義有所關連；心理分
析學和抽象表現關係密切；無論前述的這些說法是否絕對明確，或是我們可以
經由別的理論系統，確定藝術的形式另有它專業領域的意義和價值，但藝術如
果完全脫離人類的真實生活，卻又要在人類文明中占有崇高的地位，恐怕是令
人難以想像的矛盾情況。

　　即使以最保守的立場來看，現代藝術的發展面對「後現代」現象的衝擊，

以及歐陸哲學的普遍受重視和影響，純粹的形式主義在當代藝術中的地位，確實是明顯的沒落了。這種說法並不是一種價值判斷的陳述，只因為當我們以歷史的眼光來審視，自然會發現藝術的意義和評價，確實不能忽略時代性的定位和差異，而歷史從來不曾走回頭路，藝術的形式和內涵正面臨質變，也將是一個難以挽回的趨勢。

現代藝術的欣賞和詮釋，必須面對複雜的多樣性和對立的觀念，或許有較多的難點，但如果以前面各個藝術現象的理念分析為基礎，並秉持尊重的態度和開放的心靈，只要掌握藝術品創作的背景資料，就能夠掌握各種形式的意義性，至於是否能夠體驗到美感或任何感動，其實可以取決於欣賞者的主觀感受，未必一定要仰賴專家的論說和答案，自己累積一些背景知識和足夠的視覺經驗，也能夠作出自己的解讀，要理解現代藝術其實未必真的很困難。

短短一百多年的現代藝術時期，中國因為頻繁的戰亂而顯得停滯，但因為年代較近而有比較多的資料可參考。留學歐洲的徐悲鴻，引進西洋繪畫的技術和觀念，並將寫生、透視的技術介入水墨畫。至於水墨畫除了齊白石承襲文人畫風的表現，也有一些嘗試創新表現的水墨畫家，如潘天壽、錢松喦、李可染、林風眠、吳冠中等，如果要以現代主義為主來理解中國藝術家的表現，陳英德所著的《海外看大陸藝術》（1987。台北，藝術家出版），是 1949 到 1980 年代為止，中國藝術現象資料非常豐富的專書。

台灣的現代藝術發展，隨著馬關條約的日治時期展開，從 20 世紀開始邁入現代藝術，大多數人耳熟能詳的前輩藝術家，從帝展、台展的舞台投入新時代的藝術創作。全新的藝術表現形式和技巧的追尋，竟然讓本土藝術的民族意識，和外來殖民政治威權的衝突消弭於無形，這又是藝術的本質有無限可能和想像空間的例子，也讓台灣現代藝術的解讀平添糾結和複雜性。所謂「台灣新美術運動」的藝術家，從雕刻家黃土水到第一個留日的劉錦堂，倪蔣懷、陳澄波、陳植棋、顏水龍，之後昭和年代的陳進、郭柏川、廖繼春、李梅樹、陳慧坤、楊三郎、劉啟祥等，包括水彩的藍蔭鼎、膠彩的郭雪湖和水墨的林玉山，台灣 20 世紀上半的藝術家可謂人才輩出，從「赤島社」到「台陽美術協會」，台灣的現代藝術從作品到人物到活動，再到戰後意識形態與藝術觀念的衝突，

其實是極其豐富也極為難得的視覺藝術欣賞教材，尤其是近年來史料的整理愈見完整，教學者只要具備基本素養和觀念，台灣的藝術欣賞教學其實有非常開闊的天地。

六、回歸世俗生活與跨域連結－當代藝術

當代藝術意指當下就在我們身邊發生的藝術現象，在討論的時候很自然的會面對兩個難題，一個是在時間上和現代藝術互相交錯，不容易依年代作出很明確的劃分，有些藝術的表現形態和觀念，也是模糊地遊移兩者之間難以定位，另一個難點是正在試驗、發展、演變中的藝術現象，並沒有一致的明確派別和共同理念，因此，只能以個別的藝術表現作為討論的對象，而不適合用概括式的論述，試圖描述當代藝術的共同面貌。但是本書將現代藝術和當代藝術作了區隔，當然必須提出兩者的差異性和判斷依據，也希望這些說明的觀念和內容，能協助一般人建構理解當代藝術的途徑，同時藉此驗證「國民美學」藝術教育的可能性。

首先必須要釐清的觀念，就是「當代」所指稱的並不是時間的區別，而是藝術哲學和藝術表現上的差異性，以時間點來說，目前在我們身邊的各種藝術表現樣貌，其實有很多都還是屬於現代主義的理念和風格，就臺灣的現況來看，甚至還有相當的比例，仍然傾向於追求自然主義或印象派的風格表現，因此如果要探討當代藝術，或許以反現代主義的「後現代」藝術為代表，比較容易理解兩者的差別。

相對於現代主義注重藝術的純粹性，只強調為藝術而藝術的「出世」性格；後現代藝術受歐陸哲學的影響，則有明顯的「入世」理念，特別重視追求藝術在世俗生活中的意義；現代主義投入並受制於資本主義社會的商業科層體制（Suzi Gablik，滕立平譯，1991），後現代藝術則有對抗市場價值，企圖回歸藝術家自由、獨立創作的理想；現代主義尊崇形式的地位和藝術的可定義性，後現代藝術意圖超越形式，追求絕對的自由，回歸藝術的「遊戲性」、「不確定性」與「自我再生產性」的應有特質（陸蓉之，2003），這些差異也使得藝術的評價，從作品形式上轉移到藝術哲學的整合上，因而使兩者漸行漸遠沒有

交集，形成所謂「藝術的歷史斷裂」。

從人文主義的精神來看當代藝術，「後現代」並不能僅只視為是承襲「達達」的反叛行動，而忽略了另一面向的積極意義，例如後現代促成了多元文化主義的興起，原來被視為邊陲的各個國家和地區的文化，逐漸有了以本身文化為主體的覺醒，雖然距離文化間完全平等對待還有些距離，但是對整體人類而言，這已經是跨出了前所未有的一步了。另一方面，後現代的強烈批判性，也讓當代藝術逐漸跨越達達以來的消極反叛，而有了「後現代之後」的藝術探索和展現，當代藝術的反省，開始深切的介入人類生活的各個層面。和每個人的生活有重大關連的各種議題，當代藝術都有積極性的關注和展現，而世俗生活和個人私密的內心感受、經驗，只要個人具有呈現的意願和需求，在當代藝術寬闊的世界中，也都保有獨特的表現空間。

上述當代藝術對個人和群體生活的關切程度，使藝術和人文精神的關連，呈現比以前更深刻的緊密性，而藝術的題材和處理的內容，也進入一種前所未有的開闊狀態，可以說這是藝術歷史最重要的分界點，詮釋當代藝術的途徑，也應該可以就此作為起點。而這個由人文精神詮釋而來的起點，也可以解決由後現代所引起的一項爭議：「藝術究竟是否需要具有使命和目的？」，而 Suzi Gablik 就反對以風格和形式的變遷來敘述藝術史，而強調藝術的目的有特殊的重要性，主張以藝術的功能來敘述藝術的歷史（滕立平譯，1991）。

當代藝術的表現相當重視觀念的呈現，內容也常以介入議題的意義性為重心，因此詮釋當代藝術的基本途徑，可以嘗試先由相關的「文本」入手，如創作論述、展覽或創作主題等（在一般情況下，傳統的形式分析多半是無效的方式），對藝術的主題和表現意圖，作出一些深刻的思考和假設，或許就可以對表現的意義和主題有初步的判斷，再以這個判斷的幾種可能為基礎，分析藝術表現的豐富性和價值，並回頭檢視這項藝術所採用的技巧和形式，相對於表現的意圖而言是否合宜或高明。經由這樣的程序，面對當代藝術時，或許就不會被光怪陸離的形式所眩惑了。

其次，藝術在形式上有它獨特的本質，良好的藝術表現大多具有隱喻性和多層意象，而不是以高度的說明性作直接表述，當代藝術的題材和內容又空前

的廣泛浩瀚，而且多半不是以呈現可見的視覺表象為目的，所以針對當代藝術的內容加以分析歸納，或許對掌握欣賞的方向會有幫助，個人認為當代藝術題材的性質，可以概略劃分為兩大主軸：

（一）尋求藝術的定義或意義性

當代藝術哲學對藝術定義和本質的探討，使藝術創作對這個題材呈現前所未有的關注和興趣，這方面的表現包括藝術的形式、性質、功能和價值的探討、質疑，也涉及創作者、評論家和一般觀眾的角色、地位的省思，以及互動方式的思考和檢討等，這一種類型的表現有較多的專業色彩，用藝術手法來探討藝術本身的課題，有時並不會涉及世俗生活經驗，因此要理解這種藝術表現，多半必須具備比較多的藝術專業知識或經驗，一般人要作出詮釋也相對的有比較高的難度。

達達和超現實是後現代藝術的源頭，馬格利特（Rene Magritte）的《這不是一根菸斗》，在一根寫實描繪的煙斗下面，配上一行「這不是一根煙斗」的文字，如果不去注意他在事物、名詞、意象之間的觀念和認知關係所呈現的思考，卻要從美感形式上去分析繪畫的色彩、光影、肌理等表現，這在藝術意義詮釋上的失誤可能就太大了。以前面所提的「藝術定義的探尋」為方向，就會發現這件作品拋出了一些問題，例如：「如果這不是煙斗，那又會是什麼？」是繪畫嗎？或就是藝術嗎？視覺所見的圖像等不等於「藝術」？這一類的問題可以繼續延伸和辯證，我們對藝術的認知和觀念也會受到衝擊，引發新的思考和表現，這件作品的意義也因此而定位。

圖 59 馬格利特 《圖象的背叛》（這不是一根煙斗）1929

　　再如本書圖47杜象的《噴泉》也是一個同類型的例子，有些論者從形式分析入手，將《噴泉》定位為「開創了以現成物表現的形式」，或是只著重在杜象反傳統藝術觀念的意識，輕率以「叛逆」、「破壞」作成詮釋，事實上這件作品已經成為藝術史的文件，開啟經由「藝術品的條件」來探討藝術定義的論辯，對藝術的形式、內容和意義所提出的質疑，引發了當代藝術觀念的省思、批判和變革，這也是它產生深遠影響和備受重視的主因。

　　吳梓寧的《家庭代工》用報紙分類廣告、應徵過程的電話錄音、代工製作的物件和文本等現場裝置，配合藝術家在現場製作的行為展示，是一項沒有留下傳統作品實體的「作品」，藉由展出現場的文本，呈現「藝術創作是一種消費行為或是生產行為？」的問題，也藉此批判藝術家和女工這兩種身分，在社會階級地位方面的刻板化價值觀，這兩種工作在真實的世俗社會裡，誰才是真正具有實質的生產力和貢獻？而「代工」這個題材，也暗示性的對當前藝術的「策展」方式提出質疑，當藝術家創作的自由和獨立性，必須受限於策展論述時，創作者會不會只是策展人的代工而已？這些對藝術家的地位和創作行為所拋出的問題，若歸類在「藝術的定義和意義性」探討，要理解這件作品的表現內容，並引發一些思考和辨證，欣賞當代藝術或許就比較容易，也更具深刻的趣味性了。

圖60 吳梓寧　《家庭代工》展出實景（空間裝置，影音，行動） 2002

就以上的案例來思考，探討藝術意義的當代視覺藝術欣賞，對於藝術觀念的建構和思辨，具有培養哲學思維基礎的功能，應該是一項不可或缺的藝術學習方式。

（二）各種特定議題的介入、提問、詮釋與價值澄清

由於當代社會人際關係的更形緊密，以及生活上互動影響的深切，當代藝術特殊的「入世」性格，使藝術對人類生活相關的各種議題，呈現許多獨特的關注和表現方式，舉凡政治、權力、社會階級、性別、族群、生態、自然保育、科技、網路、甚至於世俗生活、人際關係、消費行為等，當代藝術都會從各種不同角度切入，呈現出非常多樣化的省思和詮釋，這也是人文和藝術前所未有的整合狀態。本書第三章所列舉的當代藝術參考性十一項連結議題可做參考。

當代藝術在題材上的這兩大方向，內容雖然都相當繁複多樣，但基本上的差異卻非常明顯，另外，相對於目前為數仍然不少的現代主義創作者，或更保守的藝術表現形式，這兩項主軸也可以成為判斷和區別的基準。

以下列舉的藝術表現探討範例，並不是一種價值判斷的選擇，也不一定具備足夠的代表性，只是以圖例取用的方便性，以及討論上比較容易理解的取樣而已，主要是希望可以提供解讀當代藝術的參考，完全沒有評價臺灣當代藝術的意圖。

以攝影創作為主的雷斯‧克林姆斯（Les Krims 1943-）一向貶損女性主義運動，《一位耙子的修正復原者》這件作品在女性的人體上，貼上和周遭牆壁、器物同樣的圖案標誌，更將女人和掃把、耙子等物件並列，這麼明顯的對女性貶損和物化的表現，是一種以性別為議題的藝術呈現方式。我們不一定會同意作者物化女性的歧視觀點，但是如果從臺灣目前的媒體廣告，以及社會文化背景來省思，極度過分的強調女性的身材和外貌，各種瘦身、美白和整形的廣告與市場商機無限，完全忽略了女性的能力、誠懇、毅力、認真、善良等價值，當我們面對這件作品的時候，如果不會感受到價值觀扭曲的震撼和引發深思，那就表示臺灣的人文教育真的必須深入檢討了。當代藝術對各種和人有關的議題所呈現的關注，遠超過對形式和美感的關心，這也是前面所提到的當代藝術的「入世精神」，以及藝術本質的變異。

圖 61 雷斯 . 克林姆斯《一位耙　圖 62 盧明德等《潮間帶藝術偵測站》2005
　　　子的修正復原者》 1982

　　盧明德等的《潮間帶藝術偵測站 2005 聯展》，這項規模不小的展覽共有
三個主題：「反演化偵測」、「生態向性偵測」、「歐亞板塊偵測」，結合八
位臺灣的藝術家和四位來自英國的藝術家，以及兩位臺灣的生態、地質專家學
者，共同呈現跨學科、跨文化合作的藝術展演。以「潮間帶」為名，除了突顯
這項展覽關注自然生態的主題以外，似乎也藉潮間帶潮起潮落的水陸交會和多
元生態，隱喻藝術隨著當代思潮而多元演化，並和各種不同領域之間有更多跨
界互動的趨勢。

　　從當代藝術的議題呈現作為切入點，這項展覽在演化和自然生態的各項
主題，展現了藝術家的獨特觀點和關懷，只要掌握了議題的方向和內容，一般
人應該不難理解並作出個人的詮釋，也可以從展覽內容的多元和差異，體會當
代藝術表現手法和內容的多樣化，對於當代藝術不以技巧和形式為主體的呈現
方式，或許就不再覺得那麼玄奧莫測了。再從藝術的本質方面來看這項展覽，
對當代藝術在「後現代現象之後」，試圖探尋藝術的新定義和論述的嘗試，並
不難體會這項展覽所作的一些提示和驗證，從藝術對真實生活環境的關懷，到
跨越不同知識領域的統整嘗試，以及人文精神在當代藝術的解讀功能，都是這
項展覽的重要訊息和試探。

　　吳梓寧的《虛境公民》是網路的 3D 影像作品，網路是一個虛擬的世界，
但是在臺灣及世界上大多數地區的多數人而言，虛擬的網路卻深深的影響人的
真實生活，每個人的工作、生活、消費、交友、休閒…，都和網路有不同程度

的緊密關連，這件作品以 3D 視覺影像的網路城市、自然環境，以及七個造形有隱喻特徵的「公民」，探討人在網路世界裡的角色和互動關係，人的容貌、性別和社經地位等的識別功能，在網路中反而是虛化而不可辨識的，而存在於虛境網路中的公民，卻仍會呈現人類本性的不同特徵而互相影響，真實生活和虛擬網路的虛實交錯之間，有太多的問題需要人去思考和面對，這件作品的議題相當清楚而沒有隱晦性，但作者並沒有提出任何特定的見解或提示，留給觀賞者思考和想像的議題內容，卻因為每一個欣賞者的個性、生活經驗、價值觀等各種差異，而使感受和詮釋的空間相當開闊，可以產生非常個別化的多樣可能性。

圖 63 吳梓寧《虛境公民》3D 影像
2005

圖 64《虛境公民 -2: 網路靈魂銀行》
網路軟體 2006

　　這件作品另外有一個特色，就是作品雖然在美術館展出，但作者卻聲明他真正的作品是存在網站裡面，理由是探討網路的東西就應該存在於網路中，這項堅持和呈現的方式其實有不同層面的意義：一方面是觀賞者經由上網的互動，可以落實網路真正的功能性和意義，避免作品僅止於成為展場中的實體形式，另一方面也經由作品中設計的網路軟體，讓觀眾能夠和虛擬的人物在網站上對談，藉此凸顯藝術家所提出的議題：「人的經驗、情感、思想和記憶，如果可以數位化儲存在電腦網路中，而永遠能讓別人存取、下載，並可以完成有效的溝通，那是不是一種生命或靈魂的永續存在？」這個議題對人類未來的生活和生命形態，提出了相當具趣味性的假設和提問，也深刻的觸及生命哲學的生、死反思議題，在藝術主題的意義性方面相當豐富。

　　另一方面，強調將作品在網路中展出，也是對藝術權力機制的對抗，美術館和畫廊等展覽場所，擁有的權力運作、審查、評論的機制等，對藝術創作的獨立性和自由都是一種限制，在網站上創作和展出則呈現了對權力機制的批判，這方面是對藝術的定義和形式的探討。

　　從人文的立場來看這件作品，這種對科技對人類生活形成切身影響的關心，可列為當代藝術評價的重要指標，尤其是從科技和當代藝術的關連性來看，目前有相當比例的藝術表現方式，只是以科技的眩目和新奇為工具，只有科技的技術、形式或視覺效果，至於表現的內容和意義性，卻和科技對生活影響的人文省思沒有關連，如果以《虛境公民》為例，或許「科技藝術」、「數位藝術」的定義和評價，又另外會有很大的探討空間了。

　　從上述藝術型態定義探討的延伸，「策展」也是當代藝術現象的熱門話題，但也同樣是含混與可能被濫用的新名詞，Curation 和 Curating 的意含和概念有所差異，中文卻同樣使用「策展」一詞，「常見很多的所謂策展其實都只是編輯工作，以為「提供觀點」的行為就是策展，但實際上策展是多面向、立體化，包含時間、空間、人的展覽製作，具有以想像力對既有當下社會進行批判、反思、再詮釋，並生產新感性、新知識或新文化的意涵」（呂佩怡，2013）。也因為名詞的混淆與濫用，大肆鼓吹小學生「策展學習」並展出「成果」，這不但沒有徹底瞭解「策展」的專業和意義，也忽略小學生認知發展心理階段的特徵，只能說「藝術教育學」的專業性，以及當代藝術教育的觀念，似乎都還沒有真正介入當下的教育現場。2009 年台中國美館的大型國際藝術展覽的策展，或許可以提供省思的參考。

　　《急凍醫世代—醫療與科技藝術國際展》，邀請二十多位歐、美、日本的藝術家，連同國內藝術家的大型國際性展覽，以各種身體、醫療、科技相關的藝術表現，引領觀賞者思考生命自主與醫療霸權議題、身體調控與失能、醫療科技與賽伯格、AI 智能與人類心智，甚至網路科技與生命型態的反思等，留給觀者感受和思考的多樣可能，豐富性應該是遠超過策展論述的鋪陳，也是前述多面向、再生產、再創造的策展精神體現。

圖 65《醫療與科技藝術國際展》台中國立美術館 2009。策展人：吳梓寧、簡上閔

　　從前面對當代藝術意含的探討，可能會引起相當多人的疑慮，因為面對當前臺灣的實際藝術現象，以傳統媒材、技巧、形式為主的藝術表現，所占的比例仍然非常高，我們難道可以把這些藝術都貶抑為落伍，都評定為是不入流的偽劣藝術嗎？以下是對這種質疑幾個不同層面的觀點：

（一）藝術其實具有無限的可能和包容性，以傳統媒材與形式要表現當代藝術的觀念和本質，或許有相當嚴重的困境，但也未必完全不具可能性。

（二）藝術的展現是人類文化的公領域，並不宜由創作者自己以情感上的喜悅和滿足，作為確定藝術價值的標準，只要自認是藝術創作者並公開展覽，就必須承受評論者或一般觀眾的公開評價，不可以迴避或堅持「自己爽就好」。

（三）藝術的詮釋和價值判斷，或許沒有單一的絕對標準，但是遵循時代性的藝術定義和藝術哲學的理念，卻是藝術評價不可違背的原則。

　　上述觀點可以用兩件繪畫作品進一步解說，陳瑞福的《看肚肉》是寫實的印象派風格繪畫，或許有人認為並不符當代藝術的表現條件，但是如果從他出生於 1935 年的時代背景，表現的形式或許就不成為評斷的重點，而從表現內容的意義性方面來看，藝術家從本身鄉土的成長經驗和真實生活中，延伸出深

厚的情感和人文關懷，從早期漁港、漁船的描繪，轉向漁民生活型態和人物的探索，呈現「討海人」充滿血汗的樸實生活和生命力，單就人文意涵和情感的真實表現而言，這和印象派只追求視覺意象和表現風格，在藝術表現和評價上的意義是不同的。

　　所謂的「時代性」的意義，主要是從藝術和藝術家的歷史背景來定位，因此不能以當代的標準，評斷當前的所有藝術現象。但相對必須注意的是，許多較年輕世代的創作者，並不具上述的時代背景，如果在藝術創作的表現上，呈現保守的形式主義表現，就不適合用相對應的藝術表現標準來評斷，因為這並不符藝術的時代意義和前瞻性。如果換一個有點粗糙但是比較具體的說法，以臺灣的歷史背景來看，或許可以勉強用 1950 年作為分界，大約在這個年代以前出生的藝術家，不應該絕對性的用當代藝術的觀念，來評斷他們的創作表現，但是二次大戰或五〇年代以後出生的藝術創作者，即使有非常好的印象派或現代主義風格表現，卻不適合用印象派或現代主義的評價標準，來評斷和肯定這樣的藝術表現，這就是時代性意義的原則。但另外必須特別釐清的是，上面的說法並不等於是武斷地認定，較年輕的世代就不可以用繪畫的形式來表現，畢竟藝術蘊含著無限的可能性，問題只在於繪畫表現的內容，是否符合當代藝術應有的觀念和價值表現而已。

圖 66 陳瑞福《看肚肉》油畫 2002。

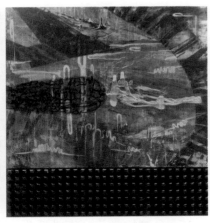

圖 67 薛保瑕《流動符碼》壓克力、木塊 2004。

　　薛保瑕的《流動符碼》基本上也是繪畫表現的形式，「繪畫」面對當代藝術觀念時多半會陷於窘境，這恐怕是很普遍也難以避免的情況，但是這件作品卻頗具特殊意味，從藝術定義的探討方面來看，傳統的視覺藝術，一向被視為具有傳達或承載訊息的意念，即使是當代藝術允許觀賞者建構自己的意識，作品本身卻仍是傳遞訊息的主體，《流動符碼》卻拼貼了一塊木頭的吸音板造形，藉由「吸音」呈現作品和觀賞者之間，是一種彼此異位的反向溝通隱喻，或是象徵吸納了所有聲音，成為一種沒有訊息、不具溝通功能的形態，這種對藝術品的定義、功能，以及作者、觀眾角色地位的探討，正是當代藝術相當關心的話題之一。

　　另外，從形式上來看這件作品，吸音板是一種現成物，利用現成物在畫面上的拼貼，在觀念上是一種反繪畫的表現，藝術家卻很弔詭地將反繪畫的象徵，和代表繪畫純粹性的抽象表現結合成一體，似乎藉繪畫形式和意義的試探，把「繪畫到底有沒有未來？」、「繪畫究竟還有多少可能的空間？」這一類的問題，用這件作品拋出了相當值得玩味的問號。

　　前面所舉的這兩個例子，詮釋和評價採取的是不同的途徑和標準，但卻可以印證前述的三個觀點。個人無意論斷臺灣視覺藝術的現況，相對於當代藝術哲學的發展趨勢究竟有多大落差，但無論是藝術創作、藝術評論或是藝術教育，抱持著一種前瞻性的眼光，應該是一種很基本也很必要的態度。

　　要理解當代藝術是有基本的難點，一方面，我們不像對待形式主義的藝術一般，擁有比較熟悉的工具，並且已經累積較多的經驗。另一方面，當下就發生在我們身邊的藝術活動，還沒有經過時間的洗滌和沉澱，難免會有一些將來會成為泡沫的欠佳藝術表現，形成許多欣賞上的干擾或引起反感或困惑，但是從另一個角度來看，這些難點和困擾所形成的挑戰，其實也正是接觸藝術的樂趣之一，不預持防衛或排斥的心態，或許就比較容易從當代藝術的五花八門中，獲得更多的啟發和收穫。

　　而台灣的當代藝術就發生在我們身邊，只要稍加關注就有足夠的資訊，欣賞教學的關鍵是觀念與教學專業，而不是文本和資料，如果有需要可以參考

《台灣當代美術大系》，出版於 2003 年底的套書，以議題篇和媒材篇分別出了二十四冊，由當年的行政院文化建設委員會策劃出版，也算是長年在政治夾縫中掙扎的藝術現象，在第一次政黨輪替後有了較為難得的作為。

肆、藝術史綱要在國民教育的學習意義

以本章的簡約篇幅和內容而言，與其說是在撰述藝術史的綱要，倒不如說真正的目的，只是試圖以人文思考建構國民美學的藝術內涵，藉以尋求一般世俗理解藝術的門徑。主要是因為藝術的本質和意義，必須以藝術的歷史觀點為基礎，才能掌握藝術的時代性特徵和差異，以免錯置了理解或詮釋藝術的方式和工具。

因此，國民教育的藝術史教學，歷史資料和藝術作品的細節，並不是學習的主要目標，而只是一種工具性質的學習媒介，用來建構理解藝術的基本概念，以及作為視覺藝術欣賞教學，據以探尋藝術意義的具體解碼範例。當然，本章所探討的「藝術史」意涵和詮釋方式，只是以人文精神為主軸的藝術學習途徑，所以並沒有意圖也不可能排除其他專業系統的藝術史論述觀點。

國民教育的藝術史學習，除了建構藝術詮釋的工具，探尋藝術的意義和生活上的關連，更可以促成對自己生活的反省和思考，作成各種不同層面的人生價值澄清，從「人怎麼看待自己」到「人怎麼看待藝術」，最終聚焦在「人應該怎麼活」這個議題，才可能會有比較清晰和深刻的思考，人文素養的目標也比較能夠落實，這才是國民教育藝術史學習的主要意義。

藝術的意義和詮釋具有相當多元的面向，但我們卻常見視覺藝術的鑑賞教學，被窄化成美感形式原理的認識和分析，經常忽略了藝術內容和意義的探討，更欠缺對當代藝術哲學與人文意涵的探索和思考。當然這些相關論題的釐清，都必須以藝術哲學為基礎，並和教育哲學在課程理論與實踐上作整合，才可以形成有效的討論。

DBAE 的藝術教育理念，比較具「學科本位論」的性質，但在臺灣卻普遍引述為「藝術本質論」，姑且不論兩種譯名的定義差別，該理論有一項重要的

主張，就是將「藝術史」列為藝術學習的主要內容之一，但國內很多對 DBAE 教育理念的倡導或實施，大部分都有意無意的避開了藝術史的教學，回想在當年艾斯納本人訪問臺灣時，筆者還刻意到當時的省立台中美術館，抱持近乎反對的心態，當面質疑 DBAE 在臺灣實施的合理性，沒想到曾幾何時，自己目前卻成了藝術史教學的擁護者，觀念上的轉變不敢說是一種成長，但用「國民美學」這個含混的名詞加在藝術史前面，除了深深感慨也只能虛心接受批判了。

國民教育的藝術史學習內容和分量，必須從國民教育的整體課程結構，考量藝術教育究竟占有多少的學習時數，以及各個不同的教學階段裡，學生的經驗和理解能力的發展，甚至也牽連到藝術教育的整體教材組織，因此具體的藝術史教學內容，必須配合課程綱要的制訂或教科書編輯計畫，才能作出合宜有效的規劃和編擬，這些和課程設計相關的具體教材內容，並不在本書探討的範圍，所以只能暫且略過。

第八章：當代視覺藝術欣賞教學與評量

關於「視覺藝術欣賞」這個話題，亞瑟・丹托（Arthur C. Danto）曾經用芭芭拉・克魯格（Barbara Kruger）的作品為例，來引發有關藝術欣賞的討論，舉例的那件克魯格作品，以表情焦慮的人像搭配文字呈現，裝置整個展出空間，文字內容全部都是疑問句，質疑到美術館來參觀的人，欣賞藝術的心態和目的是什麼？開頭第一句問的是：「你到美術館所為何來？」，接下來的追問如：

「閒著無事來殺時間？」

「來改善你的社交生活？」

「來接受文化的薰陶？」

「來增加談論藝術的知識？」

「來拓展你的世界？」……

這種突兀而且可能令人覺得尷尬的問句，有些語句背後的動機甚至未必相容，這或許會讓大多數走進美術館的人，在面對質疑又必須坦然面對自己的時候，很難不覺得心虛或引起疑惑。

大多數人看待藝術欣賞活動的意義和價值，應該都持肯定態度而沒有太大爭議。但如果被要求清晰的呈現自己的藝術概念，或明確敘述藝術欣賞的目的和價值時，或許情況就不再是那麼確定了。因此相對的現實情況，就是藝術欣賞教學或藝術導覽，經常被認為是藝術教育活動不可或缺的一部分，但是藝術欣賞教學的實施方式、教學內容，以及明確的教育目標，卻又一向欠缺較深入具體的探討。而原因就和開頭提到的概念一樣，我們多半用「親近所有人都尊崇的藝術，當然一切都是美好圓滿的」來安慰自己或說服別人，但實際狀況是否如此確定，卻可能經不起嚴格的質疑和探究。

視覺藝術欣賞教學除了探究欣賞活動的意義，另外會因為藝術課程實踐的思考，而必須探討欣賞教學的目標和教學法，甚至在某些特殊情況下，連「**欣賞**」和「**鑑賞**」兩個名詞也會產生爭議，而爭議的背後所牽扯的，則是複雜的藝術哲學和教育哲學理念。本書對欣賞教學的實施採「欣賞」一詞而捨「鑑

賞」，分析兩個名詞的差異在欣賞（admiration、Enjoyment 或 Preference）強調對觀賞對象的知覺、感情與感受，鑑賞（Appreciation）則含有解析、評價的層面，兩者有關懷層面和心理作用的明顯差別。以基礎教育的立場，視覺藝術教育對興趣、關心的培養，遠較專門化知能的獲取來得重要，藝術批評是相當專業化的範疇，要求每一個國民皆具藝術批評的專業素養，勢必有實際的困難與必要性的疑慮，再以認知發展心理的研究（J. Piaget；M. Pulaski；王文科譯 ，1985），能作抽象概念與推理思考的形式運思期，至少要在十二歲以後的青少年階段才開始萌芽，而美感判斷發展的實徵研究（崔光宙 ，1992）：百分之九十的小學六年級學童仍處於寫實階段，僅能陳述內容或表面化的解釋，對美感判斷規則多半生硬、似是而非，曲解或否定創意的表現。國民教育的藝術欣賞教學，可以多接觸不同形式、風格的藝術語言，不必灌輸固定單一的美感判斷形式，以免反而阻礙美感發展的可能性。

不過欣賞和鑑賞的概念都有「審美活動（aesthetic activity）」的意涵。本文的討論依循國民教育和學習者本位的教育性質，暫以「欣賞」作為相關討論的用詞，一方面因為「鑑賞」一詞比較具學科中心與專業藝術評論的色彩，容易偏向專業藝術的知識學習和藝術價值判斷，學習內容多半超出中、小學生的經驗和理解能力，不是國民教育適當的學習方式。另一方面則因為「欣賞」教學的意涵，較為貼近當代藝術哲學的觀念，個人化的藝術欣賞面向和多元詮釋的可能，使藝術欣賞再生產、再創造的發展活動，也依然可以兼顧大部分「鑑賞」性質的學習內容。

學校裡視覺藝術欣賞教學的對象，大多在年齡和學習經驗等各方面較具同質性，學習內容和目標也多半有課程計劃可依循，欣賞的藝術現象和作品也常經過選擇、規劃，教學者對學生的起點行為和經驗有基本的了解，和學生互動的時間也比較充分，教學實施的難度相對較少。但若是特定展覽的現場欣賞和導覽活動，上述各種條件的變數就相對複雜得多，實施的難度因而也可能比較高，所以指導者除了必須具備欣賞教學的基本素養之外，教學實施的觀念和具體方法，都有必要作進一步的深入探討。

壹、國民教育的視覺藝術欣賞教學概念

當代藝術哲學的主要變遷，來自歐陸哲學和當代人文主義意涵的衍變，而對藝術價值判斷的重大影響，就是藝術品被創造的歷程與美學形式分析的重要性，已經被藝術品在真實生活中的脈絡意義所取代，藝術的社會意涵以及對生活、文化和生命價值探討的關聯性等等，才是國民美學的藝術欣賞重心。也因此，藝術欣賞不再尊崇權威的專業化詮釋，而是由欣賞者自己探索、解讀藝術的意義，形成個人化的再生產、再創造活動。更簡單的說法就是，藝術不再是因為它的尊崇地位而偉大，而必須是因為對一般的欣賞者，都能夠產生真實的啟發或增添生活的豐富性，才足以確定藝術欣賞的學習價值和必要性。

無論是自己要親近和瞭解藝術，或是要擔任藝術欣賞的教學者或導覽者，起步點應該是對當代藝術觀念的基本理解。以歷史觀點來綜觀視覺藝術，會發現藝術的本質具有明顯的「時代性差異」，也因此當代藝術哲學才有所謂的「藝術歷史斷裂」論述。當代藝術哲學的變遷，對藝術欣賞造成相當大的衝擊，當代美學在哲學體系上的語意學轉向，以及「現象學」和「視覺文化」等觀念的介入，更讓藝術欣賞的內涵與目的產生重大轉變。第 50 屆威尼斯雙年展策展人波納米（Francesco Bonami 2003）的策展論述，提出「觀者獨斷」的概念，可算是一個有點遲來的明確宣示。

要擔任一個帶領孩子接觸藝術的引導者，這個論題應該是一個很好的探討起點，如果無法自己掌握當代藝術的觀念，以藝術史觀點建構自己對藝術的理解和詮釋，那麼欣賞教學和導覽的內容，很可能就只有不一定切合實際的形式原理分析，以及背景資料的知識性學習而已，這對當代藝術真正意義的理解，可能反而會越走越遠。

所以，欣賞教學的基本觀念，是當代藝術的性質特徵和精神，並不完全引用專業藝術的典範論述和詮釋，欣賞教學是建構個人自己理解、詮釋藝術，探尋個人化的藝術意義解碼的途徑。藝術欣賞的意義由學習者自身體驗，其他如藝術的歷史資料和藝術作品的細節，包括藝術知識和技術，都不是藝術欣賞教學的主目標，而只是一種工具性和參考性的、協助藝術詮釋的輔助資訊。因此，

本書前一章以國民美學的概念建構藝術史觀架構，或許是藝術欣賞教學基本的先備素養。

至於強調藝術欣賞不是知識性的學習，也不必尋求標準答案，美國當代哲學家布洛克（Gene Blocker）的《美學新解》（1979），對藝術判斷和評價的「沒有標準」觀點可做參考：人們總是想要找到判斷和評價藝術的標準，卻從來沒有找到滿意的答案。因為所謂「標準」必須既具有一般普遍性，同時又是「適用的」，而藝術評價找不到兼具上述兩種特徵的理由，也就是並沒有普遍適用的標準。

從語意學的概念來分析，藝術批評無法兼具「標準」的普遍性與適用性兩項性質特徵，主要是因為藝術本身有獨特、不可複製的性質，適用於一件作品的高度正面評價（例如寫實性），應用於另一件作品（譬如抽象表現）就完全牛頭不對馬嘴，因此藝術評價就變成沒有「普遍適用」的「標準」。

引申以上觀點，從事欣賞教學、藝術導覽或藝術批評，並不能以自己觀點或專家論述為標準，試圖證明某種事實或價值。所以視覺藝術教學實踐的欣賞教學，必須針對不同的欣賞標的和教學對象，引導各種**不同的觀看和思考方式**，讓教學對象完成個人化的再生產、再創造活動，因為教學者或專家的感動，不一定等同每個人都會這樣感動，這也是一種「沒有標準」的現象，藝術欣賞的感動或啟發、思考，都只是針對欣賞者而言才有意義，教師不應該是藝術知識和評價標準的代理人。有些當代藝術批評者對自我角色定位的論點，認為藝術批評家「只是共同成長的陪伴者」，這或許也是視覺藝術欣賞教學者值得借鏡的心態。

貳、藝術欣賞教學的內容與目的

台灣藝術欣賞最常被引用的教學方式，應該是 Edmund B. Feldman 所提出的「敘述」（description）、「分析」（formal analysis）、「解釋」（interpretation）、「評價」（judgment）四個程序。另外也相當受重視的 Rod Taylor（1992），則是提出「內容」（content）、「形式」（form）、「過程」（process）、「心境」

（mood）四個層面的藝術鑑賞途徑。基本上泰勒的「心境」說比費德曼的「評價」較符合兒童學習的認知心理發展，但兩者在教育哲學上的共同盲點，則是都偏向「學科中心」的理念，欣賞題材和內涵侷限於專業藝術和精緻藝術，傾向以形式分析和藝術價值判斷為主軸，以專業藝術的內容作為欣賞教學的主體，這和當代視覺文化的概念，以及國民教育和透過藝術的教育性質與學習目標，難免會有相當的落差。

日本武藏野美術大學三澤 一實教授提出的「對話型藝術鑑賞」，將藝術鑑賞過程分為四個層次，他的藝術欣賞教學觀點，是形式分析以外較能顧及觀念和意義的欣賞方式：

（一）「事實解讀」：從材料、色彩、形式、技法、構圖等各面向觀察、描述。

（二）「意味生成」：從主題、意義、表現等面向進行詮釋。

（三）「社會意涵」：從作者生平、時代背景、文化脈絡，以及展覽空間、環境等方面，解讀作品的意義。

（四）「綜合評鑑」：統整各項理解形成個人的藝術詮釋。

當代教育強調學習者的主體性，依據認知發展心理的階段特徵，小學階段的兒童處於具體運思期，並無法從事抽象概念的形式運思操作，所以藝術欣賞教學的內容，自然有必要作出適當的調整。採取比較通俗的說法，藝術學習的價值和必要性，已經不再來自於藝術的專業性深奧和尊崇的地位，而必須是因為在藝術的接觸和學習過程，能夠被證明對每一個人的真實生活，都有確定的功能和價值，否則藝術欣賞在國民教育的範疇中，就未必具有學習的必要性和地位，這種對學習者主體性的強調，也是後現代之後教育哲學的主要觀念。

就目前的現實情況而言，大多數具有視覺藝術專長的老師，由於師資養成過程的經驗影響，實際教學內容多半只討論視覺元素與專有名詞的界定，專注於色彩、線條、構圖等形式分析，以及解說作品的背景知識和美感形式原理等，如果排除這些屬於「專業藝術」的標準答案，視覺藝術的欣賞教學，似乎就很難找到其他可以和學生討論的內容，然而這樣的學習方式和內容，教學者被 google 打敗的機率可能是 100%。以美學原理原則的形式分析為主的教學，在面對後現代與當代藝術衍變下的實際現象，例如行動藝術、環境藝術、數位

影像、3D 列印、全像攝影、VR、AR、MR 等新媒體藝術，其實多半捉襟見肘無能為力。如果再從實際的藝術經驗，或藝術欣賞的目的來檢視，也會發現絕大多數被藝術感動或啟發的例子，其實都不是經由專業知識和形式分析而來。而最嚴重的問題則是這樣的學習內容，和大多數人的真實生活多半沒有足夠的關連性，而使得藝術欣賞成為「無用的學習」而被漠視。

因此，就以上的觀念，將「人文思考」作為兒童藝術欣賞的引導主軸，將藝術連接到孩子個人的生活經驗和情感，讓藝術欣賞活動不是只背誦固定的背景資料，藝術詮釋也不再只是尊奉專家論述為圭臬，更不必預設孩子對藝術解讀的「正確性」，就可以讓孩子有更充分的空間獨立思考和探索，自己產生個人獨特的藝術詮釋，反而更容易有機會貼近藝術的本質，也更能夠將藝術欣賞的學習效應連結到真實生活。

上述的藝術詮釋方式並不是個人的突兀觀點，依循黑格爾的美學論點，詮釋人類思想和藝術歷史是憑藉社會進化論，阿諾‧豪斯（Arnold Hauser）的《社會藝術進化史》就是一個範例（邱彰 譯，1987），豪斯「社會決定藝術歷史」的信仰，關注藝術發展的變動過程中廣義的社會因素，藝術的意義也因此不停改變而沒有永恆的真理，這種藝術研究方式也開拓了藝術詮釋的另一種眼界。另外再如布洛克（Gene D. Block，1948～）的《美學新解》，探討藝術意義和表現意圖的詮釋，則採取非常保留的立場：面對每一件藝術所具有的獨特和不可重複性，藝術批評不可能有普遍適用的標準，因此「藝術欣賞並不是去證實某些標準答案，而是以自己的立場透過某種特定方式欣賞藝術，發現並解讀藝術在個人生活和社會發展中的意義」。所以，人文的藝術解讀並不是很怪異的藝術欣賞教學方式，反而是更符合當代藝術觀念的教學理念。

哈佛零計畫的主持人之一柏金斯（David Perkins（1942～），在所著的《聰明的眼—看藝術學思考》（《The Intelligent Eye—Learning to Think by Looking at Art》，1994）一書，則認為藝術欣賞是最佳的學習「思考」的方式，並認為可以把整體教育轉化為一種以思考為核心的過程（莊靖 譯，2008。台北，大雁出版），他對於藝術欣賞所應用的「反省智力」和「經驗智力」互補，是一種思考的方法學訓練。思考的學習和發展當然也可以由別的學科培養，但視覺

藝術的欣賞學習，跳脫學科的專業形式分析，人生議題與意義探索等學習內容的涵蓋性，其實跨越所有學習領域，而藝術的隱喻和非說明性的表現手法，解讀的獨特思考方式也異於其他學科的思考方法，所以，視覺藝術欣賞的深層思考體驗，也是欣賞教學的重要目的。

當代藝術欣賞教學的內容，不是背景資料的知識學習，也未必一定要以定義含混的「美感」為主要訴求，孩子的解讀也不是只限於視覺表象的敘述。欣賞教學是否能夠引發孩子的獨立思考，對孩子的真實生活有所關聯和啟發，產生更深刻、個別化的意義，進而引導、反思、培養孩子的思考能力、生活態度和價值觀，才是藝術欣賞更值得期待和追求的目的。

上述理念的可行性曾經由教學實踐驗證，2011 年高雄市的廣達文教基金會「游於藝」活動，劉其偉畫作同盟展的兒童藝術導覽培訓，當孩子被引導從自己的經驗出發，採取更寬廣自由的視野和思維，以敏銳觀察和不受限的心思與藝術交會時，迸發出來的火花和想像力，令人對孩子的表現感到驚訝，確實印證了藝術解讀的無限可能，很多出乎意料的詮釋更讓人有意外驚喜。以這樣的理念發展出來的藝術欣賞教學，暫訂名為「議題連結的對話式藝術欣賞」教學模式，另於後續教學法的探討詳細說明。以下則是先探討藝術欣賞教學實施的基礎概念。

參、兒童欣賞心理類型與審美能力發展階段

一、美學欣賞的各種類型

心理學的氣質類型研究，並非僅只顯現在創作表現方面，在審美知覺與欣賞活動，也同樣會顯現氣質類型的差異和特徵。布洛（Edward Bullough）透過實驗的結果，歸納了四種色彩知覺歷程的類型，這種具有分歧性的美感知覺差異，在視覺藝術欣賞教學的設計和實施，當然應該加以關注和因應。

（一）客觀型（the objective type）：是一種純粹理智欣賞的類型，比較具批判的態度而較缺美的鑑別力，因為敏感度不夠而只是就欣賞對象分析關係或比較，而不是欣賞作品的獨特個性。這也是一般概略形式的欣賞類

型，在主觀上缺乏美的欣賞特有的個別、獨立的特性，通常表示這類型
欣賞者，沒有和欣賞對象發展更親近、更具個人化的觀點。

（二）生理型（the physiological type）：依生理效果的知覺感受作反應，可能
　　　因為欣賞者個人體質差異，對色彩刺激和溫度較敏感，而有非常鮮明的
　　　個別化喜好態度。

（三）聯想型（the associative type）：聯想的欣賞特質就是因聯想內容而改變
　　　感受和態度，是否喜好或愉快的感覺，都決定於純屬個人聯想狀態的支
　　　配，這也是最不規則的欣賞型，但經常呈現對抽象表現的偏愛。

（四）性格型（the character type）：這種類型多半沒有特殊偏愛，會將個人心
　　　理因素和客觀環境因素結合，也就是個人生理的、性格的特性，和欣賞
　　　對象實際呈現的型態和現象，主、客觀相互對應融通，因此很容易產生
　　　專心而且忘我的狀態，這是其他不同類型從未發現的心理型態。

　　布洛的實驗研究因為僅以色彩的感知為研究範圍，因而也引起了一些爭
議，但這四種類型和前面第七章容格的類型理論可做比對：客觀型明顯相當於
思考型、生理型相當於感覺型、聯想型對應於感情型、性格型相當於直覺型，
探討這些先天氣質類型的差異，並不是要絕對套用於教學對象身上，而是提醒
欣賞教學實施必須更具寬容性，以學習者為主體就必須避免將藝術作單一的詮
釋，或將標準化的專家論述當作唯一學習內容，因應不同的氣質類型，無論是
創作表現或是藝術欣賞，保有開闊空間和更多可能，才是符合藝術本質的學習
方式。

二、審美能力發展階段特徵

　　兒童藝術欣賞教學的實施，必須考量認知發展階段的成長狀況為基礎，以
兒童能夠理解的教學方式實施，避免造成教學目標達成的落差。對於兒童審美
能力的發展研究，嘉德納（Howard Gardner，1943～）的《兒童美術作品知覺》
（Children's perception of works of Art：A Developmental，1981）和哈佛大學《零
計畫》（Project Zero）的研究，就 1. 作品來源、2. 創作過程、3. 媒材說明、4. 獨

特風格、5. 形式分析、6. 藝術評價、7. 藝術與外在世界的關係，總共七個命題進行晤談研究，研究的結論將審美知覺的發展分為五個階段，大致上也成為後續各種研究的基礎，另外如 Abigail Housen 的《觀賞的眼力：美感發展的測量》（1983）；以及 Parsons 的《人們如何了解藝術》質性研究（1987）也都頗受重視，國內的相關研究則有崔光宙（1992）、羅美蘭（1995）、陳瓊花（2000）等，以及趙惠玲的《兒童與青少年視覺影像反應研究》（2005）。基本上這些研究仍都以精緻藝術的形式分析，或是畫面內容和視覺元素的欣賞反應為主，似乎未見以欣賞教學的教育哲學思考，也沒有從藝術欣賞教學的課程結構或目標，來設定研究題材的案例與研究項目。以下簡介羅美蘭的研究供作參考：

羅美蘭的美術鑑賞能力關係研究，也是將美術鑑賞能力的發展分為五個階段：(一) 主觀偏好期；(二) 視覺寫實期；(三) 情感表現期；(四) 風格形式期；(五) 綜合判斷期。五個階段正如 Piaget 的認知發展和 Gardner(1973)、Housen(1983)、Parsons(1987)、崔光宙（1992）等諸位學者所研究的美感發展階段一樣，具有循序漸進、依次提昇的發展歷程，各階段的鑑賞發展特徵分析說明如下（萬榮瑞整理，1998）。

階段一：主觀偏好期

本階段的年齡層多分佈在 4—8 歲之間，正當讀幼稚園和國小低年級時期。依據 Piaget 和 Inhelder 的研究，運思前期（2-7 歲）的兒童，觀察某一事物時，常偏集於該事物最明顯的一部份或某一細節上，而無法考量部份和全部的相關性。處於主觀偏好期的兒童，常被畫面鮮艷的色彩和突出的物件所吸引，並且關注於自己有興趣的主題上，自由馳騁想像力。「主題」和「色彩」為控制兒童美感反應的二大要素，他們缺乏對繪畫的洞察力，完全以個人的喜好來決定作品的好壞，因而稱為「主觀偏好期」。

階段二：視覺寫實期

本階段的年齡層主要分佈在 9—15 歲之間，並可擴展到 18 歲青少年甚至成人。大部分的國小中高年級學童和國中生、甚至高中生，都處於此階段。其思考模式已突破自我中心，而能進行由籠統到分化、由絕對到相對、由靜態到

動態的思考，對事物的認知較為客觀，對美術作品的鑑賞興趣在於：「畫得像不像？」「美不美？」「用心嗎？」並常以功利主義的價值觀來衡量作品，以外在視覺的寫實作為觀察作品的線索，對繪畫的了解是表面的、膚淺的，未能深入得其精髓，僅以「美麗」、「寫實」和「細膩的技巧」作為評定繪畫優劣的依據，故稱此期為「視覺寫實期」。

階段三：情感表現期

本階段的年齡層分佈相當廣，從少年到老年皆有。此階段具有捕捉特殊思想和情感能力，對於內在、獨特的事物，能與自我的經驗相協調認知，意識到作者的情感表現，有時為了詮釋畫面的意義，常常將個人的主觀情感投射到畫面上。此階段較前二階段有豐富的人生經驗，能由視覺表面的觀察，轉向內在意義的探討，除了認知主題的美、風格的寫實、和藝術家的技巧層面外，尚能領會作品的表現品質，認為徒具形式美的作品是空洞的，須表達深刻的情感才有價值，前且常以生動的語彙來形容作品。此階段為美術鑑賞發展的轉捩點，能突破寫實至上的觀點，擺脫寫實主義的束縛，對繪畫的瞭解不僅止於畫面，更能進一步探索繪畫的情意層面，接受純粹藝術的美感，終於以「情感的表現」取代「照片的寫實」，開拓美術鑑賞的新視野。

階段四：形式風格期

本階段的特色在於擁有豐富的美術知識，能從事抽象的邏輯思考和客觀的分析判斷，因此年齡層的分佈為乎都在「形式運思期」的階段，尤以具美術專業的成人居多。本階段對作品的了解非基於個人主觀的情感，而是更能探入探究作品，由藝術史的源流和美學背景來把握作品，並據此建立判斷的價值觀和美術鑑賞的品味。對作品進行客觀的判斷和詮釋時，強調作品的組成要素，關注繪畫的質感、構圖形式和表現風格，因此稱為「風格形式期」。

階段五：綜合判斷期

本階段是美術鑑賞能力發展階段的最高層次，能達到本階段的美術鑑賞水準並不容易，須有「庖丁解牛」般的功夫，因此幾乎是成年人才能夠達到的境

界，且以美術的專業人士居多。本階段對美術作品的背景知識相當熟悉。鑑賞
作品時，力求思想與情感的平衡，把握部份與整體之間的關係，進行全面的考
量和判斷；有時還能推陳出新，將過去的觀察經驗，加上新的接觸體驗而有所
創見。此階段對美術的了解，已達爐火純青之境，熟知各種不同類型、流派和
風格的美術作品，以開放的胸襟和相對的價值觀來從事美術鑑賞活動，融合自
己的鑑賞品味、經驗背景和精煉過的藝術觀點，而能夠作出圓熟的判斷，故稱
為「綜合判斷期」。

　　上述研究認為美術鑑賞能力的發展，有循序漸進、依次提昇的性質。最高
階的「綜合判斷期」必須具備豐富的美術知識與人生體驗，才可能從事圓熟的
判斷，高階的發展奠基於低階的基礎上，整個發展階段就像金字塔一樣，越上
層越高深，越是質精量少。（羅美蘭，1995）。

　　綜觀各種兒童美感認知發展研究的論述，基本上仍以傳統專業藝術為典
範，也假定所有具體運思期的兒童，在藝術表現方面的知覺，都會朝向寫實描
繪形式的方向發展，這方面未必符合當代藝術現象的發展趨勢，也可能忽略了
兒童氣質類型和經驗、文化背景等的差異，也可能並未因應藝術觀念變遷的時
代背景差異，更可能並沒有納入當代藝術哲學的藝術欣賞觀念。總而言之，視
覺藝術欣賞教學的實施，並不能只參考美感認知發展的階段特徵，而是應該以
當代藝術欣賞教學的目標為主導，避免過度學科中心思考的誤導，忽略了國民
教育的性質和藝術學習目的。

肆、視覺藝術欣賞的教學目標

　　國民教育並不是以培養專業人才為主要目的，藝術欣賞或導覽的學習目
標，不應該是菁英教育，也不是藝術知識及藝術批評等專業知能的養成。從國
民教育的立場來思考，參考本書第五章「當代視覺藝術教育課程架構」的內
容，當代藝術欣賞教學的目標，應該是以「視覺素養（Visual Literacy）」為核
心（John Debes，1969。B. Darras，陳佳藝 譯，2019），也就是透過感官經驗解讀、
應用、創造視覺文化的各種現象，培養美學的識讀能力。較具體的學習目標如
培養敏銳的知覺、促成視覺經驗的拓展、養成專注認真的態度、細膩豐富的感

受性、周密深刻的思考，充分的自主性和自信心，有豐富想像力的開放心靈，生活經驗的省思、多元價值觀的建構、也包括創造力、包容性、溝通能力、文化關懷和行動力…等。都是超越學科中心思維的目標。

這些課程架構中已有相關論述的教學目標，都未必是專業藝術的技術和知能，但或許是每一個現代人適應生活，以及追求人生的自我實現，在各方面的學習和工作上都不可或缺的基本素養，這種觀念在教育哲學的價值判斷上，應該不會有太多的爭議性，重點則在這些目標和欣賞教學活動之間，是否具備明確的邏輯關連，以及教學實踐方式與目標達成可能性的檢驗。

本文探討的教學目標和藝術學習方式的關聯性，在理論方面並不缺相關的論述依據，也有足夠的教學實例證明這項理念的可實踐性，當然，要建構教學活動和目標之間的邏輯關聯，並明確有效的實施合宜的教學活動，需要有豐富經驗為基礎的教學專業，但至少將這樣的理念當作一個指標，可以成為教學者自我期許的方向，也是教師追求專業成長的目標。

除了上述欣賞教學的目標，國民教育的視覺藝術欣賞學習，是以藝術欣賞的教學歷程為途徑，因此「國民美學的藝術史觀點建構」，既是學習的手段卻也是課程最終的目標，但是整個藝術歷史內涵的龐雜，包括藝術現象和背景資料的繁瑣，並不是一般學校課程的教學時數所能負擔，因此國民美學的藝術史觀教學內容和課程，應該另外建立基礎理論和課程發展，必須就「藝術本質教學模式」實施的相關因素，另外作整體的思考和課程規劃。

伍、視覺藝術欣賞的教學策略

兒童藝術欣賞教學的實施，以兒童為主體；以目標為主導，應該是教育哲學和課程實施的原則，而關鍵則在具體的活動設計和教學策略，能夠重視目標內涵和達成的可能性，並兼顧兒童的認知發展階段和理解能力、語彙發展等條件，才足以落實欣賞教學的實踐。

另外一項在實際教學中和目標帶有關聯性的，則是藝術欣賞的發表和討論所應用的語彙，曾見有些教學者特別強調藝術專有名詞的認知和應用，但如果

能促成學生透過專注的審視，而有自己的發現和感覺，才是實際教學的前提，孩子用自己和同儕所理解的語言，表達自己的看法和互相溝通，不但不會造成難度和發表的障礙而影響信心，彼此的經驗分享更容易互相理解，很多藝術專有名詞的意含，往往會有定義的含混、抽象和複雜度，強求兒童套用各種專有名詞來表達，其實也是學科中心思考的迷思，為賦新詞強說愁的現象，未必是欣賞教學目標的必要內容。以下分別將視覺藝術欣賞的概念和教學策略，依據學習目標的類型和學習的型態差異，探討視覺藝術欣賞教學的具體實施方式。考量認知發展階段的特徵和藝術欣賞所需的理解能力，以教學對象為國小中年級以上，可延伸到國中階段的學生為探討範圍。

一、視覺藝術欣賞教材的呈現型態

視覺藝術欣賞教學的題材和內容，除了少部分視覺文化和生活現象以外，一般情況下大多仍以藝術作品佔絕大多數，但以藝術品為欣賞標的對象，另外還有一項教學重點必須思考和判斷，這項攸關教學目標和實施效應的概念，就是欣賞對象的藝術品以什麼型態呈現；意思就是指「只針對單一作品」、「面對同一個藝術家的多件作品」、「多位不同藝術家的聯展」、「同一流派或時期的並列作品」、「同一題材的跨時代作品」、「針對特定議題的多樣作品」等各種不同欣賞標的物的呈現型態。

以上這些各種不同型態的欣賞教學，在對應不同的教學目標時會產生非常明顯的差異，如果隨意錯置、撿到籃子裡都是菜，有可能無法達成目標甚至誤導觀念，這也是前述「目標主導」的原則，相關概念分述如下：

原則上單獨一件作品的欣賞，排除本書認為並非必要的形式分析之外，僅較適合就題材和內容作經驗連結的探討，是一種最常見也容易實施的藝術欣賞教學方式，學習內容和目標達成有方便性但也會受到限制。原則上這種單一作品欣賞的教學方式，多半必須對欣賞作品的題材和內容作選擇，例如畢卡索的《格爾尼卡》（1937），和康丁斯基的《第一幅抽象畫》（1910），相較之下以單一作品進行欣賞教學，就會有議題連結和解讀的差異性。當然，關鍵因素還是在教學目標設定的內涵，雖然以當代藝術的性質特徵為參考的教學，依然

可以對各種風格和內容的作品作詮釋，但單一作品對特定目標達成的優勢和相對的限制則是確定的。所謂的限制相對於藝術史或特定藝術現象的學習而言，僅以單一作品為教材，多半不會是一種適當的方式。

其次相近於「個展」和「聯展」的兩種形態，實際情況的變數較多，一般畫廊或美術館的展覽，單一藝術家和多人聯展，同樣都會有展出作品風格和內容太龐雜和差異太懸殊，太多干擾因素使教學目標混雜模糊的困擾，這也是美術館實境教學，一向只重活動形式和表象而容易忽略的問題，慎重判斷並選擇參觀教學的展覽主題，才能夠安排有效的欣賞教學。單一作家的藝術品欣賞，或是同時欣賞多位藝術家作品的教學原則，由教學者依據目標規劃自行選擇收集欣賞教材，多半會比美術館隨機的展覽內容較為適當。例如綜觀畢卡索各個不同時期的作品，共同探討藝術家風格轉變的因素和可能性，就會比一個所有作品風格雷同的個展，可以有更豐富的教學內容和目標可以發展。日本有一個欣賞教學案例，是收集了十來位風格、年代不同的日本藝術家，題材同樣都是畫「富士山」的各種不同表現型態作品，以「盡情享受這麼豐富的富士山」進行教學，這在藝術表現觀念的拓展和多元價值觀的學習內容，遠比一般大雜燴的聯展更具學習意義，由這兩個例子應該不難理解教材選擇的原則。

至於以流派或時期安排欣賞教材，或者是以同樣題材安排跨時代的藝術品欣賞，同樣不容易經常在美術館遇到類似的主題展，因此多半適合將「師生共同收集作品」也列為學習活動，這兩種型態的藝術欣賞教學，很容易結合藝術史觀點建構的學習，尤其是對於藝術現象的經驗拓展，以及藝術觀念的探討，都會是非常明確有效的學習方式。

至於針對特定議題的多樣化作品欣賞，在一般展覽場所幾乎是可遇不可求，這種教學型態的欣賞教材，多半是教師專業功力的考驗，從議題的設定、目標的規劃、題材的選擇、欣賞對象的收集等，都必須是理念清晰的整體思考。這是最能貼近當代藝術理念的學習型態。所謂的特定議題，則是和社會文化、當代生活等的大概念連結，內容可參考前一章當代藝術議題的列舉。

以上簡單列舉藝術欣賞對象的呈現型態，應該不難理解藝術欣賞的教學準

備，應該一併考慮教學目標與欣賞對象呈現型態的關聯性，否則就很容易陷入背景資料的知識性學習，或是僅有形式分析而忽略意義解讀，結果使藝術學習成為目標模糊的表面化形式。

二、建立視覺藝術欣賞基礎的教學策略

以下列舉的教學方式，類似創作表現的基本技法教學，原則上是建立藝術欣賞的態度，以及一些必要的基本觀念和能力，這些基本的態度和學習經驗是欣賞教學的起步點，主要仍是以目標為主導，在各種視覺藝術欣賞教學實施之前，先進行這些基本的體驗和引導。

（一）建立觀賞藝術的專注態度為目標

參考教學策略：對於較欠缺藝術欣賞經驗的教學對象，在不作任何特別提示的情況下，可以先讓學生自由瀏覽展出的作品，隨後將學生集合在不會直接看見作品的地點（隨環境條件自行調整），以「**有誰能舉出哪一件有特別印象的作品？**」來徵詢學生，要求學生敘述自己所看到的作品內容，學生的發表正是老師順便了解學生經驗和態度的機會，也可以藉以調整教學內容的難度和實施方式。如果都沒有人舉手反應或回答較為空洞簡單，可以用「好像都看得不夠認真」來暗示欣賞態度的要求，然後要學生「認真地再看一次」，並要求他們要「**挑選出一張自己覺得最特別的作品**」。如果學生程度很高，一開始就有踴躍的發言，就可以直接採取以下的方式進行討論。

重新在看不見作品的地點集合之後，讓學生報告自己所選的作品，基本上如果學生敘述的是作品的標題，就進一步要求他描述作品的內容，也有可能學生所報告的是作品的圖像或內容，那就要追問他知不知道那件作品的標題，或甚至追問作者、年代、甚至媒材等資料。接下來的教學活動和討論，可以回到展覽現場共同面對作品，要求學生嘗試作出敘述，說出他「**對那件作品覺得特別的理由是什麼？**」、「**有沒有其他的特別發現和感覺？**」，同時並鼓勵其他學生也參與討論。討論時最基礎的態度就是要尊重藝術家和作品，對藝術家創作的心路歷程有所揣摩和體會，避免太輕率隨意而且沒有理由和依據的批評。

本項教學策略的重點，一方面在強調面對藝術品的基本態度，除了注意作品的背景資料，還包括培養專注力和視覺的敏銳度，另一方面則在養成學生自主性的表達能力和自信，同時讓學生感受到多元價值的認同和寬容氛圍，所以要以輕鬆而且帶著遊戲趣味的方式進行，有時還可以依實際情況分段反覆實施，讓學生的能力和經驗累積成長，養成進行後續欣賞教學活動和獨立欣賞的基礎。

（二）養成知覺的敏銳度與表達能力為目標

參考教學策略：下列各項具有遊戲性質的教學方式，教學重點都針對學生知覺敏銳度的發展，但教學實施的先備條件，最好是在學生對藝術已有相當的認識後才進行，也等於是有了前項活動的經驗為基礎，針對同一個展覽內容作延續教學，才容易有更好的教學成效。

1. 我來說，你來猜：

可以在展場的現場進行，輪流請一個小朋友出來描述一件作品，讓其他的學生來判斷出他所敘述的是哪一件作品，並以誰能夠最快讓人家知道答案，來作為表現是否優異的比較依據，這個活動主要是培養敏銳的觀察力，並讓孩子學習掌握作品的特徵，同時練習有效地描述視覺內容的語彙。實際教學實施也可以由老師開頭，描述一件有單獨明顯特徵的作品讓學生推測，讓學生更容易理解選擇和描述作品的原則。

2. 我說了，讓你猜不到：

老師先說明遊戲方法和規則，同樣是由一個人選定一件作品，提出作品某些特徵的具體描述，但卻儘量要讓別人猜不出自己敘述的是哪一件作品，關鍵的觀察力和敏銳度，就是能夠發現很多不同作品之間的視覺共通特徵，因此遊戲進行之前，可以再讓小朋友仔細瀏覽一次作品，而這個尋找作品的過程，除了視覺敏銳度還連接到分析、歸納等思考方法，其實在遊戲之前的瀏覽和挑選活動，就已經達成了主要的教學目標，後續的遊戲只是學生經驗的交換，以及增加教學活動的趣味性而已。

3. 誰說得最多、最特別：

這個欣賞教學遊戲有兩種實施方式，一種是由老師指定一件作品，並作出一句話的簡單描述，接下來徵求學生也以一句描述作品的敘述接力補充，同一件作品持續鼓勵第二、第三、第四…個學生來補充不同的敘述內容，不能重複已被提出過的敘述，一直到師生都難以為繼，才換另一件作品來進行再次的活動。

另一種活動進行方式，則是採取紙筆的記錄方式，每個學生都對老師指定的作品，分別以一句話條列自己可以敘述的內容，一方面比較看那一個人條列的項目較多，一方面統計所有學生的條列內容，看哪一項有最多人都提到，又有那些項目是只有一、兩個人提出的獨特觀察，這是特殊的敏銳觀察力目標達成的象徵，也包含培養創造力這個目標的明確呈現，教師可以特意加以誇讚來鼓勵學生更用心觀察，有效激勵學生勇於表達獨特見解，並塑造教學場域的開放、活潑氛圍，有利於後續各種教學活動的進行。如果把教學過程的資料做成紀錄，透過統計和分析其實就是一項實踐研究，教學者對兒童藝術欣賞和認知的發展，就會擁有來自實際經驗的真實認知和專業素養。

（三）對作品「產生感覺」與「提出想法」為目標

對藝術品要有「感覺」是很常見的敘述，但在一般情況下，感覺對孩子而言是個抽象概念，如果沒有經由適當的引導，孩子多半沒有足夠的經驗去應用想像力，或將自己的生活經驗和藝術品形成連結，因此所謂的感覺多半很表面、空泛，因此，比較有效而且可以普遍應用的教學策略，就是用簡單的問題要求學生回應和共同討論。以下列舉一些面對藝術品的簡單問題供作參考，當然也可以再做其他的補充或修訂，有些問句是否適用，也必須依據欣賞作品的題材和內容作斟酌：

1. 說說看，你看到什麼或想到什麼嗎？
2. 你能用一句話來形容這件作品嗎？
3. 認真看，加上一點想像力，你有沒有聞到什麼味道？

4. 你是不是能聽到什麼聲音？

5. 你是不是能夠感覺到什麼溫度？

6. 你覺得有什麼是正在動的？

7. 你覺得可以觸摸到什麼嗎？

8. 你認為有什麼被藏起來了嗎？藏在那裡？

9. 你覺得這件作品裡面有沒有什麼故事？

10. 你可以發現這是什麼季節？或什麼時間？什麼樣的氣候？

11. 作品裡面有什麼在和你打招呼嗎？

12. 假如這件作品是一盤食物，你覺得口感和味道是如何？

13. 假如可以進入作品裡面，你覺得會走進什麼地方？

14. 假如要向作品發問，你想要提什麼樣的問題？

15. 你喜不喜歡這件作品？為什麼？

以上問題也可以鼓勵學生自己提出，討論過程必須包容、肯定各種看法和敘述方式，只要強調態度的專注與認真，就可以營造良好的學習氛圍和效果。

（四）引導孩子自己和藝術對話為目標

讓小朋友能夠自己和藝術對話，是欣賞教學的最終目的，可以說最容易實施但難度也最高，因為欣賞的作品可能有複雜的差異性，並不容易規劃通用性的教學策略，因此提供基本的教學內容和實施程序作為參考，最重要的一個觀念就是：「**是孩子在和藝術對話，不是要孩子講出老師想聽的話，所以教學不應該有預設的標準答案**」。以下是引導兒童和藝術作品對話的基本程序：

1. 先提醒兒童了解藝術家的生平；文化、生活、時代背景以及作品標題等，這些資料都是解讀藝術的重要指標，甚至包括作品的規格、媒材等，也都有助於作品的理解，因此必須在欣賞作品之前先做適當的收集和了解。尤其是藝術家的生活內涵、個性、重要事蹟等，常會在作品的詮釋上具有重大的關聯性，也和生活、文化、價值觀的省思等藝術學習的目標達成有密切關係。

2. 作品的內容必須透過深刻的觀察，深度凝視才能獲取足夠的訊息，藉以透過聯想、想像、經驗對照等來產生自己的想法和感受，這正是所謂「對話」的意涵。透過敏銳知覺認真「看作品」才能和藝術對話，不看作品而是上網找解說資料和搜尋專家論述，反而是可能阻斷對話可能性的不良方式，鼓勵學生「把這件作品看穿透過去，然後用心多想一想」，會是很重要、有效的提示，但具體的教學實際方案，是讓學生確實理解上述提示不可缺的引導工具，可以參考（五）「看穿作品」的教學演示案例，並另行依據欣賞的作品內容和特性，自行設計有效的教學策略。

3. 另一個產生想法的對話途徑，是延伸前面深刻觀察和思考的活動，鼓勵學生自己向作品提出問題，並試著自己去揣摩各種可能的答案，甚至質疑自己的答案而反覆追問，這往往是產生獨特觀點的有效途徑。而提問、回答、質疑、反問這些程序，也可以經由師生互動來實施，才能夠有效引導包容性和多元價值觀的培養，順便養成民主討論和接納不同意見的胸懷。

4. 最後要幫小朋友建立一個重要的觀念，就是要確信從認真的態度出發，藝術欣賞最有價值的部分，其實並沒有標準答案，所以，自己的想法並沒有對或不對的問題，而在於能不能說出自己的看法所依據的理由，以及表達得夠不夠清楚而已。

三、建立藝術欣賞觀念的參考策略

　　視覺藝術欣賞如果要避免僅止於視覺表象的觀察和敘述，而希望引導孩子連結議題或大概念，並從孩子的個人經驗出發，思考和解讀藝術的內涵與意義，這是前述審美能力發展研究認為兒童達不到的階段，但實際上不以精緻藝術的專業詮釋為目標，而是連接人生議題作價值澄清的討論，仍可以在藝術欣賞學習發揮深刻意義，有效建立視覺藝術欣賞的觀念，這也是一般經常提到的「對話式藝術欣賞」教學模式的前備基礎。但必須特別釐清的是所謂的「對話」，常存在一些定義上的模糊狀態，有的教學方式是以鼓勵學生「和藝術品對話」，事實上這是一種需要豐富藝術經驗和相當專業的欣賞方式，以國中、小學生的生活經驗和藝術經驗，恐怕很難達到可以自己和藝術品對話的程度，

因此本文所指稱的「對話」，是實際師生及同儕之間的提問與討論，而不是以形容詞的語意應用「對話」一詞。

建立以上觀念的參考教學策略，是採取兒童比較容易理解的語彙—「把畫看穿透過去」來作引導，具體的操作方式可參考以下的教學活動設計例：《告訴你，我正在看一幅畫！》

本教學活動採用虛擬的方式，由教學者向小朋友宣告：「這邊有一幅繪畫作品，老師現在正在看著這幅畫…」，接下來透過類似以下的對話，讓兒童能夠確實理解所謂「把畫看穿透過去」的真正意思。

「如果現在老師告訴你們：『我在欣賞藝術，我有看到一幅油畫』，你們認為這樣看得夠不夠仔細？」，學生的反應當然會如預期的大喊：「不夠仔細！」，接下來的活動程序，就是教學者虛擬的「再看一次畫」、「再補充敘述看到的內容」，反覆以：「這樣看得夠仔細了嗎？」和學生互動，教學者的敘述大致如下逐漸增加各種相關內容：

「噢，這是一張油畫，畫了一個女生。」，學生的反應大概還是「不夠！」
「好，再看仔細一點，這個女生坐在藤椅上，穿著藍色有白花點的洋裝」
「她的兩手交疊放在大腿上，臉上沒有什麼表情。」
「她左邊有一張木頭桌子，桌上放著一盆花，花瓶是白底藍色圖案。」
「那盆花插得滿滿的，紅、黃、白、紫各種顏色的花都有」
「前面的地板是灰色的，沒有什麼花樣，背景是整個灰暗的顏色，也沒有什麼可以辨認得出來的東西。」

這些虛擬的描述和互動過程，會有學生提出質問的意見穿插其中，等於也是潛在的提示「看」和「敘述」的方法，到描述得比較詳細的階段，大概就可以中止學生的追問，以「看到這樣已經可以了，差不多可以把畫看穿透過去了。」，接下來向學生說明：「看穿一幅畫的方法，就是從所看到的去生出問題來，有誰已經有問題可以問了嗎？」，接下來從學生的問題和討論，慢慢可以引導出一些「感覺」、「想法」，再從各種回答的內容和答案，要求列出理由或者提出反問，又可以引導出「推測」、「判斷」等思考活動，也等於畫面

上「看不見」的東西逐漸出現了，讓學生體會到所謂的「穿透畫面」，就是看到了其他畫面上沒有的、自己發現的訊息。如果學生提出問題的反應不如預期，或者教學對象是高年級以上甚至成人，教學者也可以故意提出問題來誘導：

「老師也有一個問題，如果是人物畫，旁邊為什麼要畫一盆花？或者乾脆就是靜物畫，為什麼要和一個人物合併在一起？」

這個問題很容易引導到「象徵」和「隱喻」的表現手法，無論是以花是美的象徵，用以襯托女性人物的美，或是人比花嬌、美人愛花等揣測，這些畫面上「看不見」的討論內容，就更可以讓學生理解「把畫看穿透過去」的意思了。更進一步把藝術欣賞連接到生活經驗和價值觀，可以再提出以下的問題：

「老師又想到另外一件事，漂亮的花被剪下來插在花瓶裡，其實可能很快就會枯萎，青春和漂亮多半早晚也會老去，如果有這種感覺和想法的話，大家有什麼樣的看法嗎？」

教學者這種刻意的誘導，其實就是一種議題連結的教學策略，讓學生體驗真正的「對話」和「自己詮釋」，更將藝術欣賞連結人文思考，達成以下的師生共同對話和生活態度的思考：

「青春和美貌既然是短暫的，那它的重要性如何？身材和容貌是不是最重要的事？人有沒有更重要、更值得珍惜的？」

「除了外表的美，還有什麼也會讓一個人變得很美？」

這樣的藝術欣賞教學模式，除了讓學生具體了解「看」和「想」的藝術欣賞方法，也可以有效引導藝術欣賞的內涵和方向，不至於以專業知識和背景資料作為主要的藝術欣賞學習內容，當代藝術的精神和個人解讀的可能性，也就在不知不覺中內化為學生的藝術觀念。

四、藝術欣賞教學課程延伸的原則

（一）藝術欣賞教學的多元發展和跨域連結

藝術欣賞教學的課程延伸，不一定只是連接到藝術的創作表現而已，多元

化的學科統整和活動方式，可以擴展藝術學習的效應和目標內涵。和語文、自然、社會等領域或生活議題的連結，會更容易銜接孩子的經驗，引發更多自主性的創意表現。教學活動不把學習場域侷限在教室內，除了畫廊和美術館之外，可以帶孩子到戶外接觸大自然、探訪社區、實際田野調查，進而籌辦綜合性的表現活動，連結地域特色和在地文化，讓藝術活動和真實的生活有更密切的關聯，這不但可以激發孩子們的思考，培養解決問題的能力，也更增藝術學習的價值和意義。

（二）藝術欣賞延伸的創作表現教學

　　兒童在藝術欣賞之後若要延伸創作表現教學，不應該被藝術品原有的題材、形式、風格和媒材所侷限，尤其是拘於原作形式、技法模仿或修飾的學習方式，是一種學科中心的迷思，也經常斲傷自主性和創意表現的發展，造成難以彌補的學習傷害。創作教學的延伸和題材發展，可以從藝術家的生活和工作態度來思考，讓學生作反省和自我表現，也可以從藝術表現的特殊意義來探討，或是從學生個別的獨特發現和解讀，發展出更具個人化表現空間的題材，另外，從藝術表現的內容連接當代生活議題，或對應學生的個人生活經驗和省思等，就原作的題材發展學生自己的觀點和詮釋，都可以引發更具原創性的表現內容，這也是藝術創作教學，培養學生自主性和表現能力的基本原則，模仿形式或技法，稍有不慎就會造成觀念的誤導和學習傷害。

（三）延伸教學的目標主導和學習者的主體性

　　明確掌握教學目標就不會陷於形式的追求，以兒童為本位來思考，就不會因作品完成度的考量，而不當的介入學生的表現空間，例如替學生安排構圖、指定造形、色彩和裝飾紋樣、背景等常見的不良過度指導。讓學生成為主體，就會重視藝術欣賞的感受、思考，避免偏向形式分析或專家論述，而以單一標準答案解讀藝術。在這個原則下，如果同時考量學生經驗以及在地文化的結合，藝術欣賞學習的課程自然就會有良好的發展方向，學生也會有更多較為獨特而且有意義的學習表現。

陸、議題連結的對話式藝術欣賞教學模式

基於「當代藝術」世俗性格的人生議題、國民美學的藝術史觀點、「透過藝術的教育」課程目標、學習者本位等相關論述，視覺藝術欣賞如果要跳脫專業藝術的框架，那麼發展出另一系列的藝術欣賞學習方式，或許是高難度但不得不作的功課。以下依據本書的各項相關論述，試擬對應整體理念的視覺藝術欣賞教學模式，並訂名為「**議題連結的對話式藝術欣賞教學**」。

視覺藝術欣賞的議題連結和對話，基本上是以人為本位的當代教育哲學理念，以及當代藝術連接人生議題的性質特徵為基礎，教學模式的思考和教學實施的相關概念和程序如下：

一、藝術欣賞教學的程序

（一）建立面對藝術的基本觀念和態度

以兒童和青少年容易理解的語彙討論藝術的定義，可以先提問：「什麼是藝術？」和「藝術是什麼？」，這個問句的主要用意就是藝術定義的簡單概念，讓學生了解由不同面向切入，藝術就會有不同的詮釋方式和定義，因此用各種性質特徵來形容藝術都是可以接受的。依循這樣的結論，可以提示藝術有一項特質就是台語的「狡獪」，當然，必須特別強調「狡獪」是思考和創意所衍生的行為表現，並不是隨意胡鬧、亂來。教學者可以用實際的例子來說明，人類的文明發展就多半和「狡獪」的概念有關，喜歡動腦筋挑戰大家習以為常的典範，才會有愛迪生不滿足於火把、油燈、煤氣燈的照明，一再失敗終於還是發明了電燈，而後來一樣「狡獪」的人才又發展出 LED；人類從牛車、汽車、火車到高鐵也是一樣的例子。這項概念解說最重要的提示：「狡獪」必須是認真、思考、能提出理由，藝術的狡獪行為或解讀才能夠成立。這必須在討論時一再強調和提醒，避免在態度上形成負面的誤導。

以專注認真的態度和開放的心靈面對藝術，可以多元解讀而引發無限的可能，這也是當代藝術欣賞的本質。所以，不只是仔細看而已，更要鼓勵孩子用心認真的動腦筋想想看，而且不必擔心自己所想到的是對或不對。如果能引發

孩子養成獨立思考的習慣，並能適當表達自己的想法，藝術欣賞最有價值的目標就幾乎已經達成一大半了。

（二）背景資料的收集和解讀

　　提出「藝術欣賞有沒有標準答案？」這個陷阱問題，是討論藝術欣賞很好的出發點，由於一些觀念的引導和先前的學習經驗，學生的反應多半會是「沒有標準答案」，這個對了一半的答案，教師可以反問「這件作品的標題是什麼？這有沒有標準答案？」可以加深印象和增加教學的趣味性，同時建立學生理解背景資料和藝術詮釋的差異概念。藝術欣賞包含確定的背景資料：作者、標題、材料、年代、尺寸⋯，也包括創作的時代背景、藝術流派等，以及畫面上看得見的圖像、內容，這些項目都是確定的資料，也是理解藝術很重要的參考訊息，尤其是作者和標題，多半和文化背景、創作態度，以及表現的意圖和觀念由所關聯，是藝術解讀很重要的基礎參考。至於藝術欣賞的另一個層面：對藝術的個人感受和解讀，則是欣賞者觀察和思考的結果，也會連結到個人的生活經驗和氣質類型，所以並沒有必要強求標準答案，各種完全不同的解讀也沒有對不對、好不好的標準，而只會有解讀是否有理由和依據的要求。藝術欣賞的內容雖有上述的兩種層次，但兩者之間仍有相當密切的關連，這個觀念有必要讓學生確實理解，甚至可以舉實例予以印證說明。

（三）議題連結的對話途徑與方法

　　以適當的作品為例讓學生了解，作品的標題常是作者內心想法的重要線索，先觀察並能敘述畫面上看見的內容，就能獲得思考的線索，多元探索自己的想法或感受，再加上適當的表達，就是良好的對話方式。而最重要的關鍵則是要看得夠專注、夠深刻，才能從作品上獲得更多的訊息，讓自己產生更多的想法和感覺。

　　以前述的「認真把作品看穿透過去」的經驗，可以引導學生自己先產生問題，教學者也必須要有適當的引導，能夠容納學生的各種看法，也能讓討論逐漸朝向預設的議題發展，這些預設的生活、文化、環境、社會等等相關議題，就是「主題式學習」的「大概念」意含，也就是人文精神的思考所衍生的藝術

學習目標和價值，是以人為主體的而不是學科中心的學習，關鍵則在連結的議題如何思考和規劃。這方面的依據除了藝術欣賞對象的題材和內容，主要可以參考視覺藝術課程架構的目標、實踐研究教學設計的題材範圍、以及當代藝術內涵的歸納等資料，而最根本的則是教學者本身的人文素養和人生哲學思維，而不是多麼高深的藝術專業成就和學識。或許繞了一圈又回到高山 正喜久先生當年那句話：「如果不知道人應該怎麼活，又怎麼去教孩子將來該怎麼活？」。藝術學習連結真實生活經驗，才是當代藝術教育的基本原則。

　　對話式藝術欣賞教學的對話方式，涵蓋孩子個人和欣賞對象的對話、師生之間的提問和表達討論，更重要的是學生之間的對話，除了兩、三個人或小組討論，由個人或小組發表並和全體學生對話，才是最好的同儕學習方式，一方面拓展學生對各種不同觀點的理解，一方面建立包容和尊重不同意見的態度，更能夠營造踴躍發言和對話的教室氛圍。對話式欣賞教學的實施方法，基本的原則是盡量不要設定預期的標準答案，而是順著學生發表的意見發展討論議題，例如學生以玩笑方式或故意胡亂發言，教師仍舊可以接受但追問學生要求提出理由，就可以有效促成思考，並逐漸減少沒有想法的隨意發言，除了養成良好學習態度，更能發展觀察、溝通和想像的更多可能。

　　「議題連結的對話式藝術欣賞」教學，目前還在實驗和修訂的階段，很多觀念和課程結構的細節，以及教學實施的方法論都還待發展充實，甚至連名稱都還有修訂的可能，但教學實施的取向與目標的主要思考，則是在所連結的議題的規劃與教學設計方向，秉持人文精神並連結真實生活的省思，才足以產生具深度的結構性問題，這樣的議題廣度會超過新課綱所謂的融入議題，藝術欣賞學習的效應才能契合真實人生自我實現的需求，也應該更能夠符合當代教育哲學的發展趨勢。

二、議題連結的對話式藝術欣賞教學例

　　議題連結的對話式欣賞，如前述的初步教學內容和程序，和一般欣賞教學的差異性並不大，主要的關鍵則在發展對話的「議題」擬定，這方面會有兩種不同的策略，第一種方式是透過對談引導學生提問，教學者再經由討論意見的

歸納和引導，藉由學生的經驗發展出有深度學習意義的議題，這方面和學生的藝術學習經驗有關，難度和變數都較高，但非常符合開放性教學和以學生為主體的教學理念。因應學生經驗和能力不足的另一種教學策略，則是由教師在討論過程中提出「關鍵問題」，這項關鍵提問就是教學設計預設的大概念，所連結的議題就是「透過藝術」的跨領域學習，引導生活、文化、環境、社會等等相關議題和多元討論，讓視覺藝術學習跨越學科中心的局限性思維，直接融合人文思考的教育目標。

　　以下以兩個實踐案例省略教學設計和流程的細節，僅提出議題連結的對話式欣賞教學的實施結果，作為教學實施的意義和可行性研判的參考，基本上這些議題或關鍵問題的規劃，應該要能夠對應任何不同類型的藝術欣賞題材，而這項課題就是藝術教育的真正專業素養，也牽涉到教學者「人生觸覺」的敏感度，是哲學的、思想的、價值的、生活的體悟，是一種要成為「人師」的修煉歷程，期待這些書寫是一個起步，可以和更多的視覺藝術教師共同開拓欣賞教學的前景。

（一）沈欽銘（1938～）：《鹿港小巷》1996，53x45cm.（四、五年級學生）

圖 68 沈欽銘《鹿港小巷》1996

◎關鍵提問：很多人都喜歡住在現代化的樓房，為什麼卻喜歡藝術家畫的老、舊建築？（人文環境議題）

◎孩子的觀點：1. 老房子是很多人的紀念或回憶。

2. 老的、舊的建築都有歷史和文化的價值。

3. 不能只喜歡老建築，現代化的新建築也是很好。

◎孩子的結論：可以蓋新建築，但不應該把老房子都拆掉。

　本教學案例的前置教學及流程暫略，主要連結居住環境、景觀、社區文化等議題，涵蓋多元價值觀及多面向的思考，目標則以生活環境的關懷和文化省思，以及看待事物的多元角度和包容性，並建立表達、溝通的自信心為主。

（二）尼基（Niki de Sanit Phalle）：《Miss black power》1968（五、六年級學生）

圖 69 尼基（Niki de Sanit Phalle）：《Miss black power》1968

◎關鍵提問：怎麼樣才會讓一個女生具有更強的力量？（性別議題）

◎孩子的觀點：1. 溫柔可以變成力量。

2. 很認真才會有力量。

3. 讓自己變聰明就會有力量。

4. 對待人很真誠也會產生力量。

5. 增強工作的能力就是力量。

◎教師的追問：女生長得漂亮是不是一種力量？

◎學生的結論：漂亮是假的力量、沒有能力的漂亮沒有用…。

本教學案例從作品標題連結女性主義議題，主要的關注是性別對待的價值澄清，教學目標是以人生態度和開放的心靈為主，同樣以人文思考跨越學科，並具有多面向思考的同儕學習特點。

柒、視覺藝術欣賞教學的評量

藝術欣賞的學習雖然也都是以思考為基礎，但表現的方式多半會借助語文的表達與溝通，因此藝術欣賞學習的評量，和一般藝術創作表現的評量有明顯差異，同時本書前述的藝術教育哲學觀，並不以專業藝術知識與專家論述資料的學習為重心，因此以視覺藝術欣賞教學理念為基礎，有必要另擬參考性的教學評量表，作為欣賞教學實施的評量工具。

一、評量表項目

國民教育的藝術欣賞學習評量，原則上必須以課程目標為主導，避免以藝術史料和專業知識為重心，因此評量表就以下五個向度擬定評量項目：

1. 態度、興趣

態度與觀念是各種學習的基礎，牽涉到學習興趣、關心度、專注力、價值觀等基本條件，這和學習成效可能沒有直接關聯，但卻會實際影響教學實施和學習的效應，因此列為評量的首要項目。

2. 知識、觀念

這是藝術學習的學科本質知能，也是理解藝術形式的學習途徑，包括視覺元素、色彩、形狀、結構等形式原理的基本理解，以及知覺的敏銳度、觀察力、感受力、想像力等，是藝術欣賞學習的基礎。

3. 思考、詮釋

針對藝術欣賞對象主題和內容的認知與理解，思考方式與理解程度牽涉認知發展成長和氣質類型，以及學習經驗和知識能力的應用狀況，多半呈現在形式、內容和風格的分析與理解，但重點是個別化經驗連結的特殊觀點和解釋。

4. **表達、溝通：**

這是對藝術表現的意義性作解讀，多半會受背景資料和專家論述影響，但原則上應該連結學習者的個人經驗，能自己詮釋作品結構形式的意義，提出創造性的觀點並能以適當的語言有效表達自己的看法。

5. **延伸、連結：** 當代藝術欣賞學習的終極目標，必須超脫專業藝術的學科化學習內容，連結文化、社會、歷史、環境等多元面向與生活經驗，以哲學思維探討各項生活的、價值的人生議題，進而拓展藝術學習的表現層面與多樣可能性。本項表現多半須經由教學設計規劃結構性的問題實施教學，也是議題連結的對話式欣賞特定的評量項目。

6. **其他項目：** 欣賞教學的題材對象有高度的複雜性和多樣可能，因應較為特殊的欣賞題材，則必須另外擬訂評量的項目和內容。

二、視覺藝術欣賞教學評量的參考工具

國民教育的視覺藝術欣賞教學基本評量表

項目	層次	學習表現與評量內容	備註
一、態度	層次一	呈現藝術學習的興趣 · 關心生活周遭的視覺對象 · 能接納各種不同看法和想法。	興趣和態度與學習的成就感相關，應該同時關注並列入評量的參考。
	層次二	主動關心各種視覺對象 · 對欣賞對象具觀察的專注力與認真態度 · 能接納別人的不同看法。	
	層次三	以認真的態度進行藝術欣賞學習 · 能收集各種資訊補充對欣賞對象的解讀 · 能接納各種不同觀點。	
	層次四	主動投入藝術欣賞學習並體認精神活動的價值和提出個人的想法 · 以多元包容的態度接納各種意見並參與討論。	

二、知識、觀念	層次一	能辨識並敘述常見色彩名稱與一般的形狀 · 能簡單敘述視覺對象的特徵 · 只關心視覺對象對個人特別具吸引力的部分。	藝術專業知識必須考量有助於欣賞理解、詮釋的相關性而設定，並不宜列為藝術學習的主要目標。
	層次二	能描述色彩與形狀的特徵 · 認識基本的形式結構 · 能觀察作品的全貌並描述 · 具知覺敏銳度能分析、歸納視覺對象的內容和特徵並提出個人見解。	
	層次三	能觀察視覺對象的完整結構 · 理解基本的形式原理及視覺元素 · 能討論藝術的背景知識和表現意義。	
	層次四	能統整外在知識與本身經驗提出具有邏輯性的個人觀點 · 能作形式原理的分析與解釋 · 對作品媒材、技術、題材作判斷與分析。	
三、思考、詮釋	層次一	以個人的印象呈現自己的觀點 · 只能簡單描述欣賞對象的視覺內容 · 以直觀感受為主解讀作品的內容 · 以想像力解釋作品內容。	背景資料和專家論述對欣賞對象的解讀具參考功能，但最終的詮釋應該以引發個人思考的創造性觀點為目的。
	層次二	對作品題材具感受性解釋 · 透過形、色、結構的聯想解讀作品 · 從個人生活與學習經驗推想作品意義 · 以想像力對作品內容作邏輯性的詮釋。	
	層次三	理解藝術表現的形式與意義 · 能理解藝術表現的脈絡與關係並作出解釋 · 以個人經驗結合背景資料與作品內容作分析 · 可能受外在知識影響但也能提出自我觀點 · 提出對作品意義的創造性觀點與理由。	
	層次四	能依據藝術史的簡單架構解讀作品 · 以學習經驗和知識提出個人化的作品解讀 · 從社會與文化理解思考並作出解讀 · 能對欣賞作品提出生活關聯的思考和價值判斷。	

四、表達、溝通	層次一	日常用語的非結構性敘述 · 較少觀念上的溝通與互動性討論	語文是思想溝通的主要工具，但欣賞的感覺和心境轉換為語文表達是問題點。
	層次二	能表達個人觀點並敘述理由 · 日常用語為主結合部分專有名詞的敘述 · 能嘗試因果語句與具邏輯的表達 · 理解別人敘述並有效溝通。	
	層次三	能以因果句法敘述自己的看法 · 逐漸採用視覺藝術專有名詞敘述 · 語言表達具邏輯結構並可互相理解與討論。	
	層次四	能將欣賞的感覺或感受轉換為精準的語言呈現 · 理解並應用視覺藝術專門用語作表達 · 以藝術學習的經驗和共通語彙進行有效的觀念溝通。	
五、延伸、連結	層次一	僅就生活經驗作個人化的簡單連結或想像 · 只選取視覺對象的部分特殊形象作連結。	這是透過藝術的教育必要的教學活動，可參考當代藝術觀念規劃評量內容。
	層次二	就作品內容連結個人生活經驗提出觀點 · 能連結知識、社會、文化等現象的感受提出個人的看法 · 能對議題和提問作思考和意見回饋。	
	層次三	連結生活經驗與藝術學習經驗作分析或延伸學習 · 嘗試跳脫原作者意旨或專家論述而提出個人觀點與感受 · 能自己從欣賞對象發展出相關論題。	
	層次四	經由欣賞對象連結各種人生議題而省思生活態度 · 連結社會、文化與生活等相關議題的探究與價值判斷並有個人的創造性觀點。	
六、其他自訂	層次一		依據欣賞題材或展覽型態及欣賞對象與學習目標等差異自行增訂評量項目
	層次二		
	層次三		
	層次四		

藝術欣賞教學基本評量表應用說明

（一）欣賞教學評量項目與標準的項目，基本上是以國民教育**透過藝術的教育目標**為基礎，因此會降低技術和形式原理分析的份量，美感經驗的部分也以藝術意義的解讀為重心，這項教育哲學方面的思考與抉擇，原則上接受教學者在應用時自行修訂。

（二）以上參考性的視覺藝術教學評量表，五個項目並不是已經窮盡的列舉，畢竟視覺藝術欣賞教學因為欣賞材料的複雜度，除了藝術史、藝術流派的差異，包括前述的欣賞對象呈現型態、藝術學習目標、學生經驗及文化背景等差異，基本評量表的項目仍有隨機修訂的空間。

（三）評量表各項目的各層次評量觀點，大部份是依據教學經驗和相關造形心理發展理論的推估，並沒有透過嚴謹的教學實驗收集教學對象的反應資料和統計，但教學對象的個別化主體性，並不需要強制性的用常模來對應和要求，所以各層次評量觀點是評估學生處於什麼狀態的參照工具，而不是要求學生必須達到的標準，所以沒有透過實驗統計依據的評量觀點，卻可以透過計畫性的教學實踐，成為收集學生各種反應方式和狀態的工具，建構出孩子在藝術欣賞學習方面的反應模式，作為藝術欣賞的課程和教學規劃參考。

（四）各項目評量內容的四個層次，基本上是假設性的幼兒到小學三年級、四年級到六年級、國中階段、高中階段四個層次，但這並不是一種以年齡區分的表現標準或優劣評價，而是一種學習狀態的參照，例如藝術欣賞的態度或觀念，有些高中生甚至成人都還停留於第一層次，有些小學生卻已經發展到第三層次，這是因為各種經驗差異而常有的可能現象。

（五）「其他自訂」的空白欄位，是因應欣賞教學的複雜度而訂的彈性需求，如前述的學習目標、欣賞對象呈現型態等差異，以及議題連結的性質等，評量的內容當然會有很多基本架構表無法涵蓋的項目，所以必須由教學者依實際的情況自行增列、修訂。

第九章：造形心理發展與學習表現分析

　　視覺藝術學習過程的創作表現方面，有一些可能相當具爭議性的觀念，會嚴重影響教學實施和教學評量，其中一個有問題但未被關注的基本概念是：兒童學習過程中的製作活動是不是「藝術創作」？兒童呈現的作品是不是「藝術品」？這個有點複雜的藝術教育觀點，可以就兒童的繪畫為例來探討：一般人看待兒童畫的方式，從「小孩子根本不會畫圖，所以才需要好好指導」，直到「兒童畫是最純真、最美的作品，是連藝術家都想模仿的天才表現」，以這麼嚴重的觀念落差可以想見，兒童的繪畫或其他藝術製作的表現，性質和地位似乎沒有想像中那麼容易認定。上述情況和問題如果沒有仔細釐清，教學目標可能容易產生衝突，教學實施內容可能難以拿捏，教學評量可能找不到標準，因此有必要從基礎理念作探討，讓視覺藝術的課程發展和教學實踐研究，有比較明確的論述依據。

　　兒童學習的表現是不是藝術創作？兒童的作品是不是藝術品？這項討論必須先確認相關的背景條件，一般情況下視覺藝術學習的表現和作品，除了少數主動、偶然的自發性表現或遊戲行為之外，大多數的作品都是教學活動的結果，廣義的教學除了家長為主的成人誘導，主要是指一般國民教育的正常教學實施，因此對兒童藝術表現的關注，就必須參照藝術教學目標和兒童的成長狀態，不能偏向專業藝術養成的角度，或是一般成人的喜好觀點，確認藝術教育的學習者主體地位，是這個議題探討的基本原則。

　　至於「藝術創作」和「藝術品」的定義，如果採取寬鬆的廣義觀點，學生表現的作品或許符合藝術的表面形式，但是從比較嚴謹的藝術定義來判斷，孩子的人生經驗、情感、技法成熟度，以及思考、表現等心智能力成長狀態的限制，事實上欠缺藝術創作的基本條件，因此將學生學習的表現視為是藝術創作，可能會產生教學目標與要求標準的誤差。就現實情況來判斷，兒童的製作行為和表現，大多數在題材、技法、表現等各方面，都受到教材設計和教學引導的影響，並以國民教育的目標為學習目的，完全獨立性的藝術創作成分並不高，所以從教育的立場來看待兒童表現，以學習者為本位而不是以專業藝術為

目的，或許是比較合宜的觀點，也才具有教學實施的合理性。

壹、兒童視覺藝術表現相關的基本概念

　　兒童藝術學習與表現發展的研究，大概以齊澤克（Franz Cizek 1865～1946）大力倡導兒童美術教育為起源，美術學習從藝術專門技術訓練，轉移到兒童的「自由表現」，以兒童為主體的各種造形心理發展研究，成為二十世紀兒童藝術教育的風潮，也發展出很多影響深遠的教育論述。參考兒童造形心理發展的研究和理論，或許更容易理解兒童表現的意義，為兒童表現的作品界定性質，對兒童的表現作合理的分析，才能提供課程規劃和教學實施的參考依據。但以下先探討造形表現研究的基礎概念。

一、兒童視覺藝術表現的心理背景差異

　　探討各種兒童造形心理發展的研究和理論之前，有必要先了解兒童藝術表現的背景條件，區分兒童藝術表現的不同型態，以免將不同性質的兒童表現混為一談，產生討論上的歧義和誤解。為了聚焦和容易理解，以下單就兒童的繪畫表現為例子，並以「說話」來比喻孩子的「繪畫」表現：

　　第一種孩子畫圖的心理背景是**「喃喃自語」**的型態，是完全自動自發而且自由自在、自得其樂的狀態，例如大人不注意時出現在牆壁上的塗鴉，孩子並不在乎自己在畫什麼，也不會在意別人看不看得懂。這種繪畫型態多半具有相當高的自我表現成分，也和孩子真實的心理狀態有較高的連結，但可惜多半隨著年齡的成長或受到各種制約，這種表現方式會退縮而越來越少，造成這種現象的原因則非常複雜，主觀和客觀的因素很多而且互相糾結影響。至於小孩子為什麼會有主動的自由表現，里德引用某些研究所作出的解釋，認為是本能的**「讓外在世界知道自己（存在）的慾望」**，是一種類似遊戲性質的精神表現，也和情緒緊張的紓解以及創造力的發展有關。但同時也做出一個有重要參考價值的註解：**「自由的表現並不一定就是藝術的表現。」**（呂廷和 譯，1973）

　　第二種兒童畫圖的心理狀態是嘗試要**「表達或溝通」**，一般的情況就是廣義的教學過程中，家長或教學者給予引導、設定題材、丟下問題或提出要求，

讓兒童以畫圖的方式作出回應或表現，在沒有出現過度指導或不當干預的情形下，多數孩子會依據自己的經驗和能力，以自己覺得合理的方式回應，這時候不管表現方式和內容如何，對孩子而言都有特定的意義和溝通的意圖，不過大人卻不一定完全看得懂就是了，尤其是年齡越小的孩子的圖畫越不容易看得懂。這種心理背景的表現型態，會因為指導和要求標準的差異性，有很大的落差和分析的不確定性，因為想要讓孩子以自己的語言表達自己的想法，或是希望孩子說出大人預設、期待的答話，結果就會完全不一樣。所以有藝術教育學者強調：「維護孩子的自我表現，是藝術教育需要全力捍衛的最基本立足點。」（宮阪 元裕，2014），繪畫的表達如果欠缺孩子自己的語言，表現的分析就欠缺著眼點，藝術學習的目標也多半模糊不清了。

另外第三種可能的型態是「**背書或朗誦**」，不管是唐詩或者成人修飾的演講稿，不少人認為背誦這種「高水準」的文章，才是一種好的說話方式和學習途徑，即使孩子可能覺得莫名其妙或難以理解，卻仍然有人相信用這種方式，可以增進孩子的說話能力，也就是迷信技術指導和形式模仿，所獲得的大人設定的作品視覺效果，可以讓孩子養成更強的藝術表現能力。但是對這種觀點或許可以試問：讓孩子有豐富的感受性，比較容易作出抒情的表達，或是背誦一些美麗的修辭詞藻，比較能夠寫一篇優美的抒情文？讓孩子學習思考的條理性，比較容易能夠論理，或者幫孩子分好段落並提供內容資料，較能培養論說文的寫作能力？其中差別應該不難思考和作出判斷。

以上三種兒童畫圖型態的差異，使得兒童繪畫作品不能用同一種眼光來看待，從藝術教育的立場來看，第一種型態的主要功能是情緒紓解和無意識的心理投射，和人格與心理發展較具關聯性，也是幼兒階段較良好而且重要的活動，必須加強維護並讓兒童充分滿足表現經驗。第二種型態是藝術教育的一般實施方式，教學法和目標的規劃是主要因素，重要的關鍵是課程的教育哲學價值和理念，孩子是否保有足夠的自主性自我表現，是表現分析和判斷的重要基礎，也是表現是否具有積極意義的參考。至於第三種型態並不是以兒童為主體，學習過程造成學習傷害的機率可能很高，就不再贅述先前已有的相關探討。因此，研究兒童的視覺藝術發展和表現分析，必須以前兩種型態的表現為

樣本，否則就不容易探究真實的表現方式和心理狀態。

二、兒童視覺藝術表現的形式

對於兒童的表現是不是藝術創作的爭議，哈伯特‧里德對羅恩菲爾的論述提出一些修正，或許可以提供一個頗具參考性的觀點。羅恩菲爾的說法是：「**兒童的藝術是一種遊戲的形式**」，論點是兒童的一切活動都是自主、自發的行為，活動的本身就是目的，將藝術表現視為遊戲，重點放在遊戲和藝術都具自由表現的共通性質。而里德的修正敘述是：「**兒童的遊戲是藝術的一種形式**」，這個有一點像在玩文字遊戲的論述，除了「形式」是一種廣義的意涵，重點就在兒童藝術表現的性質界定：兒童的遊戲雖然是自發性的，但卻具有「**追求生命系統和節奏達成統整的基本形式**」，所以可以視為是藝術表現。進一步用比較簡單的方式詮釋：為了完成遊戲，兒童必須整合身體的活動、經驗、想像，傾盡全力投入享受遊戲的樂趣、冒險性和成就感，而這個基本形式可以類比藝術創作的形式。以上述兩種遊戲論的詮釋觀點，應該可以認定兒童藝術表現的性質，基本上和專業藝術創作的性質很難會有什麼關聯，所以兒童的藝術表現，是一種以兒童為主體的特殊活動方式，有它本身發展的因素和脈絡，也因此引發了很多研究和不同的理論，怎樣界定兒童的視覺藝術表現，以下是一些比較具代表性和參考性的相關論述。

三、兒童視覺藝術表現的性質

兒童藝術表現發展的研究，雖然各種理論和觀點存有一些差異性，但大致上都認為和智能發展、心理發展、社會成長、情意或精神分析等有重要關聯，以下依據里德、霜田靜志以及艾斯納等學者的著述，簡單介紹各種不同的兒童造形表現研究的觀點，作為理解和分析兒童視覺藝術表現的基礎概念。

（一）「**兒童是畫其所知而不是畫其所見**」，這種常見的說法是傾向「主智主義」的觀點，依據一般理智常識的「正確性」來判斷兒童表現，認為兒童的繪畫是一種心智活動，而不是視覺知覺的呈現。（赫姆賀茲 H.von Helmholtz 為代表）

（二）「兒童其實是畫其所見，並不是畫其所知」，這是完形心理學透過「知覺分化」的研究，認為兒童的知覺概念尚未完全分化，再加上媒材和形式的限制，因而無法呈現完整的形狀、細節，兒童要在二度空間的圖畫紙上，呈現三度空間的形體，是一種畫出視覺所見的艱鉅「發明」和「創造」，所以完形心理是與生俱來的，兒童的表現是順應自然的知覺發展，而不是心智認知的表現。（安海姆 R. Arnheim 為代表）

（三）「兒童畫是社會行為和人格發展的投射」，這種傾向心理分析的研究，認為兒童從情感的自我表現，持續發展到寫實的再現，各種表現都和社會行為與心理特性有關，也包括專業藝術家在內，都會把人格投射於作品。這種理論甚至於後來發展成心理和行為分析，包括日本的淺利篤引用相關理論，將兒童的描繪和色彩過度解釋其象徵意義，做出對兒童疾病和心理問題的診斷。（艾修瑞 R. Alschuler 和賀德薇 L. Hattwick 為代表）

（四）「兒童畫是智力成熟度的表現」，認為兒童畫的圖式發展是一種概念的成長程度，是一種以認知發展理論為基礎的觀點，也發展出「畫人測驗」的智力評量方式。認為兒童表現的概念形成和複雜度，和兒童的智力成長有密切的關聯性。日本的桐原 保見曾以這個理論，做過大規模的實驗並比對其他智力測驗的結果，證實較低年齡的幼兒較具效度，但年齡越長就越欠缺效度。（古德伊納芙 F. Goodenough 和哈里斯 D. Harris 為代表）

（五）「兒童畫是情意和心理狀態的表露」，以精神分析學派理論為基礎的研究，認為兒童藝術表現的各項內容都具有象徵意義，直接關連心理狀態或當時的情緒，主要的分析以人物圖式、線條筆觸、色彩等，判讀兒童的心理、個性、情緒狀態或兒童的性別等，對於有足夠教學經驗的老師而言，一些比較淺顯的判斷具相當的可信度，但原則上必須顧及兒童的個別差異和特殊狀況，要做出分析和判斷仍必須有所保留。（安娜・佛洛伊德 Anna Freud，為代表）

（六）「**兒童畫是遺傳和環境交互影響的結果**」，這個以學習心理為基礎的觀點，認為兒童藝術表現的技巧、精神、智慧來自遺傳，而後天的環境因素影響感受力、想像力、創造性、美感判斷。這種論點和進步主義不一樣，較重視環境因素對兒童藝術表現的影響。（梅亞 N.C. Meier 為代表）

（七）「**兒童畫循著心理發展階段而自然成長**」，這種進步主義的基本論點，認為兒童的藝術表現和心理狀態、自我概念、創造性成長等密切相關，是人類發展的自然層面，所以對教育環境和措施強調避免負面影響，對不同知覺類型的學習者，也避免調整和意圖以教育手段強加改變，自由的自我表現會讓創造力自然發展成長。（羅恩菲爾 V. Lowenfeld 為代表）

（八）「**兒童畫的類型是人類演化的內心遺跡**」，引用人類學心理學的「集體無意識（collective unconscious，容格）」，佛洛伊德的「古代遺產（archaic heritage）」等心理學論述，強調藝術和兒童表現都具有先天氣質的類型差異，所以兒童藝術表現是最真實的「本我」意識的呈現，雖然有評論者批評其立論不夠周延，但卻無法否定人的先天氣質差異，是可以完全確認的一項事實，所以兒童的藝術教育和表現，應該順應先天氣質的不同表現類型，是從進步主義發展出來並做出修正的觀點。（里德 H.Read 為代表）

（九）「**兒童畫是身心、文化和技術成長的結果**」，這種傾向藝術學科中心的折衷性觀點，比較強調教育對兒童藝術表現的影響和功能性，研究重心並不在兒童藝術發展的因素，而是注重藝術學習的準備條件。（麥克菲 J. Mcfee；艾斯納 E.W.Eisner 為代表）

　　綜合以上的各種研究的取向和結論，基本上應該可以確認兒童的藝術製作和表現，不應該被當作是專業藝術創作和藝術品來看待，借用霜田 靜志的說法：兒童畫就是「兒童畫」，或者用比較貼近教育的觀點來看：**兒童的藝術表現是心智成長和認知發展的印記；是不同氣質類型和心理發展階段的紀錄；也是情意抒發和精神狀態的反映；也可能是內心深層人格的表露。**以這種方式來看待兒童畫，很多成人不懂或認為錯誤的表現，尤其是幼兒階段的塗鴉活動和

表現，其實都具備和成長相關的特殊意義，對兒童的表現有基本的正確認識，是理解兒童想法和判斷教學成效的必要素養。

從另一個角度來說，將兒童表現當作專業藝術創作來看待，刻意用任何方式讓兒童完成超前年齡階段的表現，或是用任何手段制約兒童的表現，以符合大人期待的目的或表現效果，都是不必要甚至可能造成心理傷害的作法。

對兒童繪畫表現的判斷，如果完全以美感形式原理（美學原理原則）為標準，很可能教學者介入兒童表現內容和形式，就會自認為理所當然，因為這是兒童不足而可以或必須「教」的。但如果以兒童為本位，教學者養成能夠「分析」的眼光，能看得懂兒童的表現在教育和成長方面的意義，這才是真正的視覺藝術教育專業。這同時有一項附帶條件：為了有效解讀兒童的表現，就必須盡力維護「自我表現」的型態，不是「教兒童表現」，而是讓兒童自主呈現「有東西可以分析」的表現，否則作品裡都是教師掌控的預期效果，根本不會出現可供解讀兒童表現的相關訊息。

以上的概念或許也需要從另一個角度再作註解：兒童畫雖然不是專業藝術作品，但如果純粹從藝術欣賞的角度來看，充分自我表現的兒童畫卻是一種美的真實存在，毫無矯飾和做作的兒童畫所呈現的單純樸拙，懂得欣賞就可以發現非常獨特的迷人魅力。這個註解也等於是個補充或修正：如果兒童的藝術表現是自發性的；是擁有完全表現自由的全身投入；是一個沒有被壓抑而充滿喜悅的表現；是不必遵循標準典範的自主、自在的呈現，那麼兒童的藝術表現未必就完全沒有藝術的特質和成分，將滿足上述條件的兒童畫視為「藝術品」，或許也不是甚麼不可容忍的誤解，而這個修正可以成立的主要論點，則是因為藝術的定義具有流動性，在某些背景條件下可以容納無限的可能。

貳、兒童造形表現發展的相關研究和理論

視覺藝術教育主體對象的兒童，是一個個獨立的活生生的生命個體，認識這個多樣、複雜又充滿各種可能性，以及各式各樣個別差異的教學對象，就成了課程設計、教學實施和教學評量必要的基礎認知，以下探討兒童藝術學習和

造形發展相關的研究論述之前，先對「造形」一詞作簡單分析：

「造形藝術」一詞應是源於德語 Bildende Kunst，原先僅指繪畫和雕塑等再現客觀具體形象的藝術，英語 Plastic Art 也有譯為「造形藝術」，但常是狹義的僅指雕塑的形式。而模型的「型」字，國語辭典的解釋為製作器物的模子、典範、式樣、種類，因此藝術方面的相關用詞，還是以含有樣貌、表現、構成等意含的「形」，使用「造形」一詞為宜。

進一步舉例參考，例如製作「公仔」的角色構想、特徵與裝飾設計，以及工具操作、媒材處理、完成作品等工作歷程，都屬「造形」活動和表現，唯有以「公仔」的髮型、服飾、體形等設計出特定風格和特徵，就可以說「公仔的造型」有什麼樣的特色。

「造形」作為藝術教學的科目名稱，文字很可能引用自日本，受包浩斯影響而推動、發展得很成功的美術設計教育，就是使用「造形」兩個漢字，日本小學雖仍使用「圖畫工作」為科目名稱，但受造形藝術的影響，圖畫工作科的教學內容很重視色彩、構成。規模最大的日本美術教育研究組織，也是以「造形教育」作為連盟名稱。

一、兒童行爲發展：伊爾格和阿姆斯（Frances I. Ilg / Louise B. Ames）

以「生長階段」的概念觀察兒童的生長，理解兒童行為受家庭和其他環境影響，也同時因為先天的基因形成的個性差異，而有不同的發展可能和型態，也包括成長速度的差異性。兒童行為的觀察和研究，關係到心理、人格、思考和理解的不同類型，也逐漸發展成生命科學和生長哲學融合的觀點，在課程規劃、教學設計、潛能開發等各方面，都會提供重要的參照指標，兒童視覺藝術的教學者，對兒童行為發展也必須要有基本的認識。早期比較完整的研究報告，以蓋賽爾兒童發展研究所（Gesell Institute of Child Development）的專書較具代表性，目前在一般坊間也很容易找到參考資料。這項理論的實際應用如：探討兒童行為發展，才能夠理解幼兒階段的藝術學習，為什麼必須以「造形遊戲」為主，而沒有必要指導圖像描繪。

二、認知發展心理：皮亞傑（Jean Piaget 1896～1980）

認知發展心理認為各種知能的發展，是經由基本模式的建構和重整而循序漸進，對兒童繪畫發展的研究，雖然在表現內容和發展速度的論述，和其他理論並不是很一致，但都同樣強調兒童的繪畫發展隨著年齡的成長，具有階段性不可變動的發展次序。認知發展的研究取向，是以生理成熟、平衡、經驗、社會性的傳達等，來說明各個階段間發展、轉換的狀態。皮亞傑的認知發展階段分成：感覺動作期（2歲前）、前運思期（2—7歲）、具體運思期（7—12歲）、形式運思期（12歲以後）。這項理論的實際應用如：小學階段為什麼不適合抽象概念的學習，不必灌輸藝術專業名詞的詮釋與應用。

三、造形心理發展階段特徵：羅恩菲爾（Victor Lowenfeld 1880～1960）

認為兒童的繪畫發展，具有階段性的次序，但是對發展內容的說明方式，則強調各階段的實際造形表現特徵。羅恩菲爾的造形心理發展階段共分六期：

1. 塗鴉期（The Scribbling Stage）：約一歲半至四歲，兒童拿筆在紙上不受控制的亂塗動作，是最初的錯亂塗鴉，不能控制動作是生理尚未足以協調的階段。隨後兒童會發現動作和筆跡間的關聯，從沒有區別的塗鴉，歷經有控制的塗鴉、圓圈的塗鴉，發展塗鴉動作的手眼協調，最後到命名塗鴉的階段，兒童已能將動作與想像經驗作連結。對幼兒塗鴉期繪畫發展的研究，羅達・凱洛格（Rnoda Kellogg）收集五十幾萬張兒童作品的分析，有中文翻譯本《兒童畫的發展過程》可做參考。（夏勳 譯，1988，台北世界文物出版）

   塗鴉應視為造形心理階段特徵的專有名詞。原則上不應該把較高成長階段的無意識描繪、情緒表現、自動性技巧…等，較為雜亂、無秩序或隨性的描繪，都通通稱之為「塗鴉」，就視覺藝術教學研究的討論而言，這或許歸類在心象表現的「自由構成」較為合宜。

圖 70 粉蠟筆塗鴉 約 2 歲半

圖 71 水性顏料軟筆塗鴉 4 歲

2. 前圖式期（Preschematic Stage）：大約四歲至七歲。在此階段，因為兒童尚未建立起固定的觀念，所以我們特別能在這階段中，看到兒童使用許多不同的形體符號來表現同一物體，又或者同樣的形體符號，在不同時間或情境下代表不同的物體，造形的描繪和命名塗鴉會同時交錯呈現，這種型態的持續時間長短也各不相同。

圖 72 接近塗鴉的前圖式期 4 歲

圖 73 近圖式期的前圖式期表現 5 歲

3. 圖式期（Schematic Stage）：大約七歲至九歲。兒童在長期探索人與環境的明確概念後，會形成高度個人化的繪畫形式，換言之，一件物體的形式，是兒童繪畫當時所具有的概念，藉以表現他對這物體的知識或知覺。形體概念和表現的豐富與否，取決於性格和教學者啟發的程度，因此兒童可能以豐富的人和環境的概念來進入圖式期，但也可能以較貧乏的圖式表現來說明其觀念。如果沒有適當的經驗影響而改變兒童的概念，他就會一再的重覆同樣的圖式表達。兒童圖式期繪畫的特徵有：(1) 重要部分的誇張；(2) 忽略或省略不重要或受抑制的部分；(3) 改變感情上有意義部分的記號。圖式不僅是形體概念，也是創造性繪畫活動的基礎，概念愈豐富，表現的可

能性就愈大。有關圖式發展的相關論述，於下一節另作補充。

圖 74 圖式期兒童畫　9 歲　　　　　　　圖 75 圖式期兒童畫　7 歲

4. 擬似寫實前期（黨群期 Gang Age）：大約九歲至十一歲。這個階段的兒童
　 能意識到在群體中比單獨一人更有趣味與效率，這就是群體友情或「黨群」
　 的基本要素。在這個階段繪畫並不是兒童視覺所觀察到的結果，而僅是急
　 欲將男、女性別角色特徵化的表現，這正是朝向寫實概念的第一步。經由
　 漸增的視覺觀念，兒童不再經常的使用誇張、忽略或省略來作為感情表現
　 的手法。雖仍未發展出對於空間深度之有意義的視覺感應，但已察覺到「重
　 疊」的視覺現象，而邁向較成熟的視覺概念。

圖 76 黨群期表現　9 歲　　　　　　　圖 77 黨群期表現　11 歲

5. 擬似寫實期（推理期 Stage of Reasoning）：十一歲至十三歲。由於身體的生理變化所引起的自我觀念改變，亦即從無意識至批評式自覺之想像活動之產生，是青春期轉捩點的一項最重要特徵。此期已有足夠的智慧來解決困難：注意力首次從製作過程逐漸轉到成品上，於是藝術成品隨年齡的增加而變得愈來愈重要。

圖 78 推理期表現　14 歲　　　　　　圖 79 推理期表現　12 歲

6. 決定時期（青少年危機期 Crisis of Adolescence）：15 歲以後。愈接近青春期的青少年，就愈消減對自己創作的主觀態度，而由於逐漸增強的自我意識，形成了批判式的自覺活動。他已脫離了兒童式的記憶表現，但卻尚未在自己有意識的狀態中產生信心。因此繪畫中有種不安全感會轉變成為自相矛盾衝突的視覺表現；既缺乏兒童式的天真與不自覺，又尚未發展出成熟的自我表現方式，因此多數青年在這個時期，常會中止創作活動的發展，這段期間的繪畫表現落差極大，已難以有適當的表現範例作有效參考。

四、表徵系統的繪畫發展：布魯納（Jerome S. Bruner）

對兒童繪畫發展模式，刻意不強調年齡與階段性的研究取向，認為認知歷程具有合理性和複雜性的特徵，個體會以內在的認知模式或系統，主動對外界資料加以選擇、保留、轉換，認知發展就是由內在系統和外在環境互相作用的結果。主要的論點是人類經知覺而將外在環境周遭事物或事件，轉換為內在的

心理事件的過程，稱為認知表徵或知識表徵。另外，布魯納也特別強調學習的主動探索，認為從事象變化中發現其原理原則，才是構成學習的主要條件。

布魯納的表徵系統論把認知發展分成三個學習階段：

（一）動作表徵期 (Enactive Representation)：認為三歲以下幼兒靠動作認識瞭解周圍的世界，亦即靠動作來獲得知識。

（二）形象表徵期（圖像表徵，Iconic Representation)：認為兒童經由對物體知覺留記憶中的心像 (Mental Image)，或靠照片圖形等，即可獲得知識。

（三）符號表徵期（符號表徵，Symbolic Representation)：認為學童能運用符號、語言、文字為依據的求知方式。

以上三種認知模式平行並存，認知能力和內涵是結構化的發展，並不宜作明確的階段劃分。對繪畫發展的說明方式，則是以表徵的目的性來加以分類和解釋。

動作表徵階段大致等於學前幼兒期，認知結構是以行動代表世界，以具體事物的操作動作發展認知。

圖像表徵期等於兒童少年期，以知覺形象代表世界，認知發展不必經由動作操作，可以透過事物的形象或圖畫思考或認知。

符號表徵階段大約從 13 歲左右至青年階段，以抽象符號代表世界，經由更簡約的符號將認知轉為內在化。

實際上表徵系統所敘述的內容，雖然強調目的而刻意模糊階段性發展，但發展內容的特徵描述，其實和造形心理階段的特徵，大致上仍有相當的符合性。也有學者認為布魯納在認知發展分期中的圖像表徵期，相當於皮亞傑的前運思期。符號表徵期，相當於皮亞傑的形式運思期。（邱明星，2010）

圖像表徵系統理論的兒童繪畫發展目的性分類：

象徵的目的：肢體活動形成的軌跡，產生動作姿勢的圖像象徵。

定形的目的：將動作軌跡轉變為記號，追求同一性、相似性與差異性。

組織的目的：以規律性和反覆形成的圖像，產生空間組織的結構形式。

自主的目的：追求一致性，以規則與封閉的圖形完成圖像的形式。

敘述的目的：運用說故事的方式形成圖像，表現動態物體或暫時性經驗。

描寫的目的：對物體認知和重要部位的指示，描繪具有物體特徵的圖像。

描寫的敘述：描述靜態的繪畫內容及形式，重點在視覺的次序與準確性。

敘述兼描寫：重視動態活動的描繪，常配合語言來進行故事的敘述。

五、記號學的繪畫發展論（Anna M. Kindler & Bernard Darras）

以記號學的觀點認為兒童畫是為了將意義再現，而在社會環境的互動過程中，所發展出的一種記號的創造歷程，強調兒童畫不是單一的線性發展，而是一種地圖發展模式，因為符號發展、社會文化與環境互動、媒體視覺經驗等的影響，會產生各種可以選擇的不同發展路徑。而藝術的發展包含認知和圖像的學習、社會與文化脈絡的學習、語言和視覺媒體的學習等，這些學習是一種分歧與遞增的過程，同時也認為圖像的發展並不會在某一階段停滯，而是會持續發展。記號學的造形發展共分為五個「形象性」（Iconicity 暫譯），也就是個人圖像發展的模式，但仍舊可以判斷和年齡成長階段的連帶關係。

形象性 1：最早期的繪畫意象出現，是兒童動作的自我模擬形式，在記號活動層次的解釋是具有「**指示性**」，但兒童並不重視所創記號的視覺特質，而是只注意到自己能製作記號這項事實。表現特徵是動作的反覆，希望吸引大人注意而有社會行為發展的關聯性。

形象性 2：開始探索記號與痕跡間的相互關係，能理解特定的行為導致特定痕跡，可以類比為進入控制性塗鴉及命名塗鴉的階段。因為能控制手勢動作與重復的規律性，由普遍性的趨勢而產生製作符號的「**可預測性**」，以滿足普遍性的期望與成人的鼓勵。

形象性 3：痕跡與記號開始連結心象而帶有新的意義，但記號的屬性是自己的行動和印象，而不是針對物體與事物。由於社會互動的影響增加，兒童的圖像、動作、聲音等開始出現「**模仿**」，而成人的回饋、質疑與誘導則是表現和分歧的主要影響因素。

形象性 4：開始理解繪畫形式的可能性，以形狀的識別和分類構成發展的基礎，形狀一方面來自環境的視覺經驗，一方面發現形狀的符號可以傳達

　　某些意含，而形狀和符號傳達的是一種「**替代物**」的意義，成為與描繪對象在結構上和動態上的相等或代表關係。

形象性5：圖像具有視覺的象徵性意義，開始意圖表現視覺經驗的「**意象**」，模擬、遊戲和社會互動，成為圖畫發展分歧的可能因素，社會文化的影響更為明顯，也開始出現類似自我批判，會檢視自己的圖像表現是否符合原有表現意圖，這也形成發展的調整和改變因素。（表現形式的特徵類似「圖式期」。

六、兒童畫的氣質類型：里德（Herbert Read）

　　人的身裁、外貌各具特徵，個性更是內向、外向；樂觀、憂鬱；豪邁、小氣⋯，充滿了天生的差異性，這是從古希臘的希波克拉德（Hippocrates）開始，到近代生理學、心理學研究，都共同認定的所謂「氣質類型」概念。

　　氣質類型在藝術表現上也有很多例證，基本上像吳靈日（Worringer）的抽象與擬情兩種美學分類，羅恩菲爾的視覺型（the visual）、觸覺型（the haptic）兩種兒童畫類型，都是相關的概念。里德引用容格（Carl Gustav Jung）的心理學有較嚴謹詳細的論述，將兒童的表現類型歸納並簡化為八種氣質類型，對藝術教育和兒童繪畫作品的分析，相當具觀念的引導和參考價值。郝柏特‧里德將兒童繪畫表現的八種類型分為思考、感情、感覺、直覺四種，並各區分為內向和外向兩種類型，大致上的特徵是思考型近似於寫實主義（Realism），感情型則接近超現實主義（Superrealism），感覺型偏向表現主義（Expressionism），直覺型則類似構成主義（Constructivism）。以下圖片及里德原著的說明或個人歸納，侷限於圖片來源和混合型的干擾，各項圖例僅供參考而非最佳的明確範例。

（一）**內向思考型—有機的**：與外在客體有直接視覺的和交互感覺的關係，喜歡群體的而不愛獨立的個體；有自然的比例和有機關係的知覺。例如：樹是從地上長出來、人物有動作和互動、花從枝頭低垂而不是筆直挺立…等。

圖 80 內向思考型　9 歲　　　　圖 81 內向思考型　12 歲

（二）**外向思考型—列舉的**：作者會完全被物體支配，不能把物體和「整體」或「氣氛」的感覺相互連繫，會詳細描繪所有的細節，但均勻分布而沒有特別的重點。效果表面上如建築圖一般的寫實，但常欠缺創作者的知覺。

圖 82 外向思考型　6 歲　　　　圖 83 外向思考型　11 歲

（三）**內向感情型—想像的**：會從文學及生活經驗取材，但常透過幻想而呈現誇張的題材或內容，常有浪漫主義特徵的表現，擅於以想像力結合直觀意象和記憶心象來呈現。

圖 84 內向感情型　8 歲　　　　　　圖 85 內向感情型　11 歲

（四）**外向感情型—裝飾的**：會比較重視色彩和平面化的表現形式，多半會在畫面產生輕鬆愉快的感覺，並具有較明顯的裝飾模樣。

圖 86 外向感情型　7 歲　　　　　　圖 87 外向感情型　14 歲

（五）**內向感覺型—觸覺的**：表現內心感受的和其他得自內在感覺的非視覺的
意象，不僅表現自我中心的感覺，即使在表現外界物體的視覺知覺時，
仍然受身體感覺的控制而會產生偏離或變形的表現。

圖 88 內向感覺型　12 歲　　　　　　圖 89 內向感覺型　11 歲

（六）**外向感覺型—感情移入的**：描繪比較精細而色調柔和，喜歡表現可見的
細微特徵而不是概念的總體，畫面通常沒有顯著的勻稱感覺，而是傳達
一種「氣氛」，有類似印象派的感覺。

圖 90 外向感覺型　9 歲　　　　　　圖 91 外向感覺型　10 歲

（七）**內向直覺型─構造形式**：特徵明顯但比較少見的類型，描繪的物體基於觀察而產生幾何形的固定圖式，對自然物體透過認知而發展出描繪模式，所以常表現出一種象徵式的精細圖案。

圖 92 內向直覺型　11 歲　　　　　　圖 93 內向直覺型　14 歲

（八）**外向直覺型─節奏模式**：對於所見的事物或描繪對象，用一種重複的意象形成模式，直接重複或反轉變化而充滿整個畫面，而這種抒情的、有機的意象，多半基於觀察和轉換而呈現於一般圖式。

圖 94 外向直覺型　6 歲　　　　　　圖 95 外向直覺型　11 歲

　　里德的氣質類型論，雖然是從繪畫表現風格的歸納作出論述，但是對藝術教學的主體對象而言，最重要的就是提醒教學者重視兒童的個別差異，這也包括對兒童造形心理發展階段特徵的觀點，必須以兒童是獨立的生命個體為前提，確認兒童的發展可以有較快或較慢的節奏，也會有中間型的特殊氣質類型存在，並不可以僵化的引用階段特徵和氣質類型，將兒童貼上標籤或歸類，本

節的各項論述資料，是理解孩子表現和教學措施抉擇的參考，絕對不是孩子應該怎樣表現，或應該怎樣成長的標準規範。

七、完形心理學：安海姆（Rudolf Arnheim 1904～2007）

格斯塔心理學（Gestalt psychology，一般譯完形心理學）在兒童藝術學習和心理發展有獨特的意義，完形心理主要是針對「模式」「形式」或「結構」的心理研究，認為人對於事物的經驗有一個心理的整體結構和背景，人腦運作的「動態的整體」（dynamic wholes），意指整體並不是各個部分的總和，整體性並不可分割或還原。先前的章節曾經提到「完整型態」的心裡背景，例如兒童的人物描繪，不會出現身體或手腳切掉一部分的描繪方式，正常的兒童自我表現，會因應畫面空間和位置，而縮小或改變人物描繪比例，以便保持形態的完整性。

完形心理學的關鍵特徵包括整體性（Emergence）、具體化（Reification）、組織性（Multistability 或「組織性知覺」multistable perception）和恆常性（Invariance）。這些特徵所呈現的視覺法則如：

封閉性（Closure）：大腦會把視覺對象的某些空缺自動補上相關元素，形成心理上的完整形態。

相似性（Similarity）：大腦會依據視覺對象的相似特徵，自動組織成視覺的秩序化。

相近性（Proximity）：大腦會將互相靠近的事物視為一體，也就是優先於上述的相似性法則。

連續性（Symmetry）：大腦習慣上會將事物視為連續的形體，而不會以分散、重疊等方式看待視覺對象。

以上完形心理學法則的心理作用，使得人類的視覺認知，並非僅只是來自於視覺資訊，而是將視覺訊息和已經儲存的認知、記憶、印象、經驗等整合，才真正建構出我們對事物整體形態的感覺和判斷。兒童視覺藝術不僅在表現分析必須和完形心理學連結，對於製作表現教學的題材和要求標準，也有必要參

考完形心理學來設定。最簡單的例子就是粉蠟筆描繪的教學，很多教學者因為自己的美感經驗或偏好，將幼兒色彩塊面平塗不均勻，或是沾污的蠟筆造成的混色痕跡，當作是層次變化和特殊視覺效果，事實上卻違反了完形心理的發展和需求，均勻完整的色彩塊面不僅有心理滿足的需求，更牽涉到色相認知的概念明確需求，甚至有培養嚴謹工作態度的目標需求，所謂的兒童主體和學科思考的區別，這就是很明確的判別範例，而複雜的理論在教學實務上有沒有實用功能，這也是一個具體的例子。

造形心理發展的各階段特徵，在兒童藝術學習和心理發展有獨特的意義，其他研究和參考資料相當龐雜，例如日本霜田靜志教授的《兒童畫的心理與教育》研究、美國羅達‧凱洛格（Rnoda Kellogg）針對幼兒繪畫發展過程的研究等，包括其他各種相關的心理學研究，都可以確認兒童不同階段的造形表現，都是有重要意義而且不可或缺的歷程，即便是塗鴉階段的表現，也是必要而且必須充分滿足的活動，相關論述於下一節補充說明。

參、兒童視覺藝術表現的特殊方式和意義

兒童視覺藝術的表現，如前述和心智成長、心理發展、情意與人格等相關，所以有一些比較特殊的表現方式，具有關連個體成長和教育的特殊意義，因此對兒童表現的分析，就不應該是技巧、作品完成度、美感表現等的評量，而是以兒童為主體，考量兒童的氣質類型、成長狀態、人格發展等狀況，作為教學實施的基本依據。兒童表現的方式和特徵分析如下：

一、塗鴉（scribbling）

幼兒大概從兩歲以後就會開始有塗鴉活動，兒童塗鴉的定義和塗鴉藝術（graffiti）並不一樣，早期有些觀點將幼兒塗鴉視為「錯畫」或「亂線」，但比較共通的看法則認為塗鴉是一種本能反應，幼兒從毫無控制的動作中，感覺到肢體動作的相關效果，逐漸連結到肌肉控制和手眼協調，並帶動心智的成長，具有特殊的教育意義。

幼兒塗鴉發展的研究，羅達‧凱洛格是相當受重視的代表（Rnoda

Kellogg，1967，夏勳譯，1988），樣本數多達百萬張，區分成各種不同的樣式配置和塗鴉的「型」，但基本上也可以認定，這是兒童成長自然的個別差異，對幼兒藝術教育的意義而言，要去細分並熟悉這些塗鴉配置的型態，並將兒童表現對應在某一個「型」，其實並沒有絕對的必要性，倒是在提醒教學者注意孩子有不同類型，不要用單一標準來看待兒童的表現，這才是認識相關研究的主要意義。

塗鴉的發展從本能的動作，進而有控制的意圖，再到線條封口的象徵圖形，並開始加以命名，就逐漸進入前圖式期。幼兒塗鴉發生的原因和發展的類型，有很多不同的研究和詮釋，基本上塗鴉是一種自發性的探索活動，是智慧成長和創造力發展的有效途徑和必要歷程，也是手眼協調和肌肉控制的活動，關聯知覺敏銳度和生理成長的發展基礎，更是捕捉感覺和抒發情感的相關活動，所以是心理健全發展和自主性、自信心建立的根源。有一些經由實驗結果的發現，所形成的幼兒藝術教學的共識，就是都認同應該讓幼兒盡量滿足塗鴉的需求，絕對不要讓塗鴉活動受到限制或壓抑，否則多半會對心智和創造力的成長，以及後續藝術表現的發展，產生一些很難調整的不良影響。

另外就台灣一般兒童的藝術學習現況而言，壓抑幼兒塗鴉活動的情況或許並不嚴重，但卻有一個常被忽略的問題，就是誤以為塗鴉只能以硬筆為主要工具，其實大概在三歲多或進幼稚園以後，廣告顏料的軟筆塗鴉，可以在顏料飽和度和塊面的筆觸方面，提供更多的視覺經驗和刺激，日本曾經有研究指出，幼稚園兒童比較喜愛的，是軟筆的水性顏料塗鴉，而且進入圖式期以後，對形體和色彩表現的發展，也比只有硬筆線條塗鴉經驗的孩子較好，這一點可以作為幼兒藝術教學的參考。

二、圖式與樣式

圖式（Schema）這個名詞應該是出自「圖式論」（Schematism），原意是探討個體對外在世界認知、理解和思考的內在結構理論，康德（I. Kant, 1724～1804）和皮亞傑（J. Piaget, 1896～1980）都有相關論述。康德 (I. Kant, 1724~1804) 以圖式論說明主體的認知活動。認為「**認知活動起源於經驗對象，**

經過主體感性直觀形式，即時間與空間的作用後，將對象形成一抽象的概念，而成為知性範疇的內容。」康德另外提出「先驗的圖式」(Transzendentales Schema)：圖式既聯結感性與知性、具體與抽象，其構成先驗圖式的唯一形式是時間，構成的力量，來自「構想力」(Einbuildungskraft)。皮亞傑 (J. Piaget, 1896~1980) 由發展的角度，說明圖式在人類認知活動中由簡單到豐富的歷程。認為「人類認知活動即是以圖式作為基礎，其發展的可能性在於個體與周圍環境產生互動。」（朱啟華，2000）

至於將圖式應用於兒童繪畫發展的研究，里德的說法則是由蘇利（James Sully）最早引用，這個德文的名詞在翻譯成英文的時候，採用的名詞是「公式（formula）」（呂廷和譯，1973），似乎更接近兒童圖式表現的實際情況，另外國內有一些翻譯羅恩菲爾的著作，則是採用「樣式」這個名詞討論圖式發展。但「樣式」一詞在不同論題或不同脈絡語意下，會有各種不同的定義內涵，應用於視覺藝術教育的討論，其實應該和「圖式」有所區隔，另外界定較明確的意含。在此建議將「圖式」對應各個不同的單一形體概念，例如人物、樹木、房屋、動物等「圖式」，至於兒童對某一個題材所作的整體呈現，各個圖式在畫面上的結構和組織方式，例如：人物的大小和位置、在畫面上佔用的空間、概念化或有意義的細節、出現基底線…等現象，就不適用圖式的討論，所謂的「風格」或「結構」也都不是恰當的用語，或許採用「樣式」一詞會比較適當。當兒童的人物、房屋、樹木等個別形體的描繪，一直呈現單一、固定的表現，可以稱為「圖式定型重複」，也就是一般所謂的「概念化」表現。而不管畫什麼樣的題材，固定會出現完全一樣的花朵、蝴蝶或太陽等圖式，這種狀況可以稱為「樣式定型重複」。

「圖式」就是一般大約六、七歲到八、九歲的兒童，在脫離塗鴉到進入嘗試寫實描繪之前，在形體描繪上會採用一些「象徵符號」，包括線條和接近幾何形的概念圖像，組合成所要表現的描繪對象的圖形，產生大部份都可以辨識的圖像，但如果將這些圖式符號分離出來，往往難以辨識原有的象徵意義，例如一個接近梯形的描繪符號，組合在圓形的頭部和代表四肢的線條上，就是表現「洋裝」或者「女生」的象徵，但是將這個梯形的符號抽離出來，原有的表

現意義並無法單獨存在和被辨認，這是圖式表現的特徵。

有些觀點認為圖式是兒童要達到視覺心象正確描繪過程中，技術尚未成熟的拙劣模仿，但有很多心理學研究認為圖式有它本身的特殊意義，是個別的知覺經驗和內在意識的「創造性概念符號」，不應該用視覺寫實描繪的標準來看待。所以，圖式並非僅止於形體概念，而是連接到經驗和思考的表現活動，等於是創造性表現活動的基礎，教學如果壓抑或干擾兒童自發的圖式發展，意圖協助和指導兒童「畫得正確」，往往會形成不容易察覺的學習傷害，常見的兒童產生「我不會畫」的退縮狀況，多半就是因為圖式發展受到挫折所致。

兒童的圖式會有重複應用的情況，也就是會在一段時間重複使用同樣的概念符號，來確定自己表現的有效性（包括被辨認和肯定），有相當多的研究理論，認為這些圖式符號的出現過程，和認知發展及創造力發展有重要關連。因此在藝術教學的實施上，一方面不應該以寫實描繪的正確性與否，來判斷兒童的圖式表現，另一方面也不應該直接干預或調整兒童的圖式，因為兒童打破原有基模的概念，建立一個新的基模的過程，是兒童對外在世界吸收、擴展和調整的連續循環，這是教育和成長最有價值、最重要的內容，是兒童真正掌握和內化的心智能力，如果直接指導圖式的結構和細節變化，可能只會看到大人喜愛或預期的效果，卻會嚴重剝奪兒童自我思考和發展的機會，讓認知發展的過程產生扭曲和缺陷，一般所謂的「過度指導」就是指這種狀況。

三、圖式與概念

兒童圖式發展在教學實務的觀念上，針對台灣目前一般教學現況，有一項必須特別關注和探討的情況，就是絕大多數的兒童圖式表現，都是將線條描繪當作唯一和必要的方法，甚至多餘的要求兒童將圖形描出黑色框線，這其實都是不瞭解圖式發展的錯誤觀念，兒童的圖式基本上是一種概念，用一條線圈出圓形的臉是概念化的表現，希望孩子能突破概念，發展新的描繪內容和圖式，當然是一種合理的良善期待，但依據認知發展心理，有效的方法必須是自主性的基模重新建構，而不是代替孩子決定圖式的過度指導，因此，不自覺地要求孩子用線條描繪，其實就是錯誤的在增強孩子的概念化。

　　線描為主的圖式是概念，要讓孩子的知覺和圖式產生更多連結，而能夠自己打破概念，就必須將色彩和整體的感覺形態，都自然的主動連結到兒童的圖式描繪之中，也就是描繪時腦海中直接以具體完整的視覺經驗為依據，而不是用替代性的既成的概念圖形來描繪。比較具體有效的作法，就是在塗鴉階段經常用粉蠟筆代替鉛筆和簽字筆，並盡量增加軟筆和水性顏料的塗鴉經驗，進入圖式前階段以後的描繪，孩子就會應用塗鴉材料的技法經驗，直接以色彩和線條、塊面進行圖式表現，而不必先用線條進行所謂的「畫草稿」，然後再自找麻煩的要求另外「塗顏色」，這一方面因為線描草稿是概念化的表現，多半不會連結到描繪對象的色彩、感覺、特徵或細節等，這些可以引發圖式發展和改變的知覺，如果一直都被概念所代替，就會減弱兒童以知覺的積極經驗，突破概念建立新的基模的機會，當然也就不容易看到自主性的進步表現。

　　另一方面，可能有部分思考和氣質類型不同的孩子，概念式的線條描繪，對他們而言已經是完整的表現，經常看到頭髮、眉毛的細密線條，甚至眼睛、睫毛或其他細節都有詳細表現，對孩子而言已經是完成描繪了，這種情況下再被要求塗上顏色的結果，只會破壞原來孩子心中已經「完全表現」的圖式，用水彩覆蓋在細密的線條上，不但是難度過高的技術，也違反兒童構思和表現的心理狀態，大多數「再著色」的結果，多半會破壞原有的描繪所呈現的效果，既造成挫折感更無助於孩子學習的發展，而這個問題的改善並沒有太大難度，只要教學者的觀念改變，不再奉概念化的線條為圭臬，並有效實施基本技法教學，孩子自然就會用自己的方式調整，以符合本身先天氣質類型的形式，發展具有個人特色的圖式表現。

　　附帶必須提醒的是軟筆和水性顏料的塗鴉，也不能完全只有大筆觸、大堆顏料塗抹的動作和情緒宣洩，因為這也可能妨礙了活動和知覺的連結，削弱了控制性、有秩序的視覺形式發展的機會。只用硬筆的概念化線描可能禁錮表現的心靈，結合塊面和色彩感覺的描繪，融合兩種經驗才足以讓孩子自主而且全心投入，進行嘗試創造形象秩序的藝術學習。

　　在上述良善的圖式發展情況下，另一個值得注意的問題，就是要避免介入樣式的發展，也就是不要過度指導畫面的結構，台灣的兒童畫長年來的弊端，

就是要求填滿畫面不留空位，但兒童的造形表現和心理發展，能夠專注於題材內容和圖式的細節，才是學習和表現的良好型態，畫面上除此之外的空白並沒有多大意義，教學者要求「畫好畫滿」，其實是增加無謂的負擔，可能因此忽略和削弱圖式的細節表現，更會誤導兒童藝術表現的觀念，也就是弱化主題和意義性的專注，誤以為未必相關的繁複裝飾性描繪，是表現的必要方式，結果反而對圖式的發展造成不良影響。讓兒童專心畫好心裡想畫的，用心把想畫的畫得更完整豐富，就是圖式發展和藝術學習持續成長的最佳途徑。

四、其他的特殊表現方式與意義

以兒童畫為例來看視覺藝術的表現，除了年齡階段的造形特徵，另外有一些相當特別的表現方式，在教育上具有特殊的意義，教學者也應該有基本的理解，避免作出錯誤的判斷。

（一）基底線、地面線、天空線：這是常見的橫貫整張圖畫紙的一條橫線，是兒童對空間的感覺和表現方式，也就是物體的概念化的立足點，並沒有所謂的正不正確，多數正常發展的兒童都會有這樣的表現。但是基底線有時候被錯誤解釋為地平線，事實上圖式期之前的兒童並沒有單點透視的「地平線」認知，也沒有必要做這方面的教學。平常習慣由老師決定構圖和內容的孩子，有可能就不會出現基底線的描繪，這也意味著孩子漏掉對空間的感覺，損失了對空間知覺和對應的學習歷程。

圖96 地面線的呈現　7歲

圖97 基底線的呈現　8歲

（二）**主觀色彩、客觀色彩**：圖式前期階段常看到綠色的臉、藍色的頭髮⋯，這是兒童尚未分化的主觀色彩運用，多半在一段短時間內就會調整，能夠以符合視覺對象的客觀色彩進行描繪。主觀色彩和情感、無意識的投射是否有關尚無定論，但在已知的各種研究和論述中，尚未有將其視為錯誤而必須糾正的看法。另外對於兒童繪畫的色彩表現，常見到因為教學者的個人經驗或偏好，要求兒童呈現色彩的層次變化，但是圖式期之前的兒童還在發展色彩概念，必須建立色相名稱和客觀色彩的確定關係，太早要求色彩的層次表現，有時會擾亂了兒童的發展。

圖 98 主觀色彩與概念表現　　　　　圖 99 客觀色彩表現

（三）**圖式的誇張、省略、變形**：人物大概是兒童圖式表現最常有的內容，也多半會有人物比例大小懸殊的誇張表現，也常見部分人物的細節被省略，肢體部分大小變形或不合理延長、彎曲等，大致上這些特殊表現配合其他描繪的內容，多半可以發現是心理或情感上的投射，重要的、有特殊意義的人，形體會放大並具較多細節；兒童不重視甚至是不喜歡的人，就可能會被縮小和省略；有一些肢體的變形，往往是要呈現一些特殊的需求和行為，描繪父親把自己高高舉起在空中，父親的雙臂就特別放大，甚至有一個例子是畫電線上的小鳥，結果每隻小鳥都畫了四枝腳，孩子的說法是「害怕小鳥會從那麼高的電線上摔下來」。這些例子顯示從整體內容作分析，可以理解兒童表現的意圖和解決問題的特殊方式，誇張變形的描繪，基本上不應該認為兒童的技術拙劣，因而給予較低的評價，或試圖「善意指導、提升表現水準」。

圖 100 手臂伸展的誇張表現　6 歲　　　圖 101 特別強調牙齒的表現　8 歲

（四）**透明式、X 光式表現**：畫了車輛的外型，車廂卻是透明的看見司機和所
　　有乘客，畫房屋也一樣看見房子的內部，畫出所有人物的活動和居家擺
　　設，無論是以心智認知或知覺經驗作解釋，這都是孩子意圖對空間做完
　　整表現的結果，將它視為努力表現心象的方式，就會連結到創意和解決
　　問題的思考與成長，而不是去判斷畫得好不好或對不對。

圖 102 車廂內透明式表現　7 歲　　　　圖 103 房屋室內透明表現　10 歲

（五）**展開式、摺疊式表現**：這也是孩子處理空間的特殊圖式表現，將街道上
　　的燈桿和路樹向兩邊倒下來展開，或是圍坐桌旁的人物似乎全部仰躺成
　　放射性排列，這種表現只要將紙向上摺成三度空間（谷摺）的形狀，路
　　燈和樹木就真正直立在街道兩邊，沿著桌邊將紙張摺疊起來，就會讓四
　　周的人物都直立面對餐桌，圖 105 則沿著擂台邊將紙往下摺（峰摺），
　　觀眾就全部直立站在台下觀賞比賽，這是孩子呈現真實空間的特殊方
　　式，這是習慣只用單點透視法表現的成人根本想不到的方法，孩子用這

種手法呈現自己的心象，背後的藝術學習價值就不得不令人感到震撼了。但必須特別強調，教學者絕對不可以暗示或刻意指導這種表現方法，以免剝奪了孩子的思考歷程和其他的可能性，作這樣提醒和強調的理由，仍是視覺藝術教學的原則：「維護孩子自我表現的空間」。

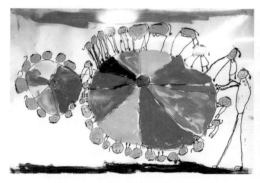
圖 104 谷摺式展開表現　5 歲

圖 105 峰摺式展開表現　9 歲

（六）**時間連續（歷程）式表現**：有些特殊題材會發現很多重複的圖像，例如跳高場上有多達四、五個人連續助跑、起跳、過竿，這不是選手爭先恐後準備撞在一起，而是孩子把同一個人的跳高過程連續呈現，把一段時間歷程表現出來，這種會讓未來派畫家嘆氣的解決問題方式，對於兒童的思考和智慧成長的意義，應該足以體認到兒童的視覺藝術學習，會有多大的可能性和重要性吧？

圖 106 彈跳者的連續時間表現　8 歲

圖 107 雲霄飛車軌道上的時間連續表現　10 歲

五、立體造形表現的發展與特徵

　　相對於繪畫的造形發展，立體造形表現發展的研究資料較為匱乏，原因可能和立體造形媒材的多樣、技法和形式、結構的複雜度等因素，所形成的資料收集和解讀難度有關，以下是嘗試依據完形心理學理論，以及實際的教學經驗而整理的概要。

　　教學現場有一種常見的情況，在幼兒和低年級階段，教學者發放黏土、油土、輕質土等塑造材料，並以立體的題材命題製作，結果學生多半將材料以平貼的線條和塊面形態製作，這種類似浮雕的表現並不具立體造形的條件，相關的因素或許很複雜，除了立體造形的三次元空間表現難度，對兒童而言遠高於二次元空間的繪畫表現形式，另外的可能因素還有：（一）學生欠缺相關媒材和立體結構的表現經驗。（二）教學題材的訂定超出兒童造形心理發展階段。（三）學習經驗一向被侷限於概念化的平面表現。

　　上述情況發生的原因，多半和教學者不瞭解造形心理發展階段的特徵有關。在平面造形處於塗鴉和前圖式期階段的孩子，絕大多數還沒有從二次元空間，發展到三次元的空間概念，因此視覺藝術學習的立體造形表現，原則上必須完全採取造形遊戲的方式實施教學，如果為了要產出「作品」而命題製作，兒童遭遇挫折和教學者過度介入就難以避免，學習傷害也當然隨之而來。

　　以下依據完形心理學的「分化」概念，並以雕塑的形式為代表，探討立體造形的階段發展特徵，受到樣本取材不易和參考資料不足的限制，當然難免是高度假設性的敘述方式，但必須先釐清兩個專有名詞的概念：「物體次元」（object dimensions），意指所要表現的形體本身的造形；「空間次元」（spatial dimensions），則是指造形在空間所形成的樣式，例如：一個圈成圓形的環狀泥條，雖然在物理上是三次元空間的形式，但探討立體造形表現的「物體次元」，則視為和直條泥棒或紙上的線條一樣，都是一次元空間的表現，但這個造形物的「空間次元」，因為泥條放置在平面而有厚度，當然就視為二次元空間。如果在這個泥圈上附加另一個平面的形體，重疊上去或垂直結合，才真正符合立體造形的三次元空間表現。雕塑為例的立體造形階段發展特徵簡單歸納

如下：

（一）最初的形體：相對於塗鴉的圓形線條，塊狀的球體或是棒狀的泥塊，是立體造形概念的原型，對幼兒而言可以代表所有他想表現的形體，沒有刻意的指導下所做的刮痕、堆疊、挖洞等，也多半是偶發或無意識的遊戲，並沒有立體的空間次元思考和表現意圖，或許也可以說進行這樣的教學，實際上是沒有意義的多餘措施。

（二）初步的分化：球體或泥棒先發展出簡單的組合，從遊戲逐漸發展到控制性的動作，再進而發展出量體和方向的變化，例如棒形泥條的彎折、扭曲，連結方向則從垂直和平行黏貼，發展出斜向的結合，這些都是逐漸連結知覺與視覺經驗，意圖符合有意識的造形表現構想。

（三）細節與造形：立體造形的發展過程一般會比圖式發展較緩慢，物體的結構和特徵，會先出現平面上的刻痕或凹陷，這些細節上的表現必須經過較長時間，才有可能發展出不是那麼扁平的、較有曲面起伏變化的有機造形，包括裝飾性的細節，也才會從表面刻畫發展出突起的三次元空間表現。

（四）方向和空間：立體造形的表現分化到一個程度，才會發展出積量、方向、空間等表現，也就是包括體積和形狀的比例；各種不同方向的伸展；以及實空間和虛空間的認知與表現等，這些也多半要到小學高年級或國中階段，才可能發展出相關的表現。

　　至於其他媒材的立體造形表現，原則上可以依據上述的發展理論，規劃出概括性的分析方法，在一般的教學評量中，參考製作過程的形成性評量資料，大致上也可以有效分析學生所處的狀態，以及造形表現的特徵和型態。

　　認識和解讀各種視覺藝術學習的表現，除了觀念和理論的參考之外，最重要的是必須從實際教學累積經驗，才可能有效分析兒童的各種表現形式，並理解這些特殊表現的教育意義，獲得教學實施和評量的判斷依據，不至於只著眼在作品和技術的視覺效果，忽略了兒童造形表現在藝術教育的主要意義。

肆、兒童表現分析的教育意義

兒童視覺藝術的表現，基本上會循年齡階段成長，並且有各個階段的造形表現特徵，當代藝術教育強調「每個兒童都是獨立的生命個體」，把各階段的兒童畫表現特徵當作標準範本，套在對應年齡的孩子身上，一般都能理解這是不合理的作法。但是孩子的成長和發展有循序漸進的階段性，是很多心理發展研究都能證實的事實，所以，一個概括性的包容多樣類型的造形心理階段特徵，對於視覺藝術的教學實施，仍然有它的參考價值和必要性，畢竟所有的跳躍式成長幾乎都是不健康的，否則很多迷信「要贏在起跑點」的家長，還是會喜歡讓孩子超前發展，忽略了可能的學習傷害。而解決這個問題的癥結，就是必須理解各種兒童造形表現特徵，在藝術學習和心智成長等各方面的正面意義。

從塗鴉到各個圖式發展階段的「自主性表現」，其實和孩子的思考、探索、創造力、表現能力、自我意識等都息息相關，更和心智成長、社會行為和人格發展有密切關連，這已經是相當多的實驗和研究所證實。因此，討論兒童造形心理發展與藝術表現，關鍵的概念就是視覺藝術教育的目標：孩子藝術表現或圖畫的完成度是不是目的？刻意指導孩子的繪畫發展符合我們所期待的「優秀表現」或者「正常、合理」，是不是就等於是良善的藝術教育？在此提供一個相關的思考案例作為參考：日本的兒童畫表現水準很高，「酒井式」兒童畫教學法，可以讓兒童繪畫表現有令人讚嘆的水準，而且不失兒童畫的稚拙趣味，所以曾經風靡日本並影響到台灣的教學，到現在還有很多美術老師追求類似的教學效果。但是這幾年來的「酒井式」教學方式，在日本卻遭到嚴厲的批判和修正，因為教學者為了畫面效果所採取的手段，是借用孩子的手完成老師預設的內容和效果，這些迎合成人標準和偏好的作品，犧牲的是孩子自己感受、思考、並自我構想、表現的機會，所以從 2011 年日本主辦的世界兒童畫展評審開始，整個評審標準都大翻轉，連帶在各種教學實踐研究的發表活動，也看到相關的轉變和觀念修正，怎麼看待兒童的繪畫表現？怎樣維護孩子的藝術表現應有的發展？應該是每個真正關心教育的家長和老師，都應該用心去認識和思考的課題。實際的兒童表現分析和教學評量的具體操作方式，則於下一章再作詳細探討。

第十章：視覺藝術教學評量與作品評鑑

　　一般視覺藝術教學評量的作業方式，多半包括教學題材和教學設計的評估，以及教學法和表現形式、技術的判斷，再以學生作品表現的完成度作為教學的總結評量。但如果認真看待學習者的主體地位，教學評量應該是學生學習狀態的分析，以及學習目標達成度的研判，這同時也是評估補救教學應該如何實施的依據。

　　視覺藝術教學評量相關的專業知能，必須由全面向的教學實務結合豐富的教學經驗組織而成，可以認定是視覺藝術教學專業的總體評斷標準，同時也是教學專業成長的重要途徑，以前一章視覺藝術學習表現的分析為基礎，才能對教學評量作較深入的探討。

　　各個學習領域的教學評量，對一般教師而言應該都沒有太大問題，要診斷兒童的學習成就和相關的發展、態度等，也都有各種評量方法和標準可以依循或參考。但是各年段學生在視覺藝術學習的表現，尤其是針對孩子的表現意圖和所完成的作品，要做出有效的分析、解讀和判斷，往往是越具教學理念的教學者，越可能覺得是非常不確定的難題和挑戰，所謂的「具教學理念」，就是對藝術教育有正確的觀念，了解教學目標和兒童藝術表現的教育意義，因而不會過度簡單的用美感形式原理，以及用技術、作品完成度、視覺效果等作為標準，草率以成人喜好或專業藝術經驗來評估學生的表現。面對各個獨立的生命個體在藝術表現所可能蘊含的複雜因素，以及不同氣質類型和經驗背景等多種差異的變數，對兒童的作品表現進行分析和評量，確實是一項高難度、帶著相當冒險性，卻又不能迴避的教學專業考驗。

　　本章對兒童表現分析與教學評量的探討，僅限以各種形式的製作性表現為範圍，至於視覺藝術欣賞教學的評量，因為學習內容和表現形式有相當明顯的差異，另外獨立於本書第八章作深入的探討。

壹、視覺藝術教學評量的相關概念

　　教學評量基本上具有價值判斷的概念，但評量的內涵和目的卻有相當的複

雜度，有必要在評量實施之前先作探討。

一、「教學評量」的性質與內涵

艾斯納曾經推崇斯塔費爾賓（Daniel Stuffelbeam）的評量理論，明確區分各種不同教學評量的性質，提供作為教學評量實施的參考。（E.W.Eisner，陳武鎮 譯，1990。）

（一）「範疇」（Context）的評量：對學生、社區、材料與人力資源等的估計，等於是課程目標的合理性與教學可行性的評量，和教學內容與實務的關聯性較低。

（二）「導入」（Input）的評量：也就是教學目標的價值判斷，以及目標能不能實現的教學策略評量，關聯的重點是教學實施的必要性、學習意義，以及教學題材和引導方式。

（三）「過程」（Process）的評量：主要針對教學設計實施的活動過程，評量各項學習活動的合宜性，以及教學內容的各項可能效應的評估，較傾向於教學的形成性評量。

（四）「成果」（Product）的評量：評量的是學習的終點行為，但這項總結性評量的重點並不在作品效果，而應該是以學習者為主體，整體性評量教學目標的達成度。

以上各種帶有課程評鑑色彩的評量，主要功能未必針對學生的學習成就，而是提供教師和課程設計者據以改進教學的資料。探討教學評量的概念，另外有一項「評量」（evaluation）定義的問題，也就是一般常見的「評量」、「測驗」、「評等」的混淆，基本上評量是對整個教學活動和結果作價值判斷，而「測驗」只是取得資料以提供判斷的依據和工具，而「評等」（或評價）則是用一個簡單化的等級區分符號，以多半都很模糊的優劣等級標示學生的表現。測驗的方式在視覺藝術教學中，或許不容易實施也不常被應用，但理解三者的目的和內涵的差別，教學評量的實施才會有明確的依據和效度。

二、視覺藝術製作表現評量實施的型態

　　針對視覺藝術學習的製作表現評量，基本上會有兩種不同的型態，一種是涵蓋在整體教學評量之內，以教學目標的達成為主軸，配合教學過程各項表現的形成性評量，對於作品表現的分析則以兒童為主體，評估個別的成長狀態和表現的發展狀況，本文將這種評量型態訂名為「**主體評量**」。

　　另外一種評量的型態是只針對作品的表現，甚至並沒有兒童個別的背景資料，以及教學題材和教學過程等資訊可以參考，也就是一般「強迫競爭」的比賽性質的作品評審，這種因應美術競賽活動需求的評量，比較難顧及兒童主體性與教育目標，本文將這種評量型態訂名為「**客觀評量**」作探討。

　　客觀評量的基本原則，就是必須建立「客觀」的評審標準和機制，才能從藝術教育的立場和目的，引發對教學產生正面引導的效應。尤其是前一章已經論及，兒童的表現不是藝術創作，所以專業藝術經驗和美感形式原理，都不是兒童作品客觀評量的主要評價依據。因此以下這一類的說法如：「每個人都可以有自己的主觀判斷標準」，或是「集合多數認同的觀點就可以形成客觀標準」，以及「藝術是主觀而且多元的，沒有必要尋求客觀標準」等說法，都不是兒童作品客觀評量應有的觀點，因為比賽應該是藝術教育活動的一部分，評量的結果必須符合教育目標和形成正向引導，所以必須有嚴謹的論理程序，更要有周詳的思考和學理依據，盡可能試著去逼近教育的理想，或甚至尋求不一定存在，但當下可以論證和被認同的教育「真理」，不論是教學評量或是比賽評審，同樣都必須以學習者為主體，以藝術教育的整體目標為原則，否則就不是探討「教育」應有的態度了。

　　主體評量和客觀評量的性質與目的有所差別，但兩者之間有些評量項目，以及評量的內容和標準，其實並不完全互相排斥，有些部分還具相當的共通性可以互補，畢竟大多數兒童美術比賽的客觀評量，最終的目的還是要提昇藝術教育的成效，因此這兩種評量的內容和判斷方式，可以互相參照運用。對於教學者或比賽的評審者來說，也應該對兩者都有適當的了解和掌握，才更容易勝任教學評量或競賽的評審工作。

　　兒童視覺藝術表現評量的實施，在本書第二章探討國民教育的藝術教育性

質，曾提到「每一個孩子都可以是一百分」的觀點，這或許是藝術教學表現分析與評量，很有意義也值得深思的探討起點，以下探討教學評量實施的基本概念，也關連到藝術教育哲學價值的澄清：

（一）藝術學習基本上不是知識學科（如自然科…）或工具學科（如英語…），很多學習內容以及最重要的「表現」能力，會鼓勵獨特的構想和創意，多半沒有單一性的標準答案，或甚至排斥預設的、固定的標準答案，因此，藝術學習評量不一定有標準本位，不應該完全依循老師所設定的表現標準，而是允許每一個學生在認真的態度下，都可以有他自己的表現方式，以及個別化的個人應有的完成標準。

（二）從「學習者本位」的立場，以及國民教育的性質來思考，視覺藝術教學評量的重心，應該是學生的表現意圖和思考，也包括基本能力和人格特質等目標的相關表現，而不是作品的技巧和完成度的表現，重心是教學者對教學目標達成度的評鑑，而不是對作品預設視覺效果或技術的水準作判定。

（三）起點行為評量（成長階段、經驗與基本能力）、過程評量（思考與學習態度）、總結評量（教學目標達成度與表現結果的評價），三者的評量目的和評量內容都必須兼顧，而不能只著眼於最終作品的完成度和美感形式的表現水準。

（四）兒童視覺藝術學習的表現，和智能、心理、情意等發展有重要關聯，從兒童作品來進行表現的評量，必須考量基本能力、智能發展、心理發展、社會成長、情意或精神分析等方面，就具體的項目和內容建立評量的參考工具，才能夠協助教師解決作品判讀的難度，提升分析與評量的效度和可行性。

（五）兒童作品大多數是教學活動的結果，對兒童表現的關注必須以教育目標為核心，因此，掌握整體的藝術教育目標，也是進行評量的先決條件，而人文精神、兒童本位、國民教育、當代藝術等基本觀念，則是藝術教育目標的結構基礎。

三、視覺藝術作品表現分析與評量的條件

依據上述的概念，有效評量兒童作品表現，必須具備的條件大致如下：

（一）**教育哲學與課程理論的基礎**：理解當代藝術教育的哲學價值，以及課程和教育目標的整體結構，並能明確掌握各種視覺藝術教學模式的意義和目的，這些都是建構評量項目和評量標準的基本依據。

（二）**認知發展與造形心理發展的理解**：對各種心理發展階段的特徵，不同氣質類型的兒童表現型態，以及各種造形表現特徵的教育意義，都有基本的概念和理解，具備前一章探討的兒童表現分析的專業知能，才能夠達成以學習者（非成人眼光）為主體，以教育（非藝術專業）為本位的思考和評量。

（三）**足夠的兒童藝術表現解讀經驗**：對一般兒童的表現樣式和形態，具備相當的認識與解讀經驗，才能够有效從作品解讀兒童的表現意圖，以及各類型圖式表現在教育上的意義，這不是完全理論性的知識，而必須是能實際操作的專業知能，豐富的教學現場實際經驗，應該是養成這項條件最主要的途徑。

（四）**基本的媒材和技法了解**：簡單的創作和媒材、技法經驗，有助於更深入的了解兒童的表現，並解讀兒童技法表現的合宜性，但這並不意味有很高的藝術創作成就，就一定能有效評量兒童作品，技法經驗只是充分條件，前三項知能才是評量者的充要條件。

上列這些條件其實也打破了一項迷思，也就是一般的專業藝術家、藝術史學者、藝術評論家、美學研究者，甚至藝術教育理論的學者，除非同時也具備前述的條件，否則都未必能夠有效執行兒童表現的評量，沒有教學現場的足夠實際經驗，基本上無法真正看懂兒童的作品表現，而不同的成長階段、題材、氣質類型等，也都是作品分析和判斷的重要依據，不懂孩子的成長狀態和個別差異，就只能從作品的技巧和形式原理或視覺效果作判斷，這樣的評量會背離學習者本位的藝術教育原則，和教育所追求的目標有非常大的差距。從比較實際的視覺藝術教育立場來看，有豐富現場教學經驗的老師，才最有可能成長為

最佳的評量者。

以上的概念有些可能會產生爭論，但卻都關連到藝術教育哲學的基本價值判斷，也是建立教學評量標準不可或缺的基礎理論依據。當然，兒童視覺藝術表現的分析和評量，若不是教學者或製作現場的觀察者，僅憑作品要作出有效的解讀和判斷，其實有相當的冒險成分，但目前的大環境和教育生態，對兒童的表現作出評等的情況卻難以避免，因為各種類型的視覺藝術創作比賽，仍是目前相當普遍的美術教育活動方式，而評審結果對藝術教育的影響又相當明顯，雖然比賽未必是很好的藝術教育活動，也不一定需要太重視比賽的成績和結果，但是能對兒童作品詳細分析和正確解讀，就會影響教學者對兒童表現所設定的要求標準，也等於對教學的目標產生引導作用，作品分析和評量也就可以是藝術教育研究的正向活動。如果期待比賽和展覽是教育觀念的引導和展現，視覺藝術學習表現分析和評量的專業內涵，則是倡導活動的必要基礎，當然有必要特別關注和深入探討。

貳、視覺藝術製作表現的「主體評量」

視覺藝術教學主體評量的定義，是針對個別兒童的藝術學習效應和成長狀態進行評量，將表現的兒童視為獨立發展的個體，評析其單一作品表現或特定時期系列作品的表現內容，雖然以作品所呈現的可分析內容為主，但往往必須更重視教學過程的形成性評量。主體評量較偏重於教育目標的達成度，以及評量對象在藝術教育相關項目的發展情況，目的則在從人性化的教育立場，探尋後續教學規劃與個別輔導的參考，性質上屬個別的成長和學習狀態的評量，而不是對學生的作品成就作出等第分級，更不是將不同的學生作品作優劣的評比，造成低成就學生的挫折感。

這種教學評量必須以對兒童的充分了解為基礎，由實際實施教學的老師來進行評量，應該最為適當也能夠有較好的效果。以下探討主體評量的工具和實施方式，考量討論的聚焦和排除媒材、形式差異的變數，相關的論述都完全以「繪畫」形式的表現為討論範例。

一．主體評量的參考工具

兒童繪畫作品主體評量參考表　　　　　　　吳正雄 1997（2016 修訂）

基本資料：學生姓名、年齡、性別等個別資料／單元題材、表現形式、教學目標等共同資料

項目	內　容	表　現	備註
類型	氣質與表現類型	1. 客觀型：外向、寫實、視覺… 2. 主觀型：內向、擬情、觸覺… 3. 中間型：表現特徵不明顯或複合不同類型	注意中間型並多元判斷
成長階段表現	一、人物圖式發展	1. 塗鴉式表現 2. 頭足式表現 3. 簡單的圖式前期表現 4. 有四肢關節和肢體動作的圖式人物表現 5. 有寫實象徵的人物表現（比例、動態、性別等）	1－5 屬發展的階段，配合年齡階段評估，並不是優劣判斷的依據。
	二、細節表現（以人物為例，其他題材另訂）	1. 有人物性別的象徵表現（頭髮樣式、衣服特徵等） 2. 簡單的裝飾性紋樣和色彩變化的表現 3. 表情、容貌特徵及服飾、配件等的具體描繪 4. 刻意表現人物的動作或有情意性的表達等 5. 其他敘事性情節或有意義相關景物的具體細節表現	依題材內容增刪相關項目，並考量年齡階段的發展
	三、表現內容（依題材修訂內容）	1. 散置或並列式景物（以整體畫面結構判斷為主） 2. 有符合題材的內容與情景表現（沒有太多定型重複的概念樣式） 3. 表現出有積極經驗的情景（景物的關係和互動） 4. 具有感情意義內容的表現（獨特感受性或情節）	1－4 屬年齡階段特徵，並非優劣的等級區分
	一、畫面結構	1. 與題材有關連性的圖樣在畫面的位置和比例 2. 有意義圖樣呈現位置的相關性、完整性或互動性 3. 較特殊的視點或較完整的畫面結構表現	依據年齡和氣質類型訂定合宜標準

視覺經驗與技法表現	二、色彩表現	1. 主觀色彩表現 2. 客觀色彩表現 3. 多樣、裝飾性色彩表現（須判斷是否具意義性） 4. 有混色、疊色及層次性色彩表現（須判斷是否具意義性）	1－4屬年齡階段差異，但1、2與類型有關。
	三、空間表現	1. 散置展開式、沒有空間概念的表現 2. 符成長階段的空間表現形式 3. 客觀的景物重疊、前後、遠近或有意義的空間表現 4. 簡單單點透視或特殊的視覺角度表現	1－4為年齡階段差異與類型相關 2項如基底線、透明式、展開式等
	四、技巧表現	1. 線描為主的表現（明顯的輪廓線或勾邊後填色） 2. 色彩及塊面為主的表現（1,2與材料、工具有關） 3. 工具、材料的技法和操作控制的表現符合成長階段 4. 採用的技巧與題材表現的需求有相對應的關聯性	若技巧表現不足，須判斷是否工具不良所致
自主性表現	一、自信程度	1. 描繪線條的流暢性與穩定、確定的感覺 2. 主體圖像的大小及位置適當並具關連性 3. 呈現輕鬆活潑的感覺與自主性圖式、造形、情節等 4. 有明顯的積極經驗連結與個人感受的表現	依據教學經驗與兒童學習發展的狀況判斷
	二、原創性表現	1. 概念化或定型重複的圖式表現（判斷圖式的意義性） 2. 自發性原創樣式表現，少重複、較輕鬆、有動態感等 3. 個人經驗表現的嘗試，較明顯的動態、空間、情節等表現意圖 4. 因應題材而有想像內容或獨特景物表現，以及材料特殊應用方式等	1,2屬表現能力差異的比較，但判斷標準須依年齡而調整。

三、工作態度	1. 題材和內容有符合成長階段的充分表現與嚴謹度 2. 嚴謹穩定的線條及平整清楚的色彩塊面描繪 3. 畫面結合題材的完整性描繪及有意義的 4. 豐富細節（並非以畫面的複雜度判斷）	工作態度判斷需藉教學經驗與教學現場觀察

二、主體評量的實施原則

（一）參考《兒童繪畫作品主體評量表》，表內各個項目所列的「表現」內容敘述，都不是在區分兒童表現的優劣，多半是依據造形心理發展的普遍特徵作歸納，用以判斷兒童的表現是什麼類型，學習發展處於什麼樣的成長階段，所以是要了解兒童狀態而不是判斷優劣。

（二）評量表內容所列都屬廣泛性的原則，每個項目都可能因為作品的題材差別，如人物、動物、心象再現或想像表現等差異，而必須另行調整、修訂。當然如材料的差異、教學模式的差別等，也都會影響評量項目的內容和標準，而必須參考表格項目作必要的增刪和修訂。

（三）評量者必需有足夠的教學經驗，或具備經常接觸兒童作品的經驗，也必須對兒童行為、兒童心理成長、造形表現特徵等，具有相關的具體認知為基礎，否則即使有評量項目和標準可參考，仍舊無法從作品上解讀出可以相對應的判斷依據。

（四）教學目標的達成度仍是最重要的評量依據，這一部分的評鑑項目，必須依據教學設計的理念和目標，才比較容易掌握作品的題材和表現的關聯性，作出合理判斷並修訂評量表內容，而最重要的評量原則，就是不要忽略了學習態度和自主性表現的評估。

（五）部分評量項目具有品質或表現性的層次差別，但實施評量時必需避免在這方面作成分等式的評價，否則容易失落了主體評量的主要目的，主體評量的目的是分析兒童的狀態，作為後續教學規劃的參考，因此，持續性對個別兒童作評量紀錄，會是更有成效的作法。（後續教學規劃或補救教學，不在本文探討範圍，一般教師多半有處理能力，故予暫略。）

（六）一般的繪畫心理發展常模，不宜作為評量的絕對憑藉，因為每一個兒童都具獨立個體的特性，每個孩子都有可能是例外或中間類型，實施評量當然不可以將這些變數和可能性忽略掉，欠缺這種評量心態的警惕，很容易陷入對作品完成度的要求，而偏離了主體評量的性質和目的。

（七）一般教學評量常見的問題，就是教學者的關注對象，經常集中在最傑出或最低劣表現的學生身上，這基本上違反主體評量的精神，以下提供針對這個問題的評量參考方式：教學者可以製作學生名單或座位的表格，在個別學生對應的欄位內，註記學生自己提出的表現構想及預定進度，並隨時補充紀錄教學過程中，每個學生個別的學習狀況，包括師生互動過程中的討論，以及學生構想的修訂，表現方式產生新的構想或改變，或是遭遇難題的對應方式等，這就可以成為主體性評量的主要參考資料，避免憑印象或記憶模糊而無法確實評量。這同時也是教學者對教學對象增進理解，掌握後續教學設計和實施的參考依據。

參、視覺藝術製作表現的「客觀評量」

藝術教學「客觀評量」的定義，就是以「客觀」的藝術表現標準，評量相當數量的不同學生的作品，並以將全部作品區分出評價等級為目的，也就是一般比賽性質的評審形態。原則上客觀評量的被評審作品，應該要具有共同的條件背景，例如：作者年齡層的區分；作品性質如材料、規格、題材、形式…等，以及製作方式如現場或徵件、個人或集體…等的區分，相關背景條件的區分愈細，評量標準愈容易訂定，也愈可能達到客觀的結果。

不同的競賽活動型態和預設的主題、活動目的，當然會影響評量的項目內容和標準，但原則上還是必須以作品的可分析內容為評量標的，儘量避免評量者個人的偏好，以及對作品形成背景的揣測等不容易確定的判斷。以下僅以繪畫作品的評量為範圍，整理國內外各種兒童作品評量的觀點和標準，檢視各種客觀評量的概念，並嘗試提出客觀評量的參考工具，探討評量實施的方式。

一、各種兒童繪畫作品客觀評量的觀點

（一）陳處世《好的兒童畫應具備之條件》

（摘自《兒童畫教學研究》台灣文教出版社 1969 年 7 月 屏東）

1. 必須配合兒童繪畫心理與繪畫發展過程
2. 內容豐富並富有兒童的思想與感情
3. 色彩要美麗動人（明朗調和的色彩才是最好）
4. 主體清楚並富有造形美
5. 表現生動富有氣氛
6. 表現誠實富有創造性

（二）黃潮湖《怎樣評鑑兒童畫》

（摘自《雄獅美術雜誌第二期》雄獅美術月刊社 1971 年 4 月 台北）

1. 必須適合兒童心理發展過程及繪畫發展的階段
2. 必須符合「美」的條件（凡能引人共鳴和感動的動作就屬於「美」）
3. 必須具有兒童本身自由創造的精神和獨創性
4. 必須內容豐富並有自己的感覺

原作者註解：從客觀的立場，以教育的價值為主要的依據，輔以藝術性和心理學的評鑑，重視和剖析兒童畫的內涵，才能獲得較為準確的結果。

（三）潘元石《對於兒童畫的觀賞，應該採取怎樣的觀點才好？》

（摘自《怎樣指導兒童畫》 藝術圖書公司 1975 年 1 月 台北）

1. 圖畫要表現出能配合兒童心身的發展
2. 圖畫要能發揮兒童的個性，而有新穎的表現
3. 圖畫要能明確地表現，兒童所想要表現的心象
4. 兒童的表現，要能夠活用繪畫材料的特性
5. 兒童的表現，和畫紙的大小相調和

（四）陳輝東《評鑑兒童畫的原則》

（摘自《兒童畫的認識與指導》藝術圖書公司 1975 年 1 月 台北）

A. 必須是藝術的：1. 美的 2. 創造的 3. 完全的自我表現
B. 必須是教育的：1. 重視創造活動的過程 2. 重視心理發展的過程

　　原作者註解：兒童畫的美是畫面充滿「新鮮的喜悅」，這來自擁有「活著的自覺」的兒童。這種自覺是和諧的自我，會表現兒童畫的創造性、變化性、和諧性。

（五）吳隆榮《兒童作品優劣比較與認識》

（摘自《造形與教育—美術教育之理論及實踐》千華圖書 1985 年 7 月 台北）

兒童繪畫好作品的特徵：

1. 合乎兒童心理發展階段的作品

2. 表現兒童獨特個性的作品

3. 活潑明朗、對人有悠然自得感受的作品

4. 畫面的構成強而有力，充滿自信心創作的作品

5. 多方面複雜的心情在畫面統整為焦點化的作品

6. 把內心的感受充分表現於作品中

7. 畫面的表現給人親切祥和的感覺

8. 作品表現出積極的態度，不怕失敗認真創作的感覺

兒童畫不好的傾向：

1. 無感情：形或色都很仔細描繪但過於呆板

　　　　　　只注意表面的說明而忽略感情的表現

　　　　　　色彩豐富缺少調和

　　　　　　無必要性的變形使造形不自然

　　　　　　人的姿勢僵硬無表情

2. 不天真：超乎年齡程度的熟練技巧

　　　　　　不必要或不自然的調色

　　　　　　粉妝兒童的純真而成為矯揉造作

　　　　　　硬筆材料和水彩顏料超乎兒童自身的想法勉強使用

3. 傷感性：圖案純真，但造形過份幼稚

　　　　　　描繪的事物主要調子不顯明

　　　　　　呆板的堆砌、缺乏情感的內涵

　　　　　　過份重視成人的技法

4. 過份說明：初看精細的描繪但仔細觀察仍有缺失

　　　　　　因過份機械式描繪，相同的型式反覆出現

　　　　　　羅列式的描繪缺乏造形的條件

　　　　　　不必要的調色或過份塗改，使色彩污濁而苦悶的感覺

5. 缺趣味性：畫面缺少幽默感

　　　　　　看得出是兒童的繪畫但是模仿成人的作品

　　　　　　兒童所想不出的技巧表現在畫面，如硬質材料、水彩顏料的

　　　　　　併用或刮削畫面等方法。

　　　　　　清淡同系色調描繪的作品縱然有趣味，但個別事物含糊不清。

（六）羅恩菲爾（Victor Lowenfeld）的兒童畫評量表

（摘自《創性與心智之成長》台北啟源，王德育 譯）

1. 客觀評量：一般評量表

客觀批評標準	很少	一些	很多
兒童作品是否在其發展階段中有足夠表現？ 1. 人物			
2. 空間			
3. 色彩			
技巧是否足以表現？			
技巧是否兒童作品的一部分？			
完成品所表現的努力程度是怎樣的？			
作品細節單一部分的意義？			
作為環境一部分的作品單一部分的意義？			
兒童遵循一種表現方式的程度為何？			
任何改變對作品意義的擾亂程度為何？			

自我體驗的程度	是	否
1. 經常的定型重覆		
2. 偶然的定型重覆		
3. 只是客觀的報告		
4. 對客觀報告增加特殊的特徵而包含一些自我		
5. 間接或直接的包含自我		

2. 成長評量：項目與內容（參考賈馥茗譯註，實際應用參見表格各階段內容）

感情成長：1. 免於定型 2. 非概念式表現 3. 自我經驗的涉入 4. 自由的線條和筆觸

智慧成長：1. 包含許多細節　2. 色彩的變化　3. 主動知識的其他說明

生理成長：1. 視覺和動作的協調（控制線條的程度）

　　　　　2. 肢體動作經驗和身體意象的有意識投射 3. 技巧的熟練

知覺成長：1. 視覺經驗，光、影、空間透視、色彩變化的表現

　　　　　2. 非視覺經驗，觸覺、紋理組織、聽覺的表現

　　　　　3. 運動經驗（動作）的表現

社會成長：1. 作品中反映自己的經驗　2. 體驗他人的需要

　　　　　3. 社會環境的列入和特徵化　4. 群體製作的參與

　　　　　5. 對其他文化的欣賞

美感成長：1. 思想、感覺和知覺的統整　2. 對色彩調和的敏感性

　　　　　3. 對於紋理組織的敏感性　4. 對線條和諧的敏感性

　　　　　5. 對形體協調的敏感性　6. 喜愛裝飾和設計性

創造性成長：1. 非抄襲模仿的獨創力　2. 圖式的原創性

　　　　　　3. 自創的表現內容　4. 表現方式和別人有明顯的區別性

　　　　　　5. 畫面的整體性有個人化表現

（七）大橋 功 《兒童畫評價的觀念與評量》

（摘自《美術教育概論》日本文教出版社 2009 年 3 月 東京，萬榮瑞 譯）

兒童畫的評價，從作品技術的巧拙中評定，不如與兒童作品表達之意欲、

形色、內涵互通，從中去發現、解讀、分析，才能掌握評價的重心。重點如下：

1. **發達相應**（符合成長階段的特徵）

(1) 發達階段的保障：與兒童年齡、身心發達階段相應的經驗表達應予保障。

(2) 發達鄰接領域：與同學之間能相互學習，也能從中表達自我表現、或產生新的表現。

(3) 創造的技能：能從表現活動中，兒童自我能力發揮、擴展出新的創造力。

（註：發達等同中文「發展階段」，鄰接領域等同中文「連結」、「跨域統整」）

2. **個性表現、自我表現**

(1) 個性表現 --- 能將自己感覺的、發現的，以自我的方法思考、表現。

(2) 自我表現 --- 能將自己所希望、所想像的形色，率直的表現出來

(3) 表現態度 --- 能將自己想表現的、想傳達的，很積極、愉快的創作出來

3. **學習目標確認**

(1) 很愉快認真的學習畫具、畫材之使用，進而從嚴謹的態度獲得新的技法

(2) 能在畫題中發想、擴展想像，而深深掌握題材，充分表現出自己的想法

(3) 能傳達出畫中的氣氛、自我發展出具有深度的表現

（八）**奧村 高明　兒童繪畫作品的見方**　　　日本文部科學省教科調查官

（摘自《兒童畫的見方》日本東洋館出版社，東京，2010。萬榮瑞摘譯）

一直以來兒童畫與兒童本身似乎沒有關連。大多數情況下都以「大人所認定的重要點」為主，是以大人的眼光看孩子：

「以大人的認知來取捨，與兒童無關；兒童也以大人想要的效果來表達」

我們期待兒童以自我的理由來畫出自我的想法、看法，可是大人們一再以自己的教法來指導。而大人是否理解「兒童的想法、兒童描畫的理由」，去協助兒童的創作表現呢？這是應該審慎思考的問題。

多數指導者以許多理論作依據，這些理論卻未必能包含「兒童自己要表達的意涵」。大人以自己的價值觀為兒童畫作註解、詮釋，以特定的美術教育、

美術理論來判斷。自以為瞭解兒童的感受，其實卻更遠離兒童的本意而不自知。因此，從兒童作品中走進兒童的世界，去瞭解兒童的思考與感受。從作品中發現兒童的目光與視點是很重要的。

　　兒童作品的審查，不是以審查者的好惡、視點、目標作為審查的基準，應該以能夠聽見「兒童的聲音」為方向，這才能貼近教育的目的。

　　「老師的聲音」和「兒童的聲音」是能相融的，鼓勵孩子以「老師，我想畫我想到的⋯」為出發點，才能夠達成兒童體驗自我表現的快樂，進而包容、鼓勵、協助。並非只是在指導其技術、構想題材、添加內容、著色⋯等而發出指令，結果兒童只剩下動手而已，那只是教師的作品，不是兒童的聲音。

　　1. 不是以描繪技術的優劣為基準，而應以兒童自我的「力」的伸出為主。

　　2. 指導技術、表現方法是其次的。兒童自我的發現、思考、表達才重要。

　　3. 教學指導、能協助兒童活生生的發出「兒童的聲音」才是最好的。

聽見「兒童的聲音」是作品評價的要領：

　　1. 貼近作品用心看畫，拉近心理距離看各部分表現，以事實發現來考量。

　　2. 發現描繪的順序，發現思考是如何擴展空間、描畫資源、發想的瞭解。

　　3. 思考兒童表現的理由，從兒童生活的背景、年齡、畫面狀況等加以判斷。

（九）艾斯納（E.W.Eisner）《美術教學製作領域的評量》

　　（摘自《兒童知覺的發展與美術教育》陳武鎮 譯，台北世界文物出版，1990）

　　1. 呈現於作品的技能

　　2. 作品的美與表現性

　　3. 創造性想像運用於作品的程度

　　（原作註解：視覺藝術的創造性：邊界的推展、發明、邊界突破、美的組織）

　　參考以上資料，無論是否能建構完整的理論基礎和清晰的觀念，兒童作品客觀評量的關鍵，仍在於能夠明確分析兒童作品表現內容，以及背後所連結的心理狀態與表現意圖，這種專業能力和分析技術幾乎都來自經驗，並沒有速成的方法或替代的方式，但有具體參考功能的評量工具，應該可以提供評量實際

操作的協助，並有助於經驗累積和專業的成長。

二、兒童繪畫表現的客觀評量

兒童繪畫作品客觀評鑑參考表　　　吳正雄 1997.12.（2012 修訂）

	內容	評量標準 （←→兩端是從正面到負面的等級層次區分）	備　註
一、表現性	技法	1. 線條描繪的筆觸輕鬆、流暢←→線描拘謹或凌亂	3. 的內容如：塊面的平整、色彩的清晰度、水分的控制、混色、疊色等予以判斷
		2. 技巧與表現的意義有關連←→與題材缺乏相關性或過度強調	
		3. 工具技法與材料性質的掌握正確、熟練←→生疏、不當	
	感受性想像力	1. 描繪內容具積極經驗與特殊感覺的關連←→較多定型概念重複	1－3 都會因主題和內容的差異而增刪、修訂判斷項目和標準
		2. 呈現符合題材的相關想像表現←→只有刻板經驗或概念樣式	
		3. 有明顯的景物關係或情感表達←→散置而欠缺情節的概念表現	
	題材意義	1. 題材符合生活經驗、文化特色等←→偏離兒童經驗和教育意義	題材受限於指導者，或許不易判斷，但從普遍經驗和教育意義的考量作判別。
		2. 因應題材的豐富細節和內容←→簡略草率或過度指導	
		3. 題材的表現具知覺、情感的連結←→空泛的概念化表現	
	結構	1. 畫面結構具整體性或造形秩序←→構圖鬆懈、欠缺主題性內容	1. 造形秩序指韻律感、平衡、完整等，但須注意氣質類型的多元性
		2. 主題景物的比例適當、明顯←→退縮、簡化或內容貧乏空洞	

二、審美性	色彩	1. 色彩鮮明、層次與區隔明顯←→色彩混濁、塊面模糊零亂	與技法3相關，也因涉及工作態度而需重視
		2. 符合景物的色彩變化或裝飾性←→單調、概念或過度瑣碎	
	線條	1. 線條或筆觸流暢、精密、穩定←→僵硬、草率、猶豫不穩	與技法1、3相關，同樣可能涉及態度
		2. 線條或塊面區隔明確、因應描繪形象而變化←→凌亂、呆板	
	圖式	1. 圖樣具自發性且活潑←→概念化、定型重複	須同時考量不同年齡的心理發展階段
		2. 圖樣會因題材、情節而調整、變化←→定型重複、僵化	
三、教育性	創造力	1. 樣式表現具原創性與自發性←→概念化、圖案化、模仿	創造性表現與題材有重大關連，但多半須依教學經驗判斷，故最好能以具體敘述為依據。
		2. 對情節、景物關聯、動態等具表現意圖和嘗試←→欠缺表現性	
		3. 較獨特的形式、內容、細節等表現←→缺明顯的相關表現	
		4. 依據題材有想像、特殊情節、變通性等表現←→不明顯、欠缺	
	知覺發展	1. 圖式發展大致符合成長階段的特徵←→遲緩或太過度描繪	需配合自發性與其他項目的表現綜合判斷，否則會對成長較特殊的個案產生不必要的負面誤差判斷。
		2. 空間、形象特徵、細節等表現符合成長階段←→薄弱、不明顯	
		3. 各種景象事物的精細度表現隨成長階段發展←→遲緩、粗糙	
		4. 依題材有符合成長階段的豐富內容表現←→內容空泛概念化	

三、教育性	工作態度	1. 線描嚴謹、塊面分界清晰、描繪細膩←→草率、紊亂	和一、表現性的技法相關，但技法不足或態度不良應依據年齡判斷。3. 如修改太多或混濁。
		2. 重視細節、特徵的描繪←→忽略、欠缺足夠的敘述性	
		3. 線描與彩繪的搭配和程序合宜←→描繪程序不具條理性	

附註：本評鑑表仍可依據年齡、材料差異（如版畫、貼畫等不同媒材），以及較特殊的題材作更細劃分，但一般實際評鑑活動的進行，常因時間因素而簡化，評鑑者在累積經驗後，也多半會自行歸納，化約成概括性的項目，這實際上符合評鑑的一種整體性判斷原則，或許沒有嚴重的不妥，主要仍是必需累積足夠經驗，使評鑑能力符合實際操作的要求。

三、兒童作品客觀評量的實施

（一）《兒童繪畫作品客觀評鑑表》的各個項目，分別將最佳和不良的表現合併敘述，中間以雙向的箭頭←→符號代表可能的等級差別，等於每一個敘述條文就是一個評量項目。客觀評量是以分出等第為目的，最普遍的評量標準，多半和視覺藝術的美感價值判斷有關，這項評量準則基本上不應該加以排除，但美感除了有個人化的主觀偏好以外，經常會侷限於美感形式分析，卻忽略了探求表現內容的意義性，因此客觀評量的首要原則，就是要強調意義和表現的「思考之美」，而不是只重「形式之美」，將這當作是一種自我警惕，才不會輕忽了教育的性質，甚至忽略了比賽活動的原有目的和意義。

（二）兒童美術競賽是因教育的目的而設，不宜直接套用專業美術的判斷標準，所以必須參考評量表的項目和標準，以兒童的主體性和藝術教育目標為主要考量。另外，兒童的表現有成長階段的差異與分殊的氣質類型，因此兒童藝術表現的美感判斷標準，沒有辦法也不應該設定單一的絕對標準，更不宜以個人喜好判斷，必須人性化的以兒童為本位，設定寬容的多樣化美感表現意涵為標準。

（三）大多數客觀評量結果，會對兒童美術教育的發展具有引導作用，所以訂立評量項目和標準，必需將教育性的考量列為優先思考的原則，例如兒

童的自我表現重於技術；創造性的表現意圖重於作品的完成度等，應該都是不難作出抉擇的基本原則。目前有很多評審者的背景，是藝術創作或藝術理論專業，因此多半會以美感形式原理和技巧表現為評審標準，這種評審結果所造成的引導，就是以大人或專業的眼光來判斷，認定兒童表現不足而必須「教」得更多，於是介入兒童的表現被視為理所當然，學生「自我表現」的空間完全被壓縮，藝術教育的功能和目標就很容易失落。

（四）兒童的作品是否過度指導常有爭議，但是分析一般完成度較高的作品表現，往往發現在構圖、內容結構、色彩、裝飾性等各方面，都有較多指導者代為安排的跡象，這種經常被美其名為「善意指導」的現象，必然會壓抑了兒童自己思考、表現的機會和歷程，作品或許符合了教學者或評審者的喜好，而孩子則成了不必動腦筋的代工者，或被引導成表現必須符合大人所設定的標準，視覺藝術教育最有價值的目標，也就因此被淘空、萎縮，所以在實際的評量操作上，不必認同這樣的作品表現，才是符合教育理想的抉擇，即使難以判斷是過度指導，或是兒童描繪能力較強，原則上技術和作品完成度，都不是國民教育的藝術教育應該追求的目標。

（五）客觀評量的項目和內容，原則上必須參考活動的主題和目的，以及個別的作品題材、作者年齡階段等。評審者除了足夠的教學經驗和評量經驗，最好在評審的短暫判斷過程，儘量思考如何明確敘述評價的理由，以及作品中可以具體判斷的特徵，才可以避免主觀偏好的影響，對於最後可能必須以敘述來評論作品時，才有事先已經思考過評量的客觀依據的歷程，不僅評語的書寫會較為順暢，對增進評量的專業素養也會有實質幫助。

（六）評審程序的制訂常會影響評鑑結果，這也是從事評審工作需要考量的部分，讓評審委員盡可能都看過所有的作品，是符合公平性的基本原則，有些指導者也會擔任評審員的情況下，則可以考慮分組的設計方式，讓評審者迴避評量自己指導的作品。同時對於每一位評審還取數量的總

和，可以設定為比預定錄取數量高出相當比例，複選時就有機會淘汰超額件數，形成降低單一評審個人喜好主導的機制。另外如評審員人數的多寡、投票的程序和次數、每次所投票數的多少，以及每一張票是否加權或等值的設計，這些因素都會影響評選結果，而且曾有實驗研究証實，上述程序的變動，確實會造成同一件作品，在評等名次上產生很大差異，所以評審方式和規則的選擇，也都應該一併考量相關因素。

肆、競賽評審的客觀評量程序與思考

兒童作品客觀評量的現況與問題，事實上比主體評量更複雜與難解，目前國內兒童繪畫作品比賽的評審，評審者除了資深美術教師之外，常見以美術科系教授或專業畫家為主，實際的資格條件與所需專業素養，很少有專門的研究與論述，即使是資深評審委員之間，也未必具有明確的共識，再加上評審規模經常都頗為龐大，要達成真正客觀的評量結果，實際上不見得沒有問題。

繪畫作品評量有些關於「品質」的認定，多半無法排除主觀意識與個人偏好，因為評審人員也有「氣質類型」和美感經驗的差異，如果認為集合多數的主觀所得的結果就是客觀，其實卻常陷於作品技術和完成度的判斷，很可能輕忽了美術比賽活動的教育目標。

視覺藝術表現的比賽有複雜的變數，包括年段組別的區分、參與的範圍和規模、是否設定表現主題、徵件或現場創作、媒材形式是否限定等，這些不確定的差異因素，都會影響評審的標準和思考。

以一般比賽最常見的流水式評審為例，一般評審都必須在極短時間內，對兒童畫內容作出判斷和評價，幾個最重要的線索就是作品中的「線條」（或筆觸）、「圖式」、「細節」，以及「題材」的意義性，並以完形心理學和造形心理發展階段的特徵為參考，避免被構圖和色彩等視覺效果所誤導。以下提供參考的判讀方式，但必須強調相關論述，是不完整、非絕對、也未窮盡的敘述，僅能作為在比賽評審時實際操作的參考。

一．評量作品之前要有最基本的認知，必須先清楚掌握作品的分組年齡階段，

以及是否有比賽的主題範圍或特定條件等，建立作品判斷的起步點。實際面對作品的**第一個判斷是完整性**，線條和描繪潦草、凌亂、空洞，主題不明確或明顯並未完成的，第一眼應該就可以淘汰。

二. 接下來第二個步驟是**判斷作品圖式和結構的表現**，過於概念化的定型圖式，或和成長階段特徵有太大落差，就可以立刻淘汰，有太多欠缺意義關連的繁複描繪，多半是不符合造形心理的過度指導，也可以予以捨棄。

三. 正面的分析重點，可以從**作品內容的細節判讀**入手，所謂的「細節」，有時連有經驗的專家，都不一定能夠完全理解和詮釋，但是兒童描繪的圖樣，如果有獨特的附加圖形或符號，或呈現特殊的形象和結構，往往是有特別用意的獨特敘述方式，在一般情況下都是良好表現的表徵。

四. 接下來再**分析題材和內容表現的教育意義**，太偏離兒童經驗和理解能力的題材，太偏向於技巧和畫面效果的內容，多半都是過度執導的跡象，如果沒有很明確的意義性關聯，原則上都不是值得鼓勵的表現方式。

五. 最後再就整體印象，考量**評鑑表所列舉的良好品質特徵**，例如描繪樣式的原創性比較高的、有明確的感受性和情感表現的、對題材有獨特詮釋的、有比較豐富的細節表現，或有情節的敘述性等等，就可以保留下來。

當然，用這種方式作出判斷的速度，會和平常累積的經驗有關，如果碰到作品的品質不容易判斷的情況，可以考量自己所要選取的件數，把這些作品暫時先作超額的保留，最後再依據件數的配額做出取捨就會比較順利。

以上敘述的評量標準，完全沒有提到技術性表現和作品完成度，因為這些項目是最末端的判斷標準，不是藝術教育的主要目的。有些技巧特別成熟、描繪完成度很高的作品，雖有可能是孩子本身具備較強的描繪能力，這卻未必是藝術教育所期待的「高品質」表現。藝術學習如果欠缺「自我表現」的內涵，大致上並沒有給予太高評價的必要性，從教育的立場思考，更沒有必要鼓勵這種高度技術的表現，以避免可能導致教學的惡性循環。

評審最後的決選階段常以投票方式進行，原則上必須確信自己的判斷，而

不要受累積票數或其他評審委員的影響，如果有所疑慮時，基本上可以自問：這件作品可以作出什麼樣的描述？能夠明確敘述該作品的優點或問題嗎？自己能夠回答這些問題，就等於已經作出決定了。

伍、敘述性評量：兒童美術作品評語撰述的探討

一般作品評量多半是學校教學評量的打分數，或是比賽的選件和投票完成評等，其實以敘述的方式撰寫作品的「評語」，才是視覺藝術表現評量的真功夫，因為嚴謹的評語文字敘述，必須以作品內容的深入分析為基礎，可以呈現評量者對評量內容思考的深入和周延，也是教育理念和專業素養的具體呈現，更是教學評量專業成長的良好途徑。

兒童繪畫作品的評語，多半是針對表現優異的個別作品，但是目前所謂的「評語」，無論是目的、功能或格式都相當紊亂，而且似乎也並不受重視。如果嚴肅看待敘述性評量的性質，它應該是一種具有引導功能的教育理念呈現，以及教育哲學價值的表達，必須有一些基本的撰述規範，以及較嚴謹的評語功能性的考量。目前比較常見的作品評語，從實例加以歸納大略有以下幾種型態：

一．**題材欣賞式評語**：依據作品的題材作讚賞為主的敘述，例如：遊戲的歡樂、親情的溫馨、收穫的滿足、慶典的熱鬧等等，評語撰寫多半以正面的語辭，對畫面上的情節加以肯定。這樣的批評方式不大容易犯錯，但即使不用「八股」、「濫情」這麼嚴厲的批判，這種對表現內容欠缺分析性的評語，其實可以隨意套用在大多數的作品上，對評語的閱讀者或一般大眾，無法呈現專業也沒有足夠的引導功能。

二．**內容解說式評語**：依據畫面上可以清楚辨識的景物和情節，將作品內容的介紹當作敘述的重點，或者包含材料和技法的說明，例如：用布料剪貼、採用版印再加上彩繪、不透明水彩的平塗等等，最後再加上正面的讚賞語句結尾。這種批評的形態看起來較具分析性，但多數評語所敘述的內容，其實也是一般欣賞者同樣可以看得見的畫面內容，所以常給人為讚賞而讚賞的感覺。

三．**美感形式分析式評語**：依據專業美術的形式分析技術來看待兒童作品，主要的敘述內容是線條、色彩、構圖等各方面的表現，以及媒材處理和技巧表現的水準。但是這種視兒童畫為專業藝術品的過度解讀，往往會形成過於強調技術性的誤導，只重視作品的技巧和完成度，卻忽略了自發性表現的判斷，以及兒童畫真正良好品質的分析，常常疏忽了教育的目標和藝術活動的目的，更可能造成過度技術指導的偏差導向。

四．**教學理念式評語**：依據原作兒童的年齡，按照造形心理發展的階段特徵，考量作品題材來評估所呈現的相關內容，主要的敘述較貼近教學原理的專業分析，例如：圖式發展的分析；氣質類型的判讀；空間、色彩、線條的階段特徵；感受性或情感的投射；有意義的細節表現；題材與自我表現的意圖；積極的經驗和獨特的呈現；想像力或比較豐富的情節等等，這是一種值得期許的評語撰述方式，但相對的也具較高的難度，除了要具備造形心理發展的專業知識，也必須有熟悉兒童各種表現形態的豐富經驗，才能夠做出有效的分析和敘述。

　　以上敘述式評量的重大限制，往往來自對創作兒童的背景資料欠缺足夠了解，例如：對高度技巧的表現，是出自技術性早熟的孩子或教學者的過度指導？不符合一般生活經驗的題材例如雪景、採礦等的寫實描繪（不具想像畫的特徵），是出自孩子真實的獨特經驗，或是教學者為了作品效果而特意安排？獨特的構圖和取景角度，是學生自己的發現和選擇，還是老師的提供或抄襲？有經驗的評審者對這一類的現象，常存有疑惑卻難以驟下判斷，而這項限制也一向不容易解決，但從教育立場來看，其實不必鼓勵這種似乎過度重視技術，也太追求作品視覺效果的教學所產出的型態，或許可以在敘述性評量提出疑點，並在觀念上闡述和引導，未必一定因為作品得獎而不作客觀批判。

陸、敘述式作品評析撰寫的參考

　　兒童繪畫作品的評語，應該具備教育性的引導功能，對家長和一般大眾來說，評語可以傳達正確的教育觀念，重視兒童的自我表現和正常發展，對教學者和教育行政人員來說，評語應該是教育目標為主導的觀念提醒，也就是以兒

童的成長為主體，避免過度重視競賽成績，扭曲教學理念又造成學習傷害。

評語的另一個主要功能，是引導看待兒童畫的正確態度和觀念，因此對作品的正面讚賞，必須盡可能趨向於對自發性表現的肯定，以及題材和內容方面的積極表現，不要將高度技巧和完成度當成重點，或是在必須提及的情況下，讚賞表現的細膩度和工作的認真態度，或許才是比較適當的敘述方式。評語會因作品的題材和表現的差異，敘述內容必須有增、刪或者繁、簡的修訂，以下試就評語的結構提出撰述的參考：

一、先從較明確具體的基本資料入手，如作者年齡以及作品題材、畫面內容的簡述，藉以分析表現的意圖和重點，這個初步的敘述，原則上必須連接到良好的教學型態，以及從藝術教育整體目標的邏輯關聯作論述依據。

二、其次可以明確的敘述作品所呈現的特殊表現，也就是從教育立場所判斷的良好品質。這一部分必須依據經驗和專業的理論基礎，是比較具難度的評述重心，原則上可以參考客觀評鑑表的「表現性」和主體評鑑表的「成長表現」，歸納出進一步的敘述內容，其次再依據客觀評鑑表的「教育性」和主體評鑑表的「自主性表現」，整理出後續的敘述內容，最後再參考客觀的評鑑表的「審美性」和主體評鑑表的「視覺經驗與技術表現」，列舉符合教育意義的技術性和表現性的明確徵象。

三、結尾的敘述可以補充其他比較特殊的表現，例如比較誇張的圖式和肢體表現的趣味性，較特殊而有意義的細節表現，或是評審者在教育觀念方面的見解，包括對一般欣賞者作教育觀念的提醒，以及看待兒童畫應有的態度提示等，都可以考慮作最後的補充。

敘述式評語會因為作品的題材和表現意圖、年齡階段和氣質類型等複雜的差異因素影響，因此分析和解讀的面向也就非常多樣化，或許很難有標準的格式和規範，以下的兒童畫評語範例，是第 49 屆中華民國世界兒童畫展畫冊的新創嘗試，筆者與其他幾位學者專家討論提供意見後，由工作人員整理撰寫，考量錄音逐字稿可能較生硬，所以將文字稍作修訂供評語撰寫的參考。

圖108《看我種的神奇花》，幼稚園大班

　　評語：畫面中可以看到一種同理心的呈現，老師帶學生去花園觀察、討論、構想，有些花茂盛，有些花卻枯萎，可能的理由和原因，或許是孩子有一種照顧的、護花使者的動機，孩子不是駕馭者的角色，營造人和花互相交融的情境下，花被照顧了，也接受小孩在她身上攀爬和玩耍，以童真把人跟自然的和諧關係展現出來，這是幼兒人格成長非常具趣味性的狀態。

　　花朵的高度裝飾性細節和複雜結構，是孩子心情輕鬆又自在的投射。在最高處肢體展開的孩子是活潑的想像力表現、下方的車子與盪鞦韆可能是積極經驗的投射，這都是充分自我表現的徵象。

　　花的主題表現明確，呈現孩子的理解力和感情經驗。圖式表現有豐富的感情經驗並具有變化性，花朵的圖式造形和色彩具有不同的變化，有意或無意的對比色應用，讓畫面的生命力更明顯呈現。最特殊的是以花為中心，而不是以人為中心，沒有明顯以自己為中心，顯示社會成長與人際互動關係的狀態。空間構成是以圖畫紙的下緣為大基底線，這種基底線靈活的彈性應用，展現孩子的創造力與輕鬆自在的描繪狀態。

　　從孩子自在的表現看內心世界，有動感也有情緒地訴說美麗的世界。孩子的想像力充分揮灑出來，每一朵花的色彩、造形都充分顯現想像力，那是老師用心維護孩子自我表現空間的證明。怎樣實踐啟發性的教學，讓孩子有很自由自在的發揮空間，是教學者必須關注和思考的重要課題。

第十一章：視覺藝術教學的實踐研究

　　一般視覺藝術教育的研究，多半以理論性的教育哲學理念探討，或是心理發展、課程理論的研究為主，但要有效改善教學品質和提昇教學成效，卻必須經過教學現場的實踐和驗證，才不致淪為僅有目的論的空談。許瓦布（J.J.Schwab）「實踐藝術（practical arts）」和「折衷（擇宜）藝術（eclectic arts）」、「課程慎思（curriculum deliberation）」的課程思想（黃繼仁 譯，2005），強調透過教學實踐在教學現場驗證課程理論的實際效應，評估理論的可行性並發現問題，從而修正課程理論再進行教學實踐，這樣的反覆滾動才能完成課程發展的完整循環。許瓦布的課程實踐思想有其複雜度，「實踐藝術」並非如翻譯字面上的只針對藝術學習而言，而是普遍性的課程發展理念，所以並不是一般教學實務或具體的教學手段，也不是追求知識和理論為目的，而是提倡在教學實踐研究的過程，可以改變教學實施者的思考模式，發展更為多元的解決問題的智慧和能力。基本上各個時期的「課程綱要」也是理論性的規劃，目前常見的「跨領域統整」和「主題式教學」推廣，也需要透過「教學實踐」來進行驗證和修訂，才能確實評估課程綱要或其他理念，在教學實施的合宜性和可能成效。

　　一般教學現場的課程實施，如果是按照課本的單元或甚至材料包的設計，只是按部就班地完成預定程序，其實未必具備「教學研究」的性質。長遠來看藝術教育的發展，欠缺教學現場的實踐研究，藝術教育的理想往往容易淪為空談，就連課程綱要的修訂，也會因為欠缺教學實踐評估的參考依據，而成為只是書面論述的公式化程序。空有目的論而欠缺方法論與實驗的教學研究，則很難產生改進教學的實效策略，因此，教學實踐研究的重要性，不僅教育行政機構不應忽視，實際教學的教師也應該視為是自己應有的責任，這也是強調「自主性」實踐研究的理由。而「自主性」另一個層面的意涵，則是指教學者必須具備足夠的專業素養，能夠跳脫教材或課本的原有教學設計，**從課程和目標的結構評估學習內容的意義；從當代藝術觀念或教育理念修訂教學的內涵；從學生經驗和社區文化特色設計教學與實踐標的…**，這種平常的現場教學過程隨時

都在進行的研究，不一定需要設訂專題或大規模實施，這種持續性、自主性的教學研究，才是教學者專業素養成長的良好方式，也是藝術教學整體品質提升的有效途徑。

　　自主性視覺藝術教學實踐研究，具有不同的面向和具體方法，以及研究者應該具備的基本專業素養，以下從日本全國造形教育研究大會每年不同的主題為起頭，探討教學實踐研究的相關概念與實務。

壹、自主性教學實踐研究的概念

　　「自主性」強調的是教學者的主動評估和思考，並不是按表操課的完成教學流程，「實踐研究」強調的是教育理念的具體實驗和評估，包括整個教學過程的檢驗和評鑑，但最基本的依據依然是教育哲學的核心理念，本書從當代兒童視覺藝術教育的「國民教育性質」、「當代藝術意涵」、「學習者主體性」的探討，建構以人文精神主導的「學習者本位」視覺藝術教育，並提出藝術課程的架構和教學模式，就是希望以嚴謹的基礎理論探討，提供藝術教育理念和實踐研究的參考依據。更明確的說法是：實踐研究並不是不談理念，而是在明確論述的完整理論下，探究這個理念是否能夠有效實施的方法。

　　藝術教學如果是學科中心的思考，藝術專業知識、技術的養成往往是主要目標，教學研究的重心就會落在教學技術的操作，但如果藝術教育著重人文的學習者本位思考，以人的生涯為著眼點考量教育目標，實踐研究就必須以學習內容的意義性為前提來思考，也就是連教學目標都必須以教育哲學價值判斷來篩檢，才足以確立研究題材和實踐、推廣的合理性，這樣的教學研究首要的具體考量，可以從教學題材的擬定著手，而「教學題材」的定義並非只是單元名稱，而是泛指涵蓋教育目標、兒童經驗、活動內容等整體思考，據以擬定的學習內容而言。以下是和教學題材相關的論題：

一、視覺藝術教學實踐研究的「主題」

　　日本的視覺藝術教學（國小圖畫工作科和中學美術科）實踐研究行之有年，全國造形教育連盟的活動，經常是以「主題」作為地區性教學研究的大

標題名稱，規劃整個年度、涵蓋各年級，在這個大主題之下的藝術教學和研究，具有比較接近「課程」的意涵。另外頗受重視的「現象基礎式學習Phenomenon-based learn」（被翻譯爲「主題式學習」），以及「跨領域統整學習」等不同學習理論和主張，暫且不論定義和實施方式，在觀念上是以「現象」或「大概念（核心概念）」作爲學習主軸，經由結構化的議題或現象進行學習。多半以問題爲學習起點，以議題或論題的提出和解決爲學習核心，並以學生已有的經驗與生活連結爲基礎展開學習。

「主題教學」或「主題式學習」的學習方式，不僅讓學生在多元情境中感受與體悟，培養多元智能和人格特質、美術核心素養等，更重要的是學習連結真實生活經驗，並發展深層的精神活動，關注各項人生議題和思考，藝術學習的終極目標是在價值觀和生活態度，具有傾向跨學科大單元統整教學的性質。不管是哪一種「主題」意涵之下的各種教學活動，大致上都需要較龐大的人力資源和時間、經費，因此較容易實施的教學實踐研究，考量日常教學自主研究的方便和可行性，可以用「**題材**」作爲探討的論點，用以標註藝術學習的內容、範圍、經驗類型、表現性質等，因此教學實踐研究的「單元名稱」不一定要作解說，「教學題材」卻因爲關連到學習的意義和價值，多半有另外說明或論述的必要，但必須特別提醒的是，本書所提的課程架構與教學模式的應用，基本上就是主題式學習的思考，主要的差異就是「單元基本精神」類似「大概念」，但更重視學習意義的思考，學習題材的主要連結包括社會「現象」、人生「議題」或「結構性問題」，而不是只侷限於課程綱要既有學習領域的拼湊式跨學科統整，這兩種不同的課程觀點，何者更能貼近真實生活和學習者的主體性，應該可以很容易判別。

以下先介紹日本全國造形教育連盟研究大會的「主題」，可以作爲規劃大單元的藝術主題式學習的參考：

2001 北海道札幌大會主題：《活生生的生命力育成》，強調學生「自我學習、自我思考、自我表現」的能力就是「生命力」。並以「感性、感覺、感情、創造、表現」作爲培育的方向，以兒童成長過程中豐富的感性與知性協調，如何充實、如何發展、如何實踐作爲教學研究的主軸。

2006 長野大會主題：《我真的很好！—可貴的生命 相互的學習》，透過色彩、型態的學習，培養「我真好！我真棒！」的生命力—自信。教學的主軸是讓兒童在自我表現中接受失敗的經驗，並嘗試錯誤持續學習建立「發現無可替代的自我、肯定自我的存在」，藉此養成真正的創造力，以「承受力、自信心、創造力」為目標，建立「活下去的永續力量」。

2013 東京大會主題：《造形美術教育的動力學—成長與連攜》，這個日文直譯的主題，和 2010 聯合國 UNESCO 世界藝術教育會議，首爾報告書的世界藝術教育目標有所呼應，強調藝術教育的跨域連結，是整個社會改革的基本動力，研究主軸是透過兒童的「看、想、遇見、連結、動作、遊戲」，培養兒童的力量—「感性、自主性、主體性、表現的喜悅、豐富的情操、造形的創造力」。

2015 岐阜大會主題：讓每一個都感受創作的喜悅—培育豐富的心和表現力的美術教育。

2017 輕井澤大會主題：連接藝術的『「響」‧「同」‧「帶」』。「響」‧「同」‧「帶」是日語「共同體」的諧音，藝術的共同體亦即「自我肯定」‧「相互連結」‧「由近而遠」的造形藝術教育。

2018 秋田大會主題：從秋田出發美的新開拓。自我反思，傳達自我的造形活動。這項主題具有明顯的地區性鄉土特色訴求，從秋田出發向社會提出有意義的解決方案，培養擁有生存活力能讓社會朝向更美好方向發展的兒童。「自我反思」是思索有關自我在地區裡持續深耕的生活方式。「傳達」就是透過這種過程向別人和自己證明「我也可以」的歷程，拓展自我的美感、不斷地自我反思以及傳遞自我的思維。

以上這些範例所顯示的理念，明顯可以看出日本藝術教育的核心理念，並不在技術和作品完成度的學科本位思考，而是人文思考的兒童本位目標，也可以說教學實踐研究的另一個層面，就是在藝術的媒材、技術和製作、欣賞這些活動形式之外，另外強調人文的藝術學習目標和理念，確認藝術教育的意義和價值，必須落實在以人為本位、以生涯為著眼點的自我實現的相關能力和條件為目標。

二、視覺藝術教學實踐研究的「題材」

在一般的教學現場，以上述「主題」的概念來實施教學實踐研究活動，將會受到各種條件的限制，因此可能只適合學校本位課程，或大單元統整教學的長期規劃，但個別教師或常態的協同教學中，卻可以就教學「題材」的思考，進行單元教學實踐研究。本文的「題材」一詞具有「關連性事項」的意含，並沒有適當的相對應外文名詞，就視覺藝術教學活動的構想和設計而言，或許和「教材」、「題目」的意指相近，但本文將「題材」的意含歸納為**學習內容和表現形式的概括敘述**，也就是規範學習的範圍和表現的思考方向。而對於題材選擇與擬定的核心概念，則是整個教學的學習意義與目標的價值判斷，也就是教學設計「單元基本精神」的延伸，或是「主題式學習」大概念的具體實踐方式的闡述，這和「教材」、「單元名稱」是完全不一樣的意含。

從教學題材對教學品質作出分析、研判的面向，可以從**兒童本位、人文思考**和**目標主導**入手，教學題材常見以單元名稱來呈現，但無論是對教學者或兒童來說，題材或單元標題隱含某一些價值觀的傳遞，使美勞教學蘊涵更深層的目標思考，因此是教學設計者專業素養的一項象徵性指標，一個單元值不值得實施，有沒有讓孩子學習的必要性，題材的設定會透露很多相關的思考，也等於間接的呈現一個單元教學活動設計的品質。以下就以一個參考性的範例，來探討教學題材設定的深層意義。

用紙黏土包覆瓶罐或紙盒，做成一個有置物空間的容器，是很常見的視覺藝術教材，同樣的媒材、技法和表現形式的製作，以下採取三個不同的題材設定和敘述，來探討教學的訴求和目標會有多大的差異：

1. 紙黏土容器（筆筒）：「以紙黏土包覆空瓶罐製作容器」。

2. 美麗的容器：「以紙黏土包覆空瓶罐表現具美感裝飾的容器」。

3. 裝我的夢想的容器：「以紙黏土包覆空瓶罐構想製作可以放置並能實現自己夢想的容器」。

第一個題材相當直接明瞭，背後的思考似乎就是為製作而製作，做容器或

更侷限的單一筆筒就是目的。第二個題材替容器加上一個形容詞，訴求的或許就是美感、設計、裝飾性、獨特性等表現。第三個題材似乎比較隱晦，但連結到孩子的夢想卻是更深刻的生活省思和人文思考，在教學引導上必須先有夢想才有表現的依據，而容器的造形和附加的細節，也因為夢想而必須有象徵的意義性，表現的意圖和思考也會更明確、深刻而更具藝術學習意含，這個「夢想」的題材，也等於是主題式學習的「大概念」，連結到生活意義和價值的思考與自我探索。

再舉另一個例子：題材設定為「風景寫生」多半只重視技術性和形式；「理想社區」的表現或許連結想像力和環境關懷；「心靈地圖」（106 年度視覺藝術教學實踐研究計畫發表案例）則是由孩子的真實經驗出發，自己定義生活環境中對自己有特殊意義的地點，藉由表現活動建立自己對土地的態度與情感，這三種題材設定和學習目標的意義性和差別，或許並不難深入思考和判斷。

因此，真實的差異不在於題材和單元的名稱，而在於對教育目標和學習意義的判斷，視覺藝術教學實踐研究的方向和重心，題材設定的思考往往會是最大的難題與教學研究的基礎起點。

以當代藝術與教育哲學的觀念衍變為基礎，以下摘錄本書第三章的當代藝術連結議題，供作視覺藝術教學題材思考與發展的參考，這些連結真實人生的議題，如何轉化或融入視覺藝術學習題材，基本上考驗的是教學者的人文思考，以及對生活和社會、文化的廣泛關注：

1. 社會議題：階級、種族、族群、公眾事務、全球化…等。
2. 政治議題：公共政策、權力、意識形態…等。
3. 文化議題：多元差異、異文化、次文化、俗豔、底層…等。
4. 性別議題：女性主義、同性、酷兒、第三性…等。
5. 環境議題：生態、自然保育、公共空間、人文環境…等。
6. 科技議題：網路、醫療、人工智慧、生活科技…等。
7. 生命議題：身體、賽伯格、後人類、生化、基因…等。
8. 世俗生活議題：人際關係、消費行為、經濟活動、…等。

9. 信仰議題：宗教、民俗、原始崇拜、祭儀、靈魂…等。

10. 個人議題：情感、冥想、夢幻、潛意識、人性探索…等。

11. 其他議題：以人的生涯為著眼點的各種價值、態度…等探討。

貳、實踐研究的教學活動設計思考與呈現

　　視覺藝術教學實踐研究，無論是從理念的探討開始到教學題材的設定，最終都必須落實在教學活動設計的呈現，因為教學實驗的結果和評估，以及實踐研究結果的分享、研討、修訂，都必須依據原始構想的教學活動設計，因此，單元教學活動設計是實踐研究的基礎，但最重要的概念則是「教學設計」是教學的周延思考，而不是教學實施流水帳的事後「教學紀錄」，因此必須有清晰的概念和比較具體的參考格式，才能有效的判斷教學研究的相關觀念與內容。

　　一般常見的教學活動設計多半是以「簡案」呈現，但這樣的格式多半是教學基本概念的重點性備忘紀錄，多半只能給理念相近又經驗豐富的教學者參考，教學設計如果要用在比較嚴謹的學術探討，或者是讓一般教學者能夠明確理解而引用於實際教學，原則上以巨細靡遺的「詳案」來呈現，才能有教學研究探討的效應。事實上詳細周全的教學設計思考，不但是教學者專業素養的評斷指標，更是教學專業成長的有效途徑。

　　教學活動設計或許不一定有絕對的標準格式，但基本上格式的項目可以規範必要的相關思考，嚴格詳盡的教學活動設計格式，可以呈現教學者必須考量、判斷，並有效擬出適當措施的所有各項重點，因此可以形成相當明確的功能性，以下所提供的教學活動設計格式，未必是絕對的最佳範本，但是格式可以作變換、修訂，內容的完整性和思考方法則是不可遺漏的。所以，完整的教學設計格式可以提供教學探討的具體依據，也是藝術教學實踐研究可以參考的呈現方式。

一、單元教學活動設計應有的內容與參考項目

　　要求比較嚴謹的單元教學活動設計應該包含

（一）基本資料：單元名稱、教學年級、教學時數、教學準備（教學資源）、

教學設計者。

（二）教學目標：教學模式（素養指標）、單元基本精神（設計理念）、單元目標。

（三）教材分析：題材說明、工具材料與技法分析、表現內容與要求標準、引導方式與重點、特殊情況的預估與因應措施。

（四）教學流程：項目與時間、活動內容、教學重點。

（五）教學評量：評量項目、評量標準、評量方式。

（六）學習表現分析：主體性表現分析、客觀表現分析

　　前面提到的「教學設計」和「教學紀錄」的差異，主要就在教學評量和學習表現分析兩個項目，教學設計是教學前的周密構思，因此必須呈現的是預定要評量和分析的項目，而不是教學實施後評量和分析結果的紀錄，但如果教學實踐研究案例要發表或研討，評量和表現分析的結果以及教學省思或心得，則是必須呈現的重點。

二、單元教學活動設計的參考格式

教學設計者：　　　　　　　服務單位　　　　　　　　　年 月 日

基本資料	單元名稱：（本表一律以新細明體書寫，撰寫後請刪除所有標楷體文字） 可以隱含某一些價值觀的傳遞，也可以傳達一些有意義的訊息，例如讓孩子產生好奇心或興趣，引起較強的學習動機；或是引發較豐富的意象和想像空間，使表現的內容因而較豐富、較有創意；也可以連接議題的探討，誘發人文精神和價值觀的思考。	教學年級： 不同年級會有不同的目標和表現內涵、要求標準等，教學設計所預定的教學年級，是引導方式、技法、表現及難度要求等，在擬訂內容時的思考依據。	教學時數： 為適應不同教學條件，時數可彈性表示，例：5～7節或200分～280分
	教學準備： 教師：（含教學資源…工具、材料…等） 學生：（含自備工具、個人或共同收集資訊或媒材…）		

教學 目標	教學模式：請參閱＂國民教育視覺藝術課程架構表＂之 B. 教學內容，註明本單元所對應的教學模式或模式的細項皆可，可跨多個模式。例：基本技法＋機能結構應用＋目的性表現 （能力指標或素養指標暫略）
教學 目標	單元基本精神：參考《國民教育視覺藝術課程結構分析》的三個項目，先簡述本單元學習內容的意義和價值，確認單元學習的必要性。再補充說明本單元與兒童本位…人文思考…社會環境…當代生活…等精神活動價值或核心素養的關聯性，包括主題式學習或跨領域統整教學的核心概念思考，必要時可列舉連結的議題或所跨的領域並作說明。
	單元目標：請參考《國民教育視覺藝術課程架構表》之 C. 項，五大課程目標項目之下的各細項，擬定本單元教學的具體目標或行為目標，以阿拉伯數字編碼依序條列，語句結構參考 p.275「單元教學目標」說明和舉例，不應將架構表的課程目標敘述條文直接剪貼。另外每個教學單元未必在所有目標項目都有對應的單元目標，因此並非五個目標項目都必然要有相關敘述。
教材 分析	一、題材說明、教學資源分析：說明題材選定的理由及相關兒童學習經驗脈絡…社區資源…文化特色…融入議題等學習意義和題材關聯性的補充說明。 二、工具材料或技法分析：兒童成長發展階段與基礎能力、經驗的分析，或者是連結的議題、欣賞題材等的分析。創作教學若學生技法已有足夠先備經驗，也可以註明學生已具備相關技法經驗，不必再另外闡述。 三、引導方式與重點：請詳細說明單元的引導策略，並說明與兒童理解能力和目標搭配的合宜性，本欄與教學流程表可能有所重複，但流程表以活動方式和內容的敘述為主，本欄則以分析引導目的與方法的合理性與有效性為主。 四、表現內容與要求標準：說明如何設定兒童表現型態與方向，如何避免模仿與抄襲、草率、粗糙等現象，以及表現的要求標準與設定的理由。 五、特殊情況預估與因應措施：依據單元的實際教學內容與活動流程，評估各種可能變數與對應策略，部分較特殊的教學型態，可以省略本項的敘述

教學流程	教學項目 why~ 學習目標關聯以及活動程序，自行分項並註明項目名稱	教學活動 what~學生具體活動內容、師生互動方式等	教學重點 how~ 與教師有效達成目標有重要關連性的教學關鍵措施
欄位大小和程序項目可自行依實際需求調整	一、引導、題材探討…（　分） 二、技法指導、觀察、欣賞…（　分） 三、表現製作、討論、發表…（　分） 四、分享、歸納、結論…（　分）	三個欄位的敘述都必須標示序碼，原則上三個欄位同一號碼對齊，才能確實檢視相關敘述的邏輯關聯。（參見研習手冊 P. 62～77 附錄，教學設計實例的呈現格式）	同左欄說明，需特別注意三個項目的邏輯關聯
教學評量	主體評量：針對個別兒童本身的成長狀態和氣質類型，以及能力、態度、表現等各方面的發展狀態及單元教學目標的達成度等，條列相關的評量項目內容即可 客觀評量：依據階段造形心理發展特徵和單元目標，評估全班表現水準和學習狀態，以及個別兒童表現在群體中的相對情況等，條列必須評量的項目和內容。 多元評量：可增列敘述式評量方法與項目 **各項評量合併編碼條列呈現，不必區分評量類型而另外分項列舉**		
兒童表現分析	分析項目和內容依據單元教學設計所設定的預期表現，另行擬定分析項目，主要項目大致是個別兒童的理解力、表現性、構想與題材的符合度，也包括創造力、特殊表現狀況、工作態度、行為等紀錄與歸納。本欄於教學設計以撰述分析項目為主，**具體分析結果則另外於教學實施後成果發表時才得以有資料可呈現。**		
教學實施心得	包括敘述教師自主研究的心得與教學過程的發現、自我成長的觀念轉變等。**本欄屬完成教學實踐後的研究案例發表重點，但教學設計的文本中並非必要呈現，可予省略、刪除，或另於研究成果發表時呈現相關內容。**		

本教學設計格式的實際應用參考例，參見本章附錄：《花花世界》教學設計。

參、單元教學設計各項目應呈現內容的分析

一、**教學設計的基本資料：**這些一般並不受重視的教學基本資料，卻往往
　　是一些基本觀念的呈現，茲分述如下：

（一）**單元名稱：**教學題材或單元的標題，對教學者的意義已如前述，**隱含某一些價值觀的傳遞**，但另外對兒童來說，單元名稱也可以傳達一些有意義的訊息，例如**讓孩子產生好奇心或興趣**，引起較強的學習動機；或是**引發較豐富的意象和想像空間**，使表現的內容因而較豐富、較有創意；也可能連接到議題的探討，而**誘發一些人文精神和價值觀的思考**。

擬定單元名稱大致上要避免平鋪直述，或將作品的形式當作標題，最好能以一些特殊的形容詞來修飾，或以表現的重點作為訴求，都是可以參考的方式，換言之，單元名稱其實是教學設計者的創意考驗，應該在平時就多作思考和自我挑戰。

（二）**教學年級：**一項教學設計要在什麼年級實施，似乎是設計者的既訂構想，沒有什麼討論的必要，但從教學品質來考量，卻仍有很多問題值得探究：如果媒材、表現形式都確定了，那麼技法難度和表現標準是否符合兒童的成長階段，是必須作判斷的。有些教學單元或許可以實施在不同年齡階段，但不同年級會有不同的目標和表現內涵、要求標準等，教學設計所預定的教學年級，是引導方式、技法、表現及難度要求等，在擬訂內容時思考的依據，對教學設計會有重大的影響，不宜太過於輕忽。

（三）**教學時數：**教學時數屬參考性質，可以用彈性時數表示，並可在教學實驗後予以調整。但實際教學對象多半是複數，甚至會有複式年級的編組，某些情況下為了因應實際或節省教學時數，將較繁複的製作過程規劃在課餘時段，或以家庭作業時間來完成，可行性如何也必須仔細衡量，作出合理標示來提升教學實施的可行性。

（四）**教學準備：**有些教學設計上常見的教學準備項目，多半以工具、材料的規格、數量為主要內容，其實這是不完整的思考，教學準備的首要考量是「教學資源」的利用和「單元目標」的需求，例如：教學環境、教具準備，都必須在模擬全部教學過程的思考中，作出比較週延的考慮才能真正做好教學準備，這種思考方式有時連工具的種類、規格、數量，以及材料的內容、蒐集方式、分發方法等都會有不同的安排，因而也會對

教學的品質有重大影響。例如，有些媒材必需合併採購，有些媒材卻是由師生共同蒐集，才能達成某些特定的教學目標，雖然麻煩卻具有教學的特殊意義，因此也必須詳細思考並做明確的呈現。

二、**教學目標**：兒童視覺藝術的教學目標如果徒具虛文，或是先決定材料、技術、作品形式，之後才來找目標作填空，這種教學的思考可能多半只剩作品而已。單元教學目標是整個教學設計的主導指標，如果教學者覺得單元目標的擬定、敘述有很高的難度，或常用某些類似的語詞來「填空」，其實很可能是專業素養上的一項嚴重警訊，千萬不能大意。在教育研究的範疇內比較嚴謹的「目標」定義，大致上可以分為比較高階的「教育目標（教育宗旨、教育目的，Educational Goals）」，意指整體教育發展方向和理想的指標；其次則有「課程目標（Curriculum Objects）」和「教學目標（Instructional Objects）」，指的是整體的課程目標以及學科內容要達成的目標；最基礎但也最具體的則是「單元目標（Lesson Objects）」，單指學科領域內的一個單元教學活動，在課程目標脈絡下所要達成的「具體目標」或「行為目標」。本文「教學目標」所指稱的視覺藝術教學目標，總共有三個層面的思考，依據藝術課程架構的教材分類方式，是以結合教學目標的「教學模式」來歸類教學活動，因此列為單元教學結構的基礎思考，其次再分析整個教學設計實施的必要性，以「單元基本精神」確定教學實施的意義和價值，也才能夠據以列舉「單元教學目標」。這種較為複雜的目標撰述格式，基本上是為了確認教學目標思考的週延性，各項目敘述的參考如下：

（一）**教學模式**：先確認教學單元的模式，是掌握教學目標方向的有效方法，教學模式的定義與內涵詳見先前研討議題，教學設計的目標欄要求列舉教學模式，是為了讓教學活動的內容，與課程架構的目標有更明確的對應，具有教學內容和目標發展的引導功能。一個教學單元可能結合二、三個模式，並形成主題式學習的思考，設計者可以自行就教學模式的特徵思考判斷。

（二）**單元基本精神：**一個教學設計既確認了教學模式，也會條列單元教學目標，為什麼還要這麼麻煩地敘述「基本精神」？其實這和「人文思考」與「現象基礎的學習」（主題式學習的原意）相關，在教學時數嚴重壓縮的現況下，基本精神的敘述是為了避免學習浪費，在思考的基本出發點是先質疑：「為什麼一定要上這個教學單元？」

這個看似多餘的質問，其實是教學單元實施的價值和必要性的探討，也是避免只著眼於技術、作品而忽略兒童本位的教學目標的防線，絕不是毫無意義或玩文字遊戲而已，基本上和「大概念」具同樣的意含。單元基本精神大致可由下列的方向作思考：

1. 題材選訂的人文思考及教育意義？
2. 是否以兒童為主體思考學習內容？
3. 單元目標的適切性與價值觀上的判斷依據？
4. 與視覺藝術的觀念或基礎能力養成上的關聯性？
5. 和生活與當代社會重大議題的思考有關？
6. 因特殊的文化或區域發展有獨特需求和關連？
7. 學習的發展是否有連結其他學習領域的必要？

（三）**單元教學目標：**學科中心的思考，多半認為只要教學形式和藝術相關，所有教學目標就都可以自然達成，在這種觀念下的單元目標，多半只是寫著好看的文字遊戲，常會欠缺目標和學習活動的邏輯關聯的思考。另外在教學目標敘述上常見的問題，有些是以比較概括性的課程目標，如「培養創造力」、「培養美感」之類的敘述作填充，或是只有套用課程綱要的能力指標，實質上這都是空洞的敘述而已。另外有一些活動和目標不分，教學活動是「風景寫生」，教學目標就是「能完成風景的寫生畫」。其實藝術教學必須累積許多明確、具體、細微但有意義的目標，才能達成藝術教育的整體目標，因此可以說單元教學目標的敘述，是非常重要卻又相當艱鉅的挑戰，以下是具體目標敘述的可能內容和參考例：

1. **認知的（知識、體驗）**：例：能經由嘗試和實驗，瞭解基本的水彩

顏料混色的結果，並應用於作品的描繪。

2. **技能的（技法、經驗）**：例：能有效控制水彩筆上的含水量，並在調色盤上均勻調和顏料和水分。

3. **情意的（態度、行為）**：例：能仔細觀察建築物的結構和磁磚色彩的變化，並有耐心描繪細膩的色彩塊面和線條裝飾。

4. **表現的（創意、觀念）**：例：能構想在自己的生活空間，可以怎樣用各種花朵造形來構成和裝飾各種居家器物。

5. **感受的（感覺、想法）**：例：能由自己的生活經驗和需求，構想社區中最須要的公共設施。

6. **文化的（關心、參與）**：例：能欣賞傳統布袋戲的表演特色，並和同學合作製作不同角色的木偶，共同體驗布袋戲的演出。

7. **思考的（詮釋、表達）**：例：能觀察並和同學討論夏卡爾畫作中的特色，並試著解釋這些獨特表現的可能原因。

以上單元目標的敘述參考例，可能因為欠缺具體教學單元的連結和判斷，而顯得有些突兀或太複雜，但是單元教學目標的敘述必需是「具體目標」的性質，雖然不必完全以「行為目標」的方式來條列，但也要避免概括的籠統敘述，原則上應該是一種因果式語句，結合活動內容和目標的關連性敘述（參考前述例句），才能使教學評量有較明確的依據。

一、**教材分析**：「教材」一詞在此是採取廣義的意含，涵蓋教學活動的各種相關內容，教學者對一個教學單元實施時，所牽涉的問題掌握得愈清楚，教學過程就愈順利，對許多可以有所選擇的教學措施或策略，也才愈能夠作出合理的判斷，等於是對單元基本精神能否落實的思考，對教學成效有決定性的影響。但以下的項目是提示思考的範圍，有時因教學模式或題材等的差異，未必每個項目全都要作出敘述。

（一）**題材說明**：題材的定義請參考前段有關「題材」的闡述，基本概念是「基本精神」強調單元學習的大概念、價值和必要性，「題材」則是說明落

實基本精神所採取的具體學習方式和內容，會包括單元名稱的意含、媒材、表現形式等，和基本精神應該有邏輯關聯，但兩者闡述的內容會有明確的區隔，或許可視為思考條理性的檢驗。題材說明的相關敘述內容參考如下：

1. 題材與表現形式訂定的理由、學習意義的分析，多半和學生的生活或情感經驗、社區文化或資源和各項議題連結。

2. 教學目標、重點的補充說明和明確提示，多半可以證明和單元基本精神的關聯性與學習效應。

3. 兒童學習經驗的銜接或發展脈絡，多半是深化表現、突破概念或拓展經驗培養基本能力等。

4. 教學程序的順序或關鍵性必要措施的說明，釐清題材設定的合理性，以及教學實施的有效性等。

（二）**工具、材料與技法分析**：除了工具、材料特性的分析，或是特殊的工具、材料規格的要求，以及是否有可替代性的選擇等。也包括兒童的基礎能力、成長階段的考量、先備學習經驗的分析。另外如操作技術上的要領，一些較特殊的材料處理手法，以及指導的重點、方法，或是必要的提示，包括是由教師示範操作，形成很明確的理解和規範，或是讓兒童自己嘗試實驗，較能有效地自己體驗或發現技法要領或特殊效果，都是因應目標以及工具、材料、技法性質的考慮重點。

（三）**表現內容與標準**：大多數的藝術表現製作教學，都難免牽涉到兒童的作品表現內容，但依據基本精神和目標的表現要求，並不會等同於一般作品完成度和技術的要求，本項的思考重點如下：

1. 教學者提供給孩子參考的視覺經驗，表現形式等，原則上必需能有效讓兒童理解表現的方向和型態，同時提供的範例必須多樣化，並在引導時提示避免模仿。

2. 有效傳達相關的表現條件的限制，或有效傳達表現的方向、要求，讓兒童能「理解」的適當說明或引導，是不可或缺的思考重點。

3. 有效解說表現的一些特定形式、提示相關的表現觀念或條件的引導，可以避免兒童因理解不夠而草率應付，尤其對不屬於具體形象再現的表現形式，更必須特別注意這方面的教學方法的考量。

（四）**引導方式與重點**：教學引導可以有相當靈活的變通，尤其必需因應教學環境、設備、兒童能力、經驗及偶發狀況等而作適當的調整，這與「教學策略」有很密切的關聯性，兒童視覺藝術教學引導方式繁多，所受的牽制也最複雜，必需藉教學經驗來做各種調整。除了教具的設計、應用，教師的態度和語言傳達都是關鍵。

　　教學引導一般常見的觀點就是引起學習動機，但引導活動除了引起好奇心和學習興趣，其實具有更重要的教學功能，甚至可說是教學成敗的重要關鍵。首先，好的教學引導可以讓學生充分了解題材的意涵，或甚至讓學生自己詮釋、設定題材，避免「不知道為什麼要做」或「不知道要做什麼」的窘境。其次，好的引導才能讓學生充分理解表現的方向和要求，進而能夠思考自己要表現的方式和意義。另外，教學引導經常是人文思考提示的主要階段，讓學生對表現的構想賦予意義性，瞭解學習的意義並培育人文素養。

　　各種具體的引導方式條列如下，但是各種引導方式多半會在教學流程中複合出現，教學者除了依據目標來考量不同方式的合宜性，更要特別考慮每個步驟的重點和傳達的有效性，實際教學上的運用，則必須以具體的單元作比對和判斷：

1. 敘述、發表、共同討論。
2. 觀察、發現、感覺。
3. 示範、解說、模仿。
4. 操作、遊戲、表演。
5. 欣賞、感動、想像。
6. 親身經歷、體驗、感受。

（五）**預估與因應策略**：教學常因偶發狀況或教學對象的差異而必須調整、變

通，每個教學單元設計時，應該預作評估，預先設想解決的方法，不僅
能增進教學成效，也有助教學素養的提昇，達成所謂的「教學相長」。
如果教學設計是屬於公開發表，有可能被引用和實施的性質，這個部
分就有必要提出替代的教學策略，以及題材或媒材、形式等的可變通方
式，才是更周延的思考。

肆、教學流程設計的概念與實務

教學流程設計等於是沙盤推演，教學者對目標明確掌握後，又對教材有了
詳細的分析，仍必需預估整個教學過程和步驟的順序安排，才能避免某些重要
步驟遺漏或程序紊亂，影響了兒童的理解或表現上欠缺參照資訊。教學流程建
議依據下列表格，將教學（目標）的實施程序（搭配時間數）、活動內容、教
學重點（教學策略），作併列式的呈現，更方便於互相參照，掌握教學的整體
重心。

一、教學流程設計的參考格式

（一）「製作、表現」為主的教學流程參考

教學程序與目標	活動內容	教學重點（策略）
1. 引導 （　）內為目標簡述及預估教學時間數	參考叁 - 三 -（五）引導方式 情境描述；故事敘述； 圖片、作品欣賞；模型或成品操作；表演、觀察、討論…	能確實有效引發表現意圖和理解表現內容的必要措施。
2. 技法指導；表現、構想的歸納、說明 （　　）	示範、說明；操作、實驗；共同討論； （工作計劃）…	有效讓兒童掌握技法要點，或瞭解表現形式；激發特殊構想等的教學策略、關鍵。
3. 表現、製作 （個別輔導） （　　）	兒童的工作程序與實際製作步驟。	預估的可能難題與指導方法、要點、或表現重點的再次提示。

分享 （　　）	用具、器材、環境的整理 作品欣賞與討論、歸納；成品操 作、遊戲、布置等	能促成兒童經驗互補與觀念 引導、拓展的方法、步驟、 要點等。

（二）「欣賞、議題討論」為主的教學流程參考

教學程序與目標	活動內容	教學重點
引導 （目標描述及預估 教學時間數）	基本的欣賞方法提示，提供欣賞 對象的背景資料、觀察重點或提 示學習單的內容與相關語彙的解 說等。	引發學習興趣的有效方法， 以培養包容性和良好的欣賞 態度為基礎，避免太多兒童 難以理解的專業知識資料。
欣賞（　　）	觀察、審視、相關的文本或圖像 記錄等。	必要的導覽提示，或維持專 注、認真的欣賞態度。
討論、分享 （　　）	兒童對欣賞心得的發表，問題的 提出，以及教師的補充，提示等 活動。	重視兒童的直觀感受，以及 教學者能引發討論的有效引 導及包容態度等。
歸納、結論 （　　）	欣賞對象的整體感受、評述，教 學者的總結，延伸活動的策劃、 討論等。	增強兒童的欣賞興趣、鼓勵 發表者的信心是主要考量。

二、教學活動流程設計的關鍵概念

以上流程表抬頭標題的內容敘述和呈現，很容易產生互相混淆的現象，例如將活動內容列為教學重點，或將教學目標直接移作教學重點，基本上這三個欄位是精密的教學結構應有的呈現方式：

「**教學程序和目標**」是對學生應該達成的知能內容，以「**為什麼要有這項活動**」為思考前提，而思考的主體是針對學生和目標。

「**教學活動**」是敘述師、生要進行的具體工作事項，以「**進行什麼樣的師生互動**」為思考前提，主要是針對師生的共同活動。

「**教學重點**」則是老師為了達成教學目標而必須要有的關鍵措施，以「**怎**

樣才能達成預期效果」為思考前提，主要是針對教學者的具體行動。

以上三者雖互相關聯，但內容卻有明顯的區隔性。能不能清楚地分辨並有適當的敘述，則是教學設計思考的周密性和教學經驗的指標。以下是教學流程設計思考和敘述的參考：

（一）教學目標：針對學生的成長，例如：認知的、技能的、情意的、表現的敘述。（請參考叁 - 二 - （三）的單元教學目標說明）

（二）教學活動：多半指述具體行為，例如：欣賞（觀察）、討論（說明）、製作（表現）、分享（發表）等活動。

（三）教學重點：是教師在教學實施過程的必要提示和操作，多半是關鍵性的揭示、提醒、示範、演練、解說或體驗等。

（四）以下將同一個教學單元的**教學目標、教學活動、教學重點**的敘述，混合並列在一起，經由嘗試辨認每一個敘述各是屬於目標、活動、重點的哪一項，可以簡單測試教學設計思考的精確度：

1. 觀察各種陸上交通工具的圖片，並發表自己搭乘交通工具去旅行的經驗。

2. 提醒學生敘述發表的重點，是自己真實曾在交通工具上的特殊遭遇和感想。

3. 教師說明「超級遊覽車」的構想，鼓勵學生發表對車輛設備、結構的意見。

4. 能依據旅行經驗充分發揮想像力，提出擴充遊覽車空間和功能的獨特構想。

5. 鼓勵學生朝增加旅遊樂趣的方向思考，完全不必考慮現實是否可行的限制。

6. 教師將學生分組，分發共同創作用的繪畫紙張，進行分組討論和描繪草稿。

7. 不由學生自己分組，避免部分學生被排斥，也能讓各組能力較為平均。

8. 能夠溝通協調，包容不同的意見，並有效的分工、合作。

9. 將草稿的車輛設計圖，用鉛筆描繪在課前已簡單接合好的圖畫紙上面。

10. 將描好草圖的圖畫紙再分割開，由各個學生用水彩描繪完成自己的部分。

11. 提醒學生在色彩的運用和選擇，必須和圖畫紙連接的同學共同商量決定。

12. 能從遊覽車的結構、功能、設備作周密的思考，並產生獨特性的構想。

13. 可以提示學生從一整天的生活需求，以及休閒娛樂的喜好等來進行思考。

14. 將個人完成描繪的畫紙組合，各組展示作品並說明內容的構想和理由。

15. 能認真觀察並欣賞別人作品，並發現別人的獨特表現和特殊想法。

　　教學流程設計具有相當的複雜度，上述參考格式及內容敘述的探討，在因應不同教學模式如基本技法、心象表現、藝術本質等模式的差異時，當然必須作內容和項目的增刪和修訂，但基本上教學流程的目標、活動、重點三者一定要明確區隔，而且又一定要具備邏輯上的關聯，才能符合教學活動設計的基本要求，讓教學設計具有基本的可實踐條件。

三、教學評量

　　教學評量常易遭教學者忽視，主要原因或許常和教學過程分離，或是不必公開呈現而致，但若能將教學評量具體呈現，對教學成效卻有相當助益，同時也是補救教學的主要依據，因此必須一併在教學設計中呈現。

　　視覺藝術的教學評量，基本上有兩種不同的思考。一種是「主體性評量」，以目標達成和個別學生成長狀態為重心，也就是評量每個學生個別的學習成效和成長狀態。另外一種「客觀評量」，則是對各個不同學生之間的表現水準作評比，相當於區分等第或競賽活動的分等式評審，這是另一個龐雜的專業知能系統，主要的論述請參考本書第九章較詳細的討論，以下則僅就教學設計的需求，列出參考的重點。

（一）評量項目：多半依據單元目標的內容而訂，另外再參考單元基本精神和教材分析的重點，就能列舉評量項目，藝術教學重視形成性評量，必須在教學過程中實施，不能只著重作品完成後的總結性評量。

（二）評量標準：每個評量項目列舉時，就同時敘述應有的表現內容和水準，

除了依據兒童成長階段和學習經驗外，對評量內容的敘述必需具體可以觀察、判斷，才能達成評量的效度。

（三）評量方式：多元化分項評量後，可以採用綜合評等的方式紀錄，但最好能配合兒童表現分析，以具體的行為特徵、表現特性、個別差異等作成敘述式的記錄，較能增進對個別學生學習狀況的理解，對教學實施更能收集到具體的研究資料。

（四）視覺藝術教學評量的參考方式：

教學評量是相當重要的教學實施程序，以下針對視覺藝術教學，暫時定名為「互動式評量」的方式，就是在教學過程中經由師生的個別討論，由學生自己提出表現的題材、形式、目標和預定工作進度，教師則作成紀錄並隨時和學生討論、互動，包括提出參考性建議或技術支援，以及學生自己思考、中途改變想法和表現方式等，都列入個別化的單元教學紀錄。在教學結束後經由分享活動，由學生評估自己的工作完成度和發現、想法等，這部分再由教師列為評量的參考，這種評量方式雖然較繁複，卻是增進師生互相理解，並由現場經驗發展專業的有效方式。

四、兒童表現分析

對兒童的表現作比較詳細的分析，與教學評量其實是一體的兩面，基本上能夠對兒童的表現作分析，是教學評量的基本依據，但教學評量必須在教學設計時先作思考和評估，表現分析卻必須在兒童製作過程或完成後，才能依據兒童所表現的情況判讀，因此在項目上列在評量的後面。表現分析是對兒童作品進行客觀評量的基礎，也是培養教學評量專業素養的主要途徑，教學者為了提昇對兒童作品評價的能力，教學設計的兒童表現分析項目，必須在教學完成階段才能實施，但如果在教學設計的構想階段，能預先做相關的思考，列出分析的方向和參考項目，會是一種最有效的自我訓練方式。兒童表現分析需要高度專業的理論基礎，更需要依賴實際教學經驗來累積判讀能力，能夠進行兒童表現的分析，效應遠超過只對作品打分數的方式。這部分相關的主要理論基礎和

參考資料，請參考本書第九章的相關論述。

　　教學評量和兒童表現分析具有連動關係，基本原則就是必須從教育的立場出發，目前常見藝術創作和理論專業背景的評量觀點，以美感形式原理和技術的完成度為評量標準，結果教學者介入兒童的表現被視為理所當然，學生的思考和自我表現空間完全失落，反而違背了藝術教育的主要目的。教學評量和兒童表現分析的重點，在於提醒教學者「不必教孩子如何表現」，而是要「學習如何閱讀孩子的表現」。兒童藝術表現分析的實務，多半必須另以具體的作品進行操作和深入探討，才能夠掌握比較明確的分析方法和重點。

伍、各種教學模式的單元教學活動設計參考要點

　　從教學目標和教學活動的邏輯關聯來考量，兒童視覺藝術的教學模式具有差異性，因此教學設計並非簡單套用就行，不同的教學模式，在設計上所著重的項目並不一樣，甚至有些項目可以省略，這些實際應用上的要點，必需以各種實際的教學單元作探討和比對，並透過相當時間的研習和探討，以免讓教學設計成為僵化的固定形式，欠缺研討、判斷過程中的思考歷程，以下是採取教學模式的概念，來進行教學單元活動設計的一些基本參考原則：

一、**基本技法教學**：在教學目標方面，工作態度的養成比技法的水準更重要，教師的適當示範和操作，常是必要的步驟。教學流程中，講解、示範必須和兒童的操作穿插進行，避免讓兒童感覺枯燥不耐，或是遺忘了繁雜過程中的某些要點。活動過程讓兒童反覆練習的機會必需充足，若能配合材料體驗而重複實施，效果會更明確。

二、**心象表現教學**：為了達成心象表現的特定性質目標，題材的選擇是最重要的關鍵，和兒童的普遍性經驗能夠連接才是好題材。引導的方式也是主要的教學重點，能確實引發兒童的積極經驗和自我表現的衝動，才是達成教學目標的重點，至於技法，作品水準都必需保留最大的寬容度。心象表現教學最常犯的毛病，就是教學者多半會過度涉入作品的表現內容，這在教學活動設計的目標思考上必須經常自我警惕。

三、**機能表現教學**：機能結構的技法指導是教學重點，多半必需配合良好的教具設計，經由操作或遊戲體會機能的變化，讓兒童確實理解機能性的構成原理，才能有較確定的教學效果。而表現方式的引導與特殊構想的鼓勵，則是達成目標的重要策略。難度較高的機能結構設計教學，則必須考量學生的技法經驗和能力。

四、**條件對應教學**：表現方式及條件的設定是最重要的思考，技法與表現的難度，兒童的經驗等，是教學設計上最主要的參考依據。條件設定會和表現的難度相關，但卻也和激發兒童創意思考，以及解決問題的能力發展有密切關聯，因此設定表現條件和難度，除了教學題材的考量，必須對學生有充分的了解，或許級任老師以及和學生有密切互動的教學者，才具備擔任這項教學的優勢條件。

五、**藝術本質教學**：藝術欣賞教學以兒童視覺經驗拓展和觀念上的引導為重點，比較簡單且容易達成的目標，如視覺的關心度、敏銳度、感受性，才是藝術本質學習的重要基礎，美感體驗是附帶的活動，國民美學的藝術史觀點建構，以及藝術和生活經驗的關聯性的省思、生活態度和價值觀的多元化探討，才是當代藝術教學的重心。而延伸活動更要著重多樣化的自我表現和思考空間。

六、**生活實踐教學**：生活實踐教學，主要強調藝術教育的生活實踐能力，也和當代的視覺文化的概念有密切的關聯，題材的選擇必需考慮兒童的經驗和人文思考上的意義。實際上欣賞和參與的實際體驗，遠比知識、概念的灌輸和作品的製作更重要。

以教學實踐研究為目的的完整單元教學活動設計，可以參考附錄《花花世界》教案範例，並以這個案例來對照前述的教學活動設計格式，掌握教學設計的思考脈絡。一個完整的單元教學活動設計，從題材的選擇、目標的擬定、活動的程序到教學評量，會涵蓋最基本的教育哲學觀和理念，以至教學過程中各項細節的周密思考，這種教學實踐研究的基本功，必須長期累積經驗才比較能夠有效成長，但除了教學者本身的用心之外，更需要有心的教學者共同發展成

長團體，透過互相批判和激勵來修正教學措施，並互相分享實踐研究的心得，而建立一個具有這種功能的機制，則需要教育行政系統的支援和更多人的關注與投入。

陸、藝術教學實踐研究與共同成長

教學實踐研究對藝術教育發展的重要性和影響，已經不必再作贅言，基本上教學研究必須是教師自主性的投入，才可能發揮實質的效應和具體成效，日本的全造會和實踐研究發表會，都是教師主動參與並由民間團體組織主導，目前國內如果要推動同類型的活動，可能還欠缺足夠的環境與條件，但是以較小的社群和藝術教育團體來推展，應該沒有什麼特殊的困難和條件限制，共同建立一個研究成果探討和分享的平台，只需要一點教學熱誠和維護教學專業尊嚴的心思，應該就可以解決大部份的問題而付諸行動，或至少藝術教學從觀念和課程架構為起點，教師能夠對教學設計多作一些思考，在實際教學上作一些調整和實驗，應該就是視覺藝術教學實踐研究的起步。

以上當然是理想主義者的論調，如果回歸現實來討論，由教育行政機構來主辦、推動藝術教學實踐研究活動，就現況而言，其實遠比美感教育計畫還更重要和迫切，而需要耗用的資源和經費未必會比較多，更重要的是可以讓參與的層面更廣泛，而且實踐研究和現行課程的實施可以密切結合，同時逐步累積研究的成果，形成教學品質提升的良性循環。而官方推展這項活動還可以有一項週邊效應，就是增加教師敘獎的良性管道，取代目前學生美展比賽已經弊端叢生的指導獎，不過這相對於教學實踐研究的重要性，就不是什麼關係重大的事情了。

推展藝術教學實踐研究的目的，不只為了提升藝術教育的品質，也是「**在提供展望，提供看待教育現象的方法，和提出新問題的方式**」（艾斯納 Elliot W. Eisner，陳武鎮譯，1990），就台灣的現況而言，教學實踐研究更重要的功能和期望，是希望能營造教師共同成長的學習型組織。從當代美學和視覺藝術教育的內涵來審思，兒童視覺藝術教學實踐研究的分享和互動，很容易會具有以下幾個特色：「學習自我超越」、「改善心智模式」、「建立共同願景」、「凝

聚團體智慧」、「促成網絡思考」、「調整教育生態」。

　　這項說法並不是無謂的美化或誇張，因為當代藝術連結世俗生活的入世性格，關連的就是生命的意義和生活的價值，而藝術教學研究所關注的核心價值和目標，就是以生涯為著眼點的人生自我實現，所以藝術教學實踐研究的實際行動，會形成一種內在的鍛鍊，而不只是掌握研究的形式，不僅只是為了職業和適應教學工作，或是追求所謂的「成就」或職位升遷，而是掌握清晰的藝術教學目標，會促成一種心靈的轉變，會思考人之所以為人的核心意義，透過對生命價值的體悟，確認自己工作和生活的真正意義，也藉此讓自己日漸精進，不斷創造未來的各種可能。而從這樣的立場來看，藝術教學實踐研究其實是自己的事，當然也包括用各種方式去敦促教育行政機構，提供一個讓所有教師都能自主研究的教育生態環境，因為要身處什麼樣的社會和過什麼樣的生活，是大家共同營造和必須面對的事，套用賈柏斯的名言：「人活著，就是為了改變世界。」，自主性的藝術教學實踐研究，其實可以讓教育工作成為志業，也可以是教學者尋求人生願景的出發點。

附錄：兒童視覺藝術教學活動設計參考例

設計者：吳正雄　　　服務單位：　　　　　　　Aug.2014

<table>
<tr><td rowspan="10">基本資料</td><td>單元名稱</td><td>花花世界</td></tr>
<tr><td>教學年級</td><td>中年級學生 30 名</td></tr>
<tr><td>教學時數</td><td>4～6 節（160～240 分鐘）</td></tr>
<tr><td colspan="2">教學準備：
教師準備：
1. 荒地、草坪、花圃、花園的景觀圖片檔
2. 各種顏色、形狀有明顯差異的花朵特寫圖檔
3. 已完成並具造形差異的紙花 2、3 朵
4. 示範花朵結構用的紙花瓣 6～8 片
5. 不同曲度的固定曲面紙片，示範操作用工具材料（紙材、剪刀、白膠、扁平冰棒棍、舊報紙、濕紙巾或抹布、竹籤、鐵絲、圓桿原子筆、皺紋紙膠帶）
6. 數位相機
7. 教師備用尖嘴鉗
學生準備：
學生個人材料：32 開各色雲彩紙 8 張；20 公分 22 號鐵絲或 24 號綠色銀蔥鐵絲 5 條；30 公分烤肉竹籤 5 根
學生個人工具：剪刀；濕紙巾或抹布；舊報紙一張
共用工具、材料：（3～4 人一組共用）罐裝白膠；扁平冰棒棍 2 支；尖嘴鉗；圓桿原子筆；綠色皺紋紙膠帶。</td></tr>
<tr><td rowspan="2">教學目標</td><td colspan="2">教學模式：基本技法教學＋藝術本質教學＋生活實踐教學（能力指標暫略）</td></tr>
<tr><td colspan="2">單元基本精神：本單元教學以兒童對環境的視覺關心，以及對生活環境的知覺敏銳度為主軸，連結自我表現與改變環境的經驗，培養生活美學的發展基礎。透過基本技法教學指導兒童製作造形、色彩具豐富變化的花朵，採取共同創作方式將作品依據周遭環境條件，共同討論將作品布置於身邊環境的各種構想，讓兒童感受改變環境的視覺效果，並體會環境議題的參與感與行動力。製作過程的目標是培養細膩、嚴謹的工作態度，並藉由花朵造形、色彩的設定條件，激發兒童的創意表現，以及透過延伸活動的引導，發展對生活美感與環境的關注，促成豐富的感受性成長。</td></tr>
</table>

教學 目標	單元目標： 　1. 能夠觀察、感覺花朵對身邊環境形成的差異，培養對環境的關心態度。 　2. 能直觀欣賞、感受花朵之美，察覺各種不同花朵的差異，增進知覺敏銳度。 　3. 能理解活動的意義和價值，並樂於以積極的態度參與活動。 　4. 能了解並操作讓紙片形成固定曲面的基本技法。 　5. 能理解控制紙張曲面角度變化的原理，並應用於製作表現。 　6. 能自己設計花瓣、花蕊的造形，並完成花朵的結構。 　7. 對於花朵的造形能夠有多樣變化和獨特的表現。 　8. 能了解白膠的正確用法，並以嚴謹的態度使用白膠黏貼和製作。 　9. 能了解、應用鐵絲和紙膠帶的纏繞技法，結合花朵和竹籤。 　10. 能細膩處理紙張材料的應用，並立即隨手處理剪貼過程的零碎紙材。 　11. 能具有工作的專注力並關注花朵結構的牢固性。 　12. 能樂意和同儕共同合作，將作品佈置於共同決定的地點（暫定校園草地）。 　13. 能對作品排列方式提出意見，並共同討論、體驗各種不同排列方式的效果。 　14. 能提出怎樣與裝置作品互動的構想，聆聽別人並發表自己的感覺和想法。 　15. 能確實收拾自己的工具材料並共同恢復教學環境原貌。 　16. 能以學習經驗持續發展更多樣的花朵表現形式，培養主動學習的態度。 　17. 能構想多量花朵在生活中可能的應用方式，培養想像力與生活美學的行動力。
教材 分析	一、題材說明、教學資源分析： 　　花花世界是集合相當數量的花朵，以「數大即美」的視覺效果來引發兒童的視覺敏銳度，以及對環境變化的視覺關心，以紙張材料製作花朵的技法難度並不高，又保有兒童自我表現的空間，在共同製作表現的布置上，也很容易配合不同環境條件而調整、變化，具有讓兒童省思生活型態而發展各種表現的多樣可能，題材選擇應該具有相當的合宜性。 二、工具材料或技法分析： 1. 本單元屬於紙張材料剪貼為主的製作，基本上工具與材料的處理經驗應該都足夠，本教學的表現形式刻意要求以鐵絲製作彈簧來固定花朵，是材料和技法經驗的拓展，包括尖嘴鉗的應用可能有能力和經驗的差異，教師必須注意這方面的狀況，並隨時提供必要的支援協助。但如果考慮學生經驗不足，或是教學流程中經共同討論所決定的表現型態，並沒有運用彈簧的需求，也可以將鐵絲彈簧製作的技法和步驟省略。 2. 剪刀的基本知識，操作技法的細節，傳遞、放置、維護等安全守則，另有相當細膩的教學內容，應該在低年級最初次使用剪刀時，就列為教學重點。例如本單元從完整的紙張剪下長條形紙片，如果靠邊線和紙的邊角剪取，剪兩刀就可

<table>
<tr>
<td rowspan="2">教材
分析</td>
<td>

以剪下長條紙片，並保持剩餘紙張的完整性，未經指導和經驗不足的孩子，則多半會從紙張的邊線剪入兩刀平行線，再從裡面用第三刀剪下紙條，而在紙上留下一個大缺口，只要剪幾次之後就留下零散破碎的紙張，這些材料應用的思考雖然應該在一年級就教導，仍在這裡做相關的提示。（本節活動時，必須強調剪刀刀刃的使用部位，以及剪取動作的連續性，請參考〈 教學重點三 .1. 〉的敘述。其他相關基本技法，因限於篇幅及內容的繁複，暫無法在此詳述）

3. 罐裝白膠應用於紙張材料黏貼，必須用手指才能有效塗抹和控制，建議參考以下的方法操作：原則上先用扁平的冰棒棍一端，輕輕從白膠罐內沾一點白膠，再用固定的一支手指（多數孩子習慣用食指或者無名指），從冰棒棍上沾取自己估計的適量白膠，然後冰棒棍不可以插在罐內，可以架放在白膠罐翻開平放在旁的蓋子上，才開始在紙張上預定的部位塗抹白膠，用手指才容易把白膠塗抹得薄而均勻，獲得最好的工作效率。要將白膠塗得薄而均勻，也可以讓小朋友在舊報紙上操作，並提醒要記得把溢漏在報紙上的白膠隨手抹平，或用稍微潮濕的紙巾、抹布擦拭一下，避免殘留的白膠影響隨後的工作。熟練以後的小朋友可以不用擦掉手指上的白膠，仍舊可以順利操作，也會等白膠乾燥以後將薄膜撕下來，這是比較有經驗和高工作效率的表現。

4. 用鐵絲纏繞彈簧：以圓桿的原子筆為工具，將鐵絲一端平貼在筆桿後半段，用一手握著筆桿，以四支手指將鐵絲和筆桿壓緊握住，另一手拉直鐵絲和筆桿呈接近直角的角度，再扭轉握筆桿的手腕，兩隻手同時動作將鐵絲纏繞在前半段筆桿上，鐵絲互相緊靠纏繞 5 ～ 6 圈，就可以做出一小段彈簧，而且兩頭各留有 5、6 公分長度的鐵絲，一端用來連接花朵，另一端連接竹籤，小彈簧的功能除了支撐花朵和調整角度，更可以隨風產生輕微搖晃的生動感覺。鐵絲和竹籤的纏繞技法，參見〈 教學重點四 .3 〉。

5. 若沒有製作鐵絲彈簧的需求，可以用 20 ～ 25 公分左右的 24 號紙包鐵絲作為花梗，預留的鐵絲長度則很方便應用在各種連結和裝置的需求。

三、引導方式與重點：

展示用的花朵作品教具，應該有色彩、花瓣形狀、花朵結構的不同變化和差別，也必須有利用紙片碎屑製作花蕊，以及黏貼在花瓣上形成裝飾斑紋的範例，才能讓學生明顯體會到紙張碎屑實際應用的效果，有效指導材料應用的細膩思考。詳細內容請參考〈 活動內容四 .-1. 〉。

四、表現內容與要求標準：

教學引導應該強調「沒有垃圾」的工作態度，所以製作過程中產生的紙張碎屑，也必須立即收拾並集中放置於固定位置，這部分的條件設定和要求會關連到思考的週延、細膩，例如：放置的位置會不會影響工作？會不會和已經做好的半成品（花瓣）混在一起？個人自己收拾或是小組集中放置？需不需

</td>
</tr>
</table>

要用什麼容器來放置？這項教學在花瓣裁剪的示範過程中，必須透過簡單的討論解決上述問題，並在每一次的裁剪動作後重複強調、提醒。材料處理的細膩度，也包括< 教材分析 2. > 有關紙張剪取的敘述。

五、特殊情況預估與因應措施：

以白膠作為接著劑的沾染是較常見的問題，舊報紙、冰棒棍、單指塗抹、濕紙巾或濕抹布等的準備與操作指導，必須明確要求並視需求個別指導，才能避免製作過程產生混亂狀態。

	目標與教學項目	活動內容	教學重點
教學流程 引導	**引起動機** 一、讓學生理解活動目的和意義，並產生學習興趣	一、 1. 將荒地、草坪和花園、花圃的圖片並列顯示，讓兒童查覺差異性，發表自己的感覺和經驗。 2. 激發表現動機，說明表現目的，（如果我們現在可以變出一大堆的花朵，讓這些花長在外面的草地上，是不是非常有趣的事？）（5分鐘）	一、 1. 圖片宜有明顯對比，才能有效作出比較，發表必須著重學生的經驗，引導孩子關心花朵和環境的關係。 2. 以挑逗的語氣製造懸疑氣氛，讓學生好奇而有想要嘗試的心情。強調：「做一些很特別的花，但是不帶回去，大家一起來，讓身邊的環境變得很不一樣吧！」
	二、讓學生了解主要的學習內容並構想各種表現的可能	二、 1. 自己可以做出什麼樣的花？展示花朵範例讓學生傳閱，理解材料應用的初步概念。 2. 花朵有多少不同的樣子？觀賞花朵特寫圖片，探討花朵造形的多樣變化和差異，拓展花朵表現構想的空間。（5分鐘）	二、 1. 教具展示用的花朵應該具造形、色彩、結構和細節的明顯差異。（參考教材分析 1.） 2. 並列顯示花的特寫圖片，鼓勵兒童發表觀察和比較的心得，藉以強調花朵造形的多樣難以窮盡，鼓勵嘗試各種獨特的表現：要自己「發明」也可以喔。

			（對於花朵之美的欣賞，沒有必要強調中年級難以理解的美學原理原則，目標放在視覺辨識的敏銳度，以及激發表現的多樣性就可以。）
		3. 如果我們共同有好幾百朵不同的花朵，你想怎麼樣用這些花來改變生活和環境？	3. 鼓勵兒童發表各種構想並接納各種想法，透過討論共同決定這些花朵的應用方式，甚至可以決定兩、三種多數贊同的表現型態，約定在一段時間後將作品重新裝置完成別的表現構想，這也是民主素養和解決問題的經驗，具有獨特重要的學習意義。
展開	**技法、表現指導** 三、花瓣及花朵結構的技法教學	三、 1. 怎樣有一朵自己的花？先從一片花瓣開始： 教師示範操作，剪下一張長方形紙片（特別提醒「只剪兩刀，不剪三刀」），紙片不宜太小，同時順便提醒、指導剪刀的正確操作方法。	三、 1. 剪刀應該盡量張開，用靠近支點的後半段刀刃來剪紙，剪到超過刀刃長度一半以後，就要張開剪刀向前滑動刀刃再剪，不可以剪到刀尖部分互相咬合。（其他部分剪刀基本技法，請參閱教材分析 3.）
		2. 怎樣讓花瓣固定彎起來？ 先展示花瓣範例，再用剛剪下的紙片示範：從短邊的中央剪入一道約紙片長度 1/3 長的缺口，將剪開部分重疊，先用手所指捏住展示，讓學生理解紙片曲度怎麼產生。接著再展示兩片彎曲度明顯不同的花瓣，「發現有	2. 示範的紙片稍微大一點，才能讓學生清楚看見動作要領和變化，能掌握紙片曲度才有辦法表現花朵的結構變化。另外，剪開的深度也會影響紙面的曲度，原則上大約 1/3 到一半比較適當，如果教學時數許可，也可以實際操作、比較，增進學生的

	什麼差別嗎？」，用原先剪開還沒有黏貼的紙片，操作顯示剪開的部分重疊得多或少，會怎樣影響彎曲的角度，讓學生體會控制紙片曲度的方法和效果。	了解。 採用比較大的紙片來示範，則是為了方便於後續活動（活動內容四 .-1.），指導花瓣造形裁剪示範的操作需求。
	3. 怎樣黏貼一片漂亮乾淨的花瓣？ 特別強調：紙張互相重疊的部位要貼得緊密牢固，其他地方不要漏出白膠，才是夠水準的工作。教師示範操作：先疊合紙張產生自己想要的曲度，仔細看看紙張重疊的部位是多少，判斷出紙張應該塗白膠的部位，再示範指導正確使用白膠的方法（永遠都只有一支手指沾到白膠），貼出花瓣的基本型。	3. 白膠的使用方法和細膩度的要求，必須詳細解說並明確示範動作。（參閱教材分析 4.）有必要的話另外製作教具，將紙張互相重疊而需要黏貼的部分，用不同顏色標示，讓兒童充分理解白膠應該塗抹在互相覆蓋部分的裡側，並完整塗抹覆蓋面裡側靠剪開線的邊緣部位，才能完成精密又不會翹角的黏貼，而且也不會有外漏的白膠。
	4. 馬上自己試試看，結果是怎樣？ 示範動作之後，立刻讓小朋友試著剪貼一片產生固定彎曲度的長方形花瓣基本型。 提醒：把舊報紙鋪好當作工作板（10 分鐘）	4. 避免過度冗長的示範和講解造成注意力分散，所以讓學生趁著記憶鮮明立刻動手操作。前述的剪刀操作和白膠的正確使用方法，是巡視的觀察重點。
四、表現和構想 的相關指導	四 . 1. 怎樣修剪出漂亮的花瓣？ （原先方形的花瓣好不好看？）看老師變一下魔術：教師示範修剪花瓣造形，先剪下重疊黏貼部分交叉突出的兩個直角，立刻提問：「剪	四 . 1. 紙張材料的處理，是思考的周密性和工作的細膩度，不能輕忽。（參考活動三 .1. 及教材分析 1.）花瓣造形的示範操作，是兒童的表現是否夠豐富的關鍵，也必須以比

下來的這兩小片是什麼？」藉此確實指導材料處理的態度，並拿出原先的教具花朵，顯示用小片紙張碎屑製作的花蕊和花瓣裝飾（教材分析1.），強調：「厲害的人沒有紙屑、不製造垃圾」。隨後修剪花瓣形狀，順便再提示剪刀的用法，修剪的時候先小修邊緣，留下大片紙花瓣，再持續修剪成比較狹長、比較扁短、曲線邊緣、流蘇等變化，包括將花瓣外側的平面部分，用原子筆的筆桿捲出弧度，讓學生體會到花瓣造形可以有多樣變化的可能。示範過程記得適時提醒珍惜材料應用的重要性。	較寬容的態度，鼓勵學生作各種不同的構想和嘗試。當示範動作逐漸將花瓣修剪得只剩較小面積時，順便提醒：如果自己的花只要這麼大的花瓣，那麼一開始應該剪多大的紙張來做花瓣？同時也必須提醒：先按照自己每一層需要的花瓣數量，剪同樣大小的方形紙片，貼出花瓣的彎度以後，才來剪出花瓣的形狀。（先剪花瓣的外形，然後才剪貼花瓣的曲度，除了效率比較差，也不容易控制花瓣的形狀。）如果要做兩層或三層花瓣的花朵，也要考慮每一層花瓣的紙片大小和曲度的差別。（參考教材分析2.）
2. 怎樣做一朵「我的」特別的花？ 用課前準備好的花瓣，示範用白膠黏貼、組合花朵的方法，原則上從最內層的花瓣先貼，提醒：「一層有幾片花瓣、總共想要有幾層花瓣，都可以自己決定，但要事先計畫。另外像花蕊和花萼也都是自己動腦筋看要怎麼做。」（10分鐘）	2. 白膠的用量和塗抹的部位，是工作效率的重點，紙張的黏貼，白膠只要薄薄的塗一層就好，黏貼位置確定後用手加壓固定5～10秒鐘就可以黏住。花蕊和花萼是附屬性的裝飾，把表現空間留給學生自由發揮就可以，當然也可以期待出現葉子和藤蔓等意外驚喜的表現。 有些學生的思考方式不同，可能會從最外層的花瓣先貼，這倒不用強制要求。
3. 怎樣讓花朵長在竹籤上，還能夠隨風輕輕的搖擺？ 教師示範用鐵絲連接花朵的	3. 花朵和竹籤間的鐵絲彈簧，可以讓花朵有動態而比較生動，技法示範指導必須明確

		方法：先用筆桿做一個小小的彈簧，一端折彎插入花朵底部的空隙，或者彎曲平貼在花朵的底部，並用紙張覆蓋黏貼（可以提示：剪花萼的形狀或是用最外層的花瓣來包覆黏貼都是好方法）。另一端的鐵絲繞在竹籤的平頭端（已經稍微修剪變鈍的尖端用於插入草地），用綠色皺紋紙膠帶纏繞就可以牢固的將作品完成。（10分鐘）	詳細，參見〈教材分析5.〉竹籤建議在課前先利用園藝剪，將過於尖銳的尖端稍作修剪，可以避免造成意外傷害。 另外，皺紋紙膠帶黏性不高，必須稍微將膠帶拉緊纏繞，藉著皺紋紙收縮繃緊而牢固黏著，這一點也必須在示範操作時詳細說明和提醒，否則會形成學生製作時，因為紙膠帶黏性不足而產生困擾和挫折感。
表現	**製作、表現** 五.學生進行製作活動	五、 1.自己能變出什麼「花樣」？鼓勵學生完成自己的製作，適時提醒表現的條件：每一朵花的顏色和形狀都必須不一樣才行。 2.有沒有比較方便、省時的方法？ 可以鼓勵學生重疊3～4片的紙張來裁剪花瓣，提高工作效率。	五、 1.包括工作態度、造形的變化、結構的牢固性、獨特的構想和表現等，都必須隨時提醒並鼓勵。設定表現條件則是鼓勵創意表現的重要教學策略。 2.考慮紙張厚度和學生的能力經驗，重點是要捏住重疊紙片的中央不能放開，但這項操作方法並不一定要強制要求。
	六、教師巡視、支援及作必要的提示	六、 1.教師巡視、支援。（製作時間總共約120分鐘）	六、 1.提供個別的支援，發現共同性的技法問題，即時做全體的補充指導或說明，如果問題比較複雜就先做紀錄，供以後教學調整或補救教學的安排。發現特殊的表現，可以向全班展示，形成對獨特想法的正面鼓勵。

	總結活動 七、共同裝置作品	七、 1. 大家想把花長成什麼樣子？讓所有學生帶著自己的花，一起到草地上，老師徵詢學生花朵排列方式的意見和理由，並變換各種花朵在草地上的分布型態。	七、 1. 也可以一開始先讓孩子隨意將花插在草地上，共同欣賞後再進行排列方式的討論和變換。
		2. 每次變換花朵的排列，都鼓勵學生做比較，並發表自己的「感覺」和「想法」。（15分鐘）	2. 以中年級的認知心理和造形心理發展階段，不建議指導美學原理原則和專有名詞，只要鼓勵直觀感受並拓展視覺經驗，學習內容的豐富性應該就足夠了。
總結	八、分享	八、 1. 怎樣和花相處在一起？以「老師幫大家拍照留念」為誘因，鼓勵兒童以故事、情節的想像，提出將自己融入花叢中的構想，分組或全體重新排列花朵，感受和朋友、花朵共同互動的感覺，並分享各種不同的想法。 2. 活動過程中適當處理偶發事件。（20分鐘） 3. 結論及用具、場地整理（5分鐘）	八、 1. 拍攝數位相片檔，可以彌補不能攜帶作品回家的小缺憾，但重點是和同儕、作品的互動，是結合故事性、肢體的表演元素，除了可以激發豐富的想像力，也能夠促進感受性和細膩度的成長。（延伸活動和花朵的其他應用，請自行思考、發展） 2. 除了排列方式的意見可能分歧，也包括花瓣脫落、花朵和竹籤分離等，適當處理和討論都是重要的教育機會，除了修補的技法指導，對牢固性的要求是主要重點，可以形成老師「很關心」什麼，孩子就會「很注意」什麼的效應。 3. 特別提醒並關注共同合作的活動狀態。

	九、延伸引導	九、 1. 學習延伸的引導 　學會做各種不同的花朵的方法了，如果大家一起做更多的花，你想用這些花來做什麼？	九、 1. 鼓勵各種構想，支援兒童嘗試完成持續性的延伸學習。
教學評量兩項評量可合併呈現不必分列	主體評量 針對個別兒童本身的成長狀態和氣質類型，以及能力、態度、表現等各方面的發展狀態及單元教學目標的達成度等，條列出相關的評量項目內容 客觀評量 依據階段造形心理發展特徵和單元目標，評估全班表現水準和學習狀態，以及個別兒童表現在群體中的相對情況等，條列必須評量的項目和內容。 （多元化評量，可增列敘述式紀錄）		
兒童表現分析	分析項目和內容依據單元教學設計所設定的預期表現，另行擬定評量項目，主要項目大致是個別兒童的理解力、表現性、構想與題材的符合或創意、表現狀況或特殊性、特殊的態度、行為等紀錄與歸納。		
教學實施心得	包括敘述教師自主研究的心得與自我成長的觀念轉變等		

第十二章：視覺藝術教學的相關實務概念

視覺藝術的教學實踐，有很多理論性的觀念是課程和教學設計的指引，這些藝術教學的專業素養很自然會受重視，但是另外有些教學現場的實務觀念，卻常常因為實際教學策略作抉擇或判斷時，所依據的教育理論比較隱晦，並不容易很明確判斷措施是否得當，或是因為其他客觀條件的差異，不能以單一的標準方式因應同樣狀況，而必須採取多樣的不同處理方式，才能作出比較合宜的對策。

這些和實際教學直接相關的觀念和選擇性措施，多半必須藉由基礎理論和教學經驗來互為印證，但這些實務觀念卻是藝術教育研究的荒野，向來較少被注意也欠缺足夠的探討，所以造成某些教學實務觀念含混不清，甚至將一些錯誤的觀念當作合理答案，因而產生一些不自覺的教學誤導，這種難以察覺而可能有問題的教學措施，也是教學實踐的重要課題。

以教學現場最常碰到的一個問題為例，很多教學者經常面對孩子「我不會畫」的狀況，這個棘手問題的解決方式幾乎是五花八門，事實上也不能以單一的標準方式來處理，而各種因應的方式是否得當，也會因為個別的條件差異而有不同的結果，但問題的關鍵是各種不同的處理手法，究竟哪一種方式才能有效改善問題？更麻煩的是有些措施或許可以看到表面效果，但處理方式和結果是對孩子的發展有正面意義，或者可能飲鴆止渴而讓問題更嚴重？

針對這些類似的教學實務觀念，很多藝術教師在參加研習時的心態，如果是「給我實際的教材和教學法，不要談些空洞的理論」，基本上就幾乎無法解決上述的問題，或者即使為了因應問題而提出對策，其實也很難判斷對策是否有效？長遠下來是否造成難以彌補的誤導？而這些有問題的措施所造成的影響，其實比一個單元的教學沒有妥善完成還要更嚴重，因此本章將試著列舉一些不同性質的教學實務觀念，作出一些參考性的分析和探討。

壹、與兒童互動的教學實務觀念

在一般實際教學的現場，教師直接或間接和兒童有很多的互動，包括一些

非預期的狀況處理，教學者所採取的措施很少有「公式」可以套用，因為學生是獨立的生命個體，每個人的個性、經驗、態度都各不相同，同樣狀況未必可以用同樣方式處理，以下的參考性處理觀點，大致上是以理論和經驗為依據，在敘述上省略部分理論性的論述，以免太過艱澀而影響實務操作的參考功能。

一、兒童表示「我不會畫」

當兒童說「我不會畫」而放棄或抵制學習活動，這種情況背後的因素大多非常複雜，最常見的可能原因是「欠缺表現的自信」，但兒童欠缺信心的成因也並不單純，占最大比例的多半是在命名塗鴉或圖式前期，表現受到壓抑和否定而造成，要求兒童提早脫離塗鴉，或認為圖式表現必須滿足寫實的正確性，結果就會不滿意兒童的表現，而表現受到嘲笑多半來自家長或年長的同儕，有時老師對兒童表現的要求太高，尤其是對兒童表現的質疑態度，更容易打擊表現的信心，對這一點教學者應該慎重引以為戒。

其他造成兒童表現信心不足的因素，有可能是因為從小完全沒有描繪的機會和經驗，而無法理解繪畫表現的模式；或是成長過程都由大人畫給他看、教他怎樣畫，以致無法自我表現；也有可能是分析能力特別強的孩子，因為圖畫書和動畫等圖像的視覺經驗，而批判、否定自己的表現效果；另外包括智能不足或精神障礙也都是可能的原因。

除了兒童本身欠缺自信以外，有時因為教學者的題材設定，不符兒童的經驗和理解能力，或題材模糊、難度太高，甚至是個別兒童相關的積極經驗不足等，也會偶爾引起類似的反應，但如果是因為老師不了解兒童造形心理階段特徵的意義，設定不合理的圖像技術要求標準，太過刻意要求輪廓和比例等的正確性，則多半會引起經常性的退縮，甚至就完全排斥藝術學習和表現。以上這些可能原因的分析，多半要從孩子的經驗背景著手，同時也必須考量兒童的年齡階段，一般情況下年齡越大的孩子的退縮現象，處理的難度往往越高。

在綜合分析兒童表現退縮的可能因素之後，有經驗的老師或許能夠採取有效的措施，重建兒童表現的信心和學習興趣，但有一些基本的概念和處理的原則，則有必要再做進一步的探討。

（一）調整觀念而不是技術指導

兒童說「我不會畫」的原因，幾乎不可能是技術的不足，表現退縮的心理狀態根源，大多是因為喪失了對圖式表現的自信和認同感，這個情況的嚴重性是在於表現能力和創造思考，將會欠缺正常成長的機會，因此有效改善的原則是改變孩子的觀念，重新回到自我表現的狀態，當孩子願意自己動手以後，即使依舊信心不足或表現未盡理想，卻仍都是值得稱許的正向調整。其他像是範畫讓兒童模仿，或者是用定型的概念式圖像讓孩子抄襲，即使表面上好像幫助孩子呈現出圖像，事實上卻更嚴重的壓縮了孩子的思考和自我表現的可能性，從視覺藝術教育的目標來檢視，這是一種造成「學習傷害」的作法。而改變兒童的觀念和心理狀態，除了參考以下一些具體的教學策略，初步的措施必須經營整個教室的氣氛，讓兒童可以明顯體會自我表現的任何結果，都必然會被老師和同儕認同，才比較容易讓孩子逐漸踏出探索的腳步，而教學者的包容和耐心也是重要的條件。

（二）破除「圖像描繪」的概念和心理障礙

兒童欠缺表現信心的主要原因，常是圖像描繪所造成的心理障礙，也就是必須「畫出可以被確認和肯定的東西」的壓力，只要兒童嚴重欠缺被認同的經驗，就容易放棄繪畫以避免被否定，破除這種心理障礙的教學方式，可以從「我們今天不畫圖」入手，先讓孩子的「我不會畫」無法成立，然後以自動技法的造形遊戲，或是變換媒材的造形遊戲，先排除圖像描繪而依然會產生「作品」，而這樣的作品也都被認同來激勵兒童，具體教學策略可以參考以下的活動方式：

1. **自動技法的造形遊戲**：例如圖畫紙對摺，在單邊放置水性顏料壓印的「相印畫」遊戲、浮彩或浮墨的印染遊戲、油墨滾筒的拓印遊戲、排筆的大型線條遊戲等，都可以設定題目名稱進行造形遊戲。以下則是參考的單元教學活動設計概要。

單元名稱：《彩虹來拜訪了》或《彩虹降落》（單元名稱僅供參考）

活動方式：讓兒童先在圖畫紙背面寫上名字，然後在室外空地或鋪上塑膠布

的教室地板，將圖畫紙並排在地面成整片，讓學生用水彩筆沾上水性顏料，或加上海綿布包、小塊抹布等沾染各種色彩的顏料，拋擲在地面的圖畫紙上，幾次的重複動作可以互相交換拋擲工具和顏色增加趣味性，大致上圖畫紙沾染顏料的面積達一半左右，就可以暫停遊戲先收拾和清理畫筆、場地，這段時間讓顏料稍微乾燥以便發還給小朋友。讓學生拿回「作品」以後，共同欣賞、比較畫面上的不同趣味性，然後再用沒有強制性的暗示語氣，鼓勵小朋友可以再加筆描繪，以「高興畫什麼都可以」的提示來避免壓力，私下觀察有表現障礙的兒童如何反應，作為後續教學措施的參考，若孩子有明顯的改善可以給予稱讚和鼓勵，否則不必有任何針對性的提醒或評論，以免製造緊張和防衛心理，增加後續調整的困難度。

2. **變換媒材的造形遊戲**：變換造形媒材營造「不畫圖」的氣氛，例如塑造類材料堆高比賽、紙屬材料的隨意撕黏貼、枯枝落葉的堆疊擺設、身邊物等媒材的排列遊戲，實施這些非形象表現的各種堆積、排列的造形遊戲。參考的教學設計概要如下。

單元名稱：《彩色的流星雨》或《彩色人造雨》（單元名稱僅供參考）

活動方式：發給每個孩子一張 16 開彩色紙，老師手上也拿一張並問小朋友：「這張紙可以做什麼？」，在五花八門的回答中，教學者出其不意的提出：「老師認為也可以這樣做」，並同時順手將紙張撕成兩片，故意製造這種突如其來的驚訝和震撼感，可以產生遊戲和突破概念的趣味性，有效解除製作和表現的焦慮和壓力。如果有孩子的回答是「把紙張撕破」，則可以反問：「把紙撕破的方法有幾種？」，同樣示範用手指頭捏著紙的邊緣將紙撕破的動作，隨後讓小朋友也同樣將色紙撕成兩片，接著將比較大的那一片紙張再撕開，三片紙張中最大的一片再撕開，以同樣程序將紙撕成每個人手上都有六或七片碎紙，然後同樣是腦力激盪的提問：「手上的這些紙張可以做什麼？」，然後老師歸納的結論是：大家同時用力把紙張拋向空中（屋頂），一起觀賞彩色的碎紙飄落，然後一起撿拾地上的碎紙，只要限定和原來的紙張數量一樣，撿到什麼樣的顏色都沒關係，讓紙張的顏色自然形成交換，重複這個拋灑紙張的遊戲三、四次以後，每個孩子手上就會擁有一樣多各種不

同顏色的碎紙，然後再發下圖畫紙讓孩子玩排列遊戲，最後再將碎紙黏貼在圖畫紙上，提示語是「貼成怎樣比較好看」或「比較特別」，而不可以是「貼成什麼樣的東西」，但是貼好以後同樣可以非強制性的鼓勵加筆描繪，當然這個描繪動作也是造形遊戲，不可以要求具體題材和形象描繪，只是遊戲性的自我表現就夠了。

以上的參考教學策略，在一般情況下都會有相當程度的效果，但實際的教學現場狀況必然更為複雜，因此對兒童心理狀態和生活經驗的診斷，以及對成長環境的理解和溝通（包括家長和學校班級導師），才比較容易做出更適當的對應，這方面則必須由教學者收集實際案例，並共同分析和研判處理的措施與效果，一方面增進專業素養，另一方面則是藉以宣揚相關議題的影響和重要性，形成社會普遍的理解和關注，從根源減少類似問題發生的機率。

二、對兒童誇獎和鼓勵

在多數情況下教師誇獎兒童，常被認為是一種完全正面的教學舉動，但對於兒童藝術學習的表現，空泛的「你好棒」、「太好了」、「好漂亮」之類的誇獎，其實未必能夠真正激勵兒童，經常性的誇讚可能會造成麻痺感，或是讓部分兒童無法接受「失敗也是一種學習」的情況，因此建議採取「聆聽」、「聊天」來代替「誇獎」，理解並認同兒童的表現意圖和內容，才能夠贏取「老師懂得我」的信賴感，更可以增進教學者分析、評量兒童作品的專業素養。和兒童討論作品表現的談話方式，務必要避免「質疑」的口氣，提出問題必須以認同兒童的表現為前提，「你今天畫了什麼？」的意思是老師想聽你說；「你為什麼要這樣畫？」就可能有質疑的意思，而且是習慣自我表現的孩子不會去想到，也很難回答的問題。

如果強調兒童需要被鼓勵，那就誇讚兒童的「態度」，認真、專注、獨特的觀點或構想等的誇讚，遠比空洞的誇獎更能激勵兒童，另外，誇讚「作品」則要盡量避免或特別小心，因為有相當比例的孩子，會因為期待更多的誇獎和肯定，而定型重複的停頓在被誇獎的表現形式，反而弱化了改變表現方式的創意探索。原則上教室的氣氛如果完全肯定「充分自我表現」，那麼兒童用自己

的方式表現自己的想法，並不會太在意作品是否被誇獎，倒是會比較期待敘述自己的想法並被聆聽和接受，然後孩子的藝術學習就會形成良性循環。

三、展示兒童作品

將兒童藝術學習的成果展示出來，是常見的教學活動方式，也帶有對兒童表現表示肯定的宣示效果，一般情況下是正面的措施，但其實卻也可能暗藏危機。第一種可能會有問題的狀況，就是教學者只在全班作品中，挑選一部份的「優秀」作品展示，結果是沒有被展示的學生遭遇挫折，同時也被暗示展出的作品是「正確」、「良好」的典範，如果孩子試著模仿或追隨類似的表現方式，就會對自己的思考方式和氣質類型造成扭曲，後續的麻煩就會很嚴重了。

有些教學者也有可能會反駁：挑選出來的展示作品，具有各種不同表現類型的多樣性，並不一定會對孩子的觀念造成扭曲。但這種說法的問題是：孩子實際上無法理解所謂的多樣，而比較可能是某些作品沒有被挑選，因而感到混亂和困擾而已，因此建議可以經常展示兒童的作品，但必須每一個孩子的作品都被展出，最好是每一個創作教學的結果都能展出。這也意味著如果每個孩子都有三、四件作品，而老師從每個孩子的作品挑出一件，然後全班每個孩子都有一件作品一起展出，這也是會有問題的活動方式，因為這樣雖然沒有造成挫折感的問題，但是「挑選」的結果造成的影響，和前面提到的「典範暗示」是一樣的，仍然有可能讓孩子持續重複「老師喜歡的」、「老師認為好的」樣式，結果妨礙了自發性表現和原創性的發展。

貳、工具、媒材、教學資源的實務概念

兒童視覺藝術的製作和表現教學，可能是所有學習領域中應用最多工具，處理最多媒材的學科，因此在相關的教學實務方面，也常有一些模糊含混而且常遭忽略的觀念，常在不自覺中影響教學實施的成效。

一、製作與表現教學的相關工具

視覺藝術的表現製作所必須應用的工具，因為種類太過於繁複，常成為家

長的負擔和教學者的困擾，有些工具的選擇和應用的標準，甚至在觀念上互相
矛盾，教學者應該要有相當的了解，才能夠作出合宜的措施和指導。以繪畫類
的工具為例，大約四歲半、五歲以後到小學低年級的幼兒，採用彩色筆或色鉛
筆、簽字筆、原子筆來塗鴉或描繪，其實遠不如讓兒童使用粉蠟筆，主要是因
為線條寬度、色彩飽和度、色相明確性以及握筆方式等的差異，不但比較容易
滿足兒童塗鴉或大面積塗繪需求，在色彩的經驗以及肌肉應用和手眼協調方
面，也會有比較好的發展。基於同樣的理由，這個階段的兒童也必須有機會使
用水溶性顏料，藉以拓展媒材和視覺經驗，並避免過度朝向概念化圖式發展的
可能疑慮，但最好是使用廣告顏料和 18 號以上的較大水彩筆，避免使用水彩
和小號軟筆，因為不管透明或不透明水彩，都會因為水分而產生不同層次的色
相變化，會讓幼兒產生色相認知模糊化的學習困擾，使用大號數的軟筆適合使
用大肌肉動作的幼兒，小號軟筆含水量不足又有小肌肉手眼協調的難度，比較
不適合幼兒階段的學習和操作。

　　中年級以後的描繪學習和表現，原則上應該指導水彩工具和材料的正確使
用方法，也可以增加水墨和彩墨的工具及技法應用，增加媒材經驗和學習內容
變化的樂趣。但一般常見的問題狀況，多半事先設定為兒童能力不足，或是工
具容易遺失或損毀，因此會購買廉價或甚至替代性的劣質用品，但事實上就是
因為兒童的手眼協調和肌肉控制還不夠成熟，反而在畫筆的選擇上，必須要求
彈性和含水量都比較好的筆，才不會增加兒童操作上不必要的難度，而購買品
質比較高的畫筆，也更有理由要求兒童尊重和保存、維護工具，這個態度養成
也是教育必須重視的學習內容。至於品質和價位都比較高的畫筆，如果在課程
計畫中並不是經常性的使用工具，例如水墨畫的狼毫筆或蘭竹筆等，也應該設
法分攤費用購置再共同使用，或由學校設法購買讓學生共用，否則要求每個學
生購買一支高價畫筆，但使用一、兩次以後就長期擱置，反而是浪費而且不合
理的方式。

　　但是工具規格的要求，也會有完全不同的要求情況，例如竹工、木工的製
作工具，很多專家級的好工具，卻並不適合兒童使用，以手工鋸為例，專家級
的竹鋸、木鋸因為要求效率，所以機械原理或人體工學的設計，需要足夠的力

量和高度技巧經驗來操作，兒童根本沒有辦法使用這種工具，反而必須尋求有效的替代性工具，例如兒童的竹工製作，用鋸齒較細較硬的鋼鋸代替竹工專用鋸，反而更適合兒童操作而且有很好的效果。類似這些製作與表現教學的各種工具選擇，多半必須由資深教學者的經驗來提供參考，這一部分也是「基本技法教學模式」的重要研究內容。

部分工具的操作會有一些安全性的考量，有些教師乾脆就排除相關的操作和教學，例如美工刀的操作和鋸子、手搖鑽等工具，就因為擔憂學生受傷或教學者專業素養不足，而嚴重的削弱了相關的學習機會。事實上只要工具的規格選擇正確，操作的程序有嚴謹指導和要求，安全性的顧慮就不成問題，美工刀使用合格的切割尺和切割墊，配合正確的操作手法和態度要求，幾乎不可能會有受傷的狀況出現，有些教學者因為設備不足或對工具不夠瞭解，使用一般的鐵尺代替切割尺，美工刀推出的刀刃長度和角度不對而造成意外，其實不是工具和學生能力的問題。而欠缺這個正確教學的經驗，也許會在以後必須使用美工刀時，反而更容易產生比較嚴重的傷害，有一種說法是「從小沒有跌倒的經驗，長大後再來跌倒就會受傷更嚴重。」，以「善意」為理由或害怕麻煩，剝奪孩子的學習機會，其實是一種可能有問題的教育態度。

關於工具使用和操作的觀念，形式主義思考與只看重作品效果的教師，常會因為兒童的工具使用效率和效果欠佳，而省略了兒童的手工操作，直接用處理好的零件材料進行裝配式的加工，作品的完成度和視覺效果似乎比較好，但全班都「好成同一個樣子」，教育的意義和重要的教學目標，其實都已經失落了。手工的工具操作是手眼協調和全身力量的投入，工作的程序、效率的思考、安全的維護、嚴謹的態度等的學習經驗，遠遠比作品的完成效果更為重要，因此包括難度較高的工具使用，都是視覺藝術不應該欠缺的學習內容。

二、製作與表現教學的材料

視覺藝術學習的製作和表現，所有可能運用的材料幾乎無所不包，各種材料的處理手法，需要專門知識更需要實際經驗，也是兒童視覺藝術教師相當特殊的專業素養，而且多半需要透過實際的操作和體驗，並在教學實踐過程中觀

察學生實際表現和反應，才能夠有效發展這方面的相關專長。但另外有些無關材料處理技法的專業，而是和教學實務有關的觀念性問題，也常在不自覺中影響了教學措施而未被注意。

一個常見的情況就是改變圖畫紙的形狀，例如給孩子正方形、長條形、圓形等畫紙，而認為這是一種可以激發兒童創意的措施，其實這種老師在材料規格上面所玩的花樣，對兒童而言並沒有什麼特殊意義，因為兒童的想法和自我表現，都只有呈現在圖式發展和描繪的內容，除非教學者把這些特殊形狀的畫紙連結到表現的題材，成為特定的條件或空間的聯想，否則有時候反而是兒童繪畫表現的干擾，破壞了兒童畫面空間呈現的經驗和思考方式，老師的點子不等於是兒童的創意。當然，改變圖畫紙的規格也會有正面的效應，例如長條形的圖畫紙經過折疊，描繪以後再展開而有斷裂的空白出現，讓兒童補充描繪空白的部分，但設定新的表現題材必須與原來不同的條件，這是真正可以激發創意的教學方式，而圖畫紙的變形則是產生意義的必要形式，這和改變圖畫紙的形狀但仍是一般的心象表現描繪，是完全不同的教學理念和措施。

另外一項常見的材料應用問題，則是來自成人的眼光和形式主義的誤解，例如讓兒童以各種顏色的豆類、穀物，黏貼在圖畫紙上呈現圖像，這種以成人眼光解釋為點描效果、浮雕效果、視覺經驗、媒材經驗的教學狀況，將成人概念加諸於兒童的學習，是兒童完全無法理解的表現方式，其實嚴重干擾兒童的圖式發展和色彩感覺，是沒有什麼意義的負面教學措施，即使不談穀物蛀蟲和到處掉落的環境污染，其實也容易造成兒童對食物資源的觀念誤導，這比其他的身邊物黏貼或點描繪畫教學，更不具教學實施的合理性。兒童藝術學習的製作表現，主要的重點仍在內容和意義的思考與呈現，而不是在教學者對材料的特殊選擇和規格變化。

三、視覺藝術教學的教具

視覺藝術的教學引導，牽涉到觀念方面的思考和認知、媒材和技術操作程序的理解、表現內容的方向和意義的掌握，這些教學內容傳達的有效性，多半藉由講解、討論、示範、操作實驗等方式實施，不過因為小學階段的兒童，認

知發展仍都處於具體運思期，多半無法以抽象概念有效理解事物，因此教具的利用和相關的觀念，就成了視覺藝術教學的重要課題。

以水彩的調色盤的顏料存放格為例，如果希望小朋友能依照寒、暖色排列顏料，口頭的說明或讓兒童參考顏料盒排列順序，常常都無法達到預期的效果，但只要有一張將色彩排列加上編號的簡單圖卡（如附圖），兒童就很容易依序找到顏料的儲存格，教師不必多費口舌兒童也容易達成要求。另外像木工的卡榫接合工法，口頭說明和圖片的觀察，都比不上以實際的榫接模型讓兒童裝卸操作，更容易理解木工榫接的原理和構造。

以形狀的聯想發展描繪活動，是激發想像和創意思考基礎的教學方式，但是卻經常發現教學效果不彰的狀況，問題多半是學生無法理解「形狀聯想」的思考模式，要讓學生觀察和聯想表現的形狀，如果有比較明顯的具體事物特徵，兒童就很容易可以連結相關圖像並描繪補充，但思考的擴散就會受限於既有的圖像特徵，而沒有想像力發揮的空間，如果聯想的形狀簡單或較抽象，創意思考的空間就可以擴大，但同時也會超出兒童具體運思期的心理階段和經驗，結果就會因而感到困惑而難以表現，這時如果能夠用透明片製作形狀聯想的範例（如附圖），才能夠讓兒童確實理解聯想的思考模式和表現方式，確實達成教學目標並滿足表現的成就感。

教具應用是藝術教學的利器，但運用不當也會變成教學的破壞工具，例如有些教學者為了畫面結構的完整或豐富，以特殊角度拍攝一些場景或事物，作為指導兒童畫面結構的教具，結果就是只見作品而沒有感覺，作品中當然也沒有兒童的生命力如經驗、感受、詮釋、創意等的表現。類似為了提供畫面的複雜度和細節的豐富性，用很多欠缺兒童親身體驗的影像來營造作品效果，其實並不是一種良好的教學型態。教具運用是非常必要的教學專業，不能輕忽省略也要避免不當濫用，包括目前有很多利用播放教學錄影帶，完全取代教師所有的引導和講解，結果欠缺師生互動和了解兒童可能反應的機會，這種教學方式絕對不是善用教具，而是一種不應該有的怠惰和輕忽。

四、視覺藝術教學的學習單

在一般教學現場常見學習單的設計和應用，包括製作表現的設計草圖、提出問題或收集資料的學習單、藉助圖像發展思考的「心智圖（Mind map）」等，各有不同的學習功能，比較容易出問題的則是泛稱「學習單」的教學工具，常見的型態是由教學者制定題目，交由學生收集資料或提出意見，繳回學習單之後就等於完成學習作用，但實際上如果是明確的背景資料或文獻，可能每個學生的網路收尋資料都會非常類似，未必每個人都必須填寫學習單的必要性，如果學習單的內容是徵詢學生各種不同的個人觀點和意見，那麼學習單的彙整和共同討論，透過同儕學習可以拓展對各種不同看法的理解，除了多元價值和包容性的態度培養，共同發現更多的可能性而擴充直接、間接的經驗，才是應用學習單最主要的學習目的。將填寫學習單當作教學目的很可能只見形式，卻未見學習的目標，如果這些討論的內容不是需要繁複的收集過程，而只是學生個人經驗和對討論議題的直觀感受，那麼直接共同討論就可以達成教學需求，學習單可能是虛耗教學時數的形式而已。

近年在日本教學現場發現另一種不同型態的學習表單，是在教學引導後由學生自己製作提交的「工作單」，是類似工作計畫性質的個人學習程序和時間的預定表，學生和教學者各持有同樣的一份，作為溝通和學習進度管控和評量的依據，主要的功能應該是學習的主動性、計畫能力、負責態度、溝通與修訂、發現與解決問題等，這份工作單容許學生在製作過程中修訂，而多半是發現問題並和老師溝通後，由學生自己決定解決問題的方式，包括放棄原有預定表現方式而作成修改，或是堅持原來表現形式但要求協助和延長製作時間等，這是真正落實由學生發展自主性學習，以及主動、解決問題等態度和能力的養成，這和一般要求進度一致、如期繳交作品的教學思維，應該是值得深思的課題。

各種學習方式和工具的設計應用，基本上必須**以學習目標為主導**來考量，以學習者為主體而「擇宜」，並不宜將學習的形式當作目的，這個概念在「跨領域統整」、「美感教育」和其他各種學習形式的應用上，應該是一種共通的思考原則。

參、營造教室氣氛的實務觀念

　　教室的氣氛是一種無形但明顯的感覺，會不自覺的深刻影響學生的學習態度和表現，比較常見的問題是因為老師的認真投入，以及對兒童表現的高度期許，造成教室的壓力和緊張氣氛，老師認真當然無可厚非，但教室裡如果欠缺讓兒童自在投入的氛圍，自我表現的空間就會被壓縮，尤其是教師設定的表現標準，如果太過於單一和較高水準，很多不同氣質類型和發展階段有差異的學生，可能因教室氣氛而扼殺自信和學習興趣，這就會是動機良善卻導致錯誤結果而令人扼腕了。有些教學者比較重視教室的秩序和常規，但同樣是嘈雜的教室裡面，有一種可能是無心學習的任意交談和混亂，另有一種可能是每個人都急切於敘述構想和表現，或是互相提供意見而形成的熱烈氣氛，前述的混亂可能來自於學習內容欠缺趣味性，或是無法理解題材和表現方式，也可能難度太高又欠缺自我表現空間；而和學習相關的熱烈交談，應該是可以提升學習效應的正向行為，所謂的教室秩序就大可暫時丟到一邊，教學者如果無法接受這種熱烈的學習氣氛，或許就應該思考孩子的主體地位，並學習包容和欣賞孩子的特質，並判斷教室裡應該具有什麼樣的氣氛，才能發展良好品質的教學。

　　重覆前述的觀念：「誇讚態度，不誇獎技術和作品」，才能夠讓兒童的學習更有專注力，也才能讓孩子體會「自我表現」都能被理解和認同，教室的氣氛就會轉向輕鬆自在，又能滿足自我表現的喜悅，在學習興趣比較高昂的教學氣氛裡，老師要花力氣去管秩序的機率就自然減少了。

　　教室氣氛的營造另有一個觀念性的問題，就是教學者對於教學成效的要求，不自覺中會期待學生的學習都「成功」，有符合預期的表現成果，但這種善意動機的潛在課程，卻可能是迫使學生迎合老師的預設目標，結果壓縮自我表現和獨立思考的空間，並產生要符合教師要求標準的壓力感。因此，經常適度讓學生感受到「失敗也是可以被接受」的氣氛，甚至「好的構想雖然失敗，可能還是會被誇讚」，這種教室氛圍不但可以減輕壓力，更因為可以接受失敗，才有機會自我檢視而獲得其他層面的學習效果，包括態度和自我認同都會有正面發展，這種「只要夠認真，失敗也沒有關係」的教室氣氛，應該也是教學者

需要經常自我提醒的課題。但同時也必須特別提醒和強調：「失敗」必須是由學生自己發現和感覺的，絕對不是來自於教師設定的要求標準和批判，或來自同學的評斷和貶抑，否則教室的學習氣氛就充滿壓力，不太可能有自主、自在的主動學習了。

第十三章：視覺藝術教學型態與教材分析

　　視覺藝術的實際教學實施案例，常會有一些比較特殊的教學型態，或許來自於專業藝術的技巧或形式，或許來自於特殊媒材的效果追求和應用，或許因為某些教學策略和特定目標的需求，這些具有特殊性質的教學方式，並不是指單一的特殊教學題材，也不是特定的技術和表現形式，而是專指一些具有共同的特徵和表現方式，但是題材、技術、形式、目標等都相當多樣，並不容易歸類為課程架構的教學模式類型，這些教學型態會在「教學模式」的實施中出現與應用，但在教學實踐的過程，常會被忽略了教學目標的定位，容易落入形式主義或作品主義的盲點，所以有必要另外對這些教學案例作進一步的研討，一方面補充教學架構討論與應用的完整性，另一方面也對當代兒童視覺藝術教育的觀念，作比較深入的分析以供教學實踐的參考。

壹、具特殊意義的教學型態

　　視覺藝術教學具有相當的複雜性，以「教學模式」來分類教材並連結教學目標，雖然有其必要性和合理性，但實際上仍無法窮盡所有教學的特性，以下教學型態的實施會和教學模式連結，但另外有特定目標的優勢條件，或者是教學實踐必須有特殊考量，深入理解這些教學型態實施的要點，可以讓視覺藝術教育的課程發展和教學設計，更為豐富並具靈活性和完整性。

一、造形遊戲教學

　　「造形遊戲教學」似乎並沒有明確的定義，一般情況下應該是指以遊戲方式進行的視覺藝術學習，常見於幼兒和低年級階段實施，但有些學習表現型態到小學高年級階段仍可進行教學。「造形遊戲」顧名思義強調遊戲性活動，遊戲的性質和活動的意義，參考萬榮瑞整理的資料如下：

（一）兒童的遊戲具有下列特性：

　1. 是自發的行為。

　2. 受規範約束並須共同理解。

　3. 會產生適度的輕鬆和緊張，歡喜和痛苦。

（二）兒童遊戲行為的教育意義：

1. 社會性的能力如：獨立性、群體性、自律性等。

2. 生活的能力如：知識、技能、創造力等。

3. 生理機能成長如：手眼協調、肢體動作、平衡感、肌肉力量等成長。

4. 生活經驗拓展如：環境知覺、人際互動、規律、競爭等感知。

視覺藝術學習的遊戲表現型態，是不是一種藝術創作的形式，這裡再度引述第九章的資料：哈伯特・里德對羅恩菲爾的論述提出的修正，或許可以提供一個頗具參考意義的觀點。

羅恩菲爾的說法是：「**兒童的藝術是一種遊戲的形式**」，論點是兒童的一切活動都是自主、自發的行為，活動的本身就是目的，將藝術表現視為遊戲，重點放在遊戲和藝術都具自由表現的共通性質。而里德的修正敘述是：「**兒童的遊戲是藝術的一種形式**」，這個有一點像在玩文字遊戲的論述，除了「形式」是一種廣義的意涵，重點就在兒童藝術表現的性質界定：兒童的遊戲雖然是自發性的，但卻具有追求生命系統和節奏達成統整的基本形式。進一步用比較簡單的方式詮釋：為了完成遊戲，兒童必須整合身體的活動、經驗、想像，傾盡全力投入，透過這個複雜歷程才能享受遊戲的樂趣和成就感，而這個活動歷程的基本性質可以類比藝術創作的形式。

以上述兩種遊戲論的詮釋觀點應該可以認定，兒童的藝術表現應該是一種以兒童為主體的特殊活動方式，有它本身發展的因素和脈絡，兒童視覺藝術學習的表現形式的相關論述，可參見本書第九章兒童表現分析第三節資料。

造形遊戲教學因為常欠缺容易辨識的圖像和題材，也較不講求作品的精緻度和完成度，因此一般情況下也就沒有受到應有的重視，但從兒童行為和認知發展心理的研究來看，遊戲卻是兒童尤其是幼兒最重要的活動和成長方式，在藝術學習方面，除了前述羅恩菲爾和里德的觀點，透過遊戲活動的學習有以下的重要效應：

1. 有效維護藝術學習的興趣：因為遊戲符合兒童的天性，遊戲式的學習活動會充滿樂趣，無形中舒緩學習必須「符合標準」的壓力，因此必須讓孩子

在藝術學習的起步經驗是歡樂的，才足以維護學習興趣。

2. 建立自主性和自信心：一般造形遊戲學習幾乎沒有表現水準的要求，也較沒有技術性的難度，很容易滿足自我表現的喜悅，充分的自我表現能維護自主性發展，不必符合標準規範的表現方式自然也容易培養自信。

3. 拓展視覺經驗與感受力：造形遊戲表現的隨機性常無法預估視覺效果，因此常有很多意料之外的造形表現，突破孩子視覺的既有經驗或概念，因此無形中拓展經驗和感受性，奠定造形表現能力的基礎。

4. 培養工具、媒材經驗與周密思考：造形遊戲表現很容易和基本技法學習結合，製作和表現過程常需重複操作工具或處理媒材，因此容易有熟練技法的機會，而基本技法教學的核心目標是周密思考，以及嚴謹的工作態度，造形遊戲也就成為藝術表現經驗的學習途徑。

5. 引導當代藝術的基礎觀念：造形遊戲表現有打破固定概念的特性，多半由孩子自己定義表現的意涵與象徵意義，這些不受外設規範侷限的學習和表現，觀念上和當代藝術相當契合，可以產生相當好的引導作用。

6. 養成「新學力」觀的基本能力：良善的造形遊戲教學配合題材的規劃，可以讓學生對於媒材、技術、形式等，具有選擇、探索、發現、思考、判斷、解決問題、表現等體驗歷程，另外也包括共同創作的合作、溝通、包容等，涵蓋多元的帶著走的能力養成。

　　廣義的造形遊戲教學涵蓋一些具題材性和具體形象呈現的表現，但狹義的造形遊戲的特徵，就是不刻意要求具體的圖像描繪或具象造形，而以造形媒材進行遊戲方式的造形活動，很多所謂「藝術治療」的活動方式，其實都很接近造形遊戲的活動。一般的各種媒材都可以應用於造形遊戲教學，原則上就是不需要高度技術性，比較可以隨興應用、表現的媒材，包括自然物如枯枝落葉、果莢、石頭，以及身邊物如空瓶罐、碎布甚至雨傘、拖鞋等，都是造形遊戲常被應用的材料。

　　造形遊戲的性質接近心象表現的自由構成教學，但沒有「設計」教學的表

現要求。造形遊戲的作品表現形式，很接近現代藝術非具象的表現類型，如裝置、拼貼等，有些則接近生活中各種視覺設計的形式，這種非具體形象描繪的造形活動，可以呼應潛意識、無意識的心理狀態，多半有紓解情緒的功能，也是最能夠讓「觸覺型」的學生滿足表現喜悅的教學型態。造形遊戲的教材以技法、媒材來組織，以技法的經驗為題材選擇的依據，比較有意義的造形遊戲教學，很適合和基本技法教學結合實施，包括幼兒階段最主要的心象表現方式—「塗鴉」，造形遊戲教學多半會複合兩、三種教學模式來實施，因此並沒有列入課程架構的教學模式項目。造形遊戲表現的教學目標和自由構成表現最為接近，教學的形式和技術難度，也以兒童成長階段和學習經驗為參考。

　　造形遊戲教學除了是幼兒和低年級兒童視覺藝術學習的方式，其實在一般教學現場常見的「我不會畫」退縮反應，經常是一種有效改善一般兒童藝術學習信心的有效方式。兒童欠缺表現信心的主要原因，常是圖像描繪所造成的心理障礙，也就是必須「畫出可以被大人看得懂和肯定的東西」的壓力，只要兒童經常性欠缺自我表現被認同的經驗，就容易放棄繪畫以避免被否定，破除這種心理障礙的教學方式，可以從「我們今天不畫圖」入手，先讓孩子的「我不會畫」無法成立，然後以自動技法的造形遊戲，或是變換媒材的造形遊戲，先排除圖像描繪而依然會產生「作品」，而這樣的作品也都被認同來激勵兒童，具體教學策略可以參考以下的活動方式：

1. **自動技法的造形遊戲：**例如圖畫紙對摺，在單邊放置水性顏料壓印的「相印畫」遊戲、將棉線浸泡水性顏料放在對折圖畫紙中間，用書本或墊板壓住再拉出棉線的「拉線畫」、浮彩或浮墨的印染遊戲、油墨滾筒的拓印遊戲、排筆的大型線條遊戲、海綿布包沾水性顏料的投擲遊戲等，都是沒有圖像描繪壓力的遊戲，可以設定題目名稱引發想像力來進行造形遊戲。

2. **身邊物的造形遊戲：**變換造形媒材的排列、堆積遊戲，也是一種體驗視覺秩序的學習，例如枯枝落葉、各類身邊物如課桌椅、清掃用具、雨傘、鞋子、鉛筆盒、文具、書本、夾子等容易隨手收集，幾乎沒有任何限制的媒材，都可以實施各種題材想像的造形遊戲。

3. **以視覺元素發展的造形遊戲：**以視覺元素發展造形遊戲教學，主要是從媒材的視覺特徵，規劃題材和表現的形式，除了直接使用線條、色彩以外，可以藉由線材如繩線、鐵絲、木條、竹籤等，塊材如鈕釦、彈珠、木塊、瓶蓋等，面材如紙板、鋁片、木板、布料等，藉由點、線、面的結構方式作造形表現，多半就可以營造非常特殊的視覺秩序體驗，這些視覺經驗配合想像力的發揮，就可以發展出獨特的表現能力。

造形遊戲教學的實施難度並不高，但除了造形媒材取得的問題，也會牽涉呈現形式與環境空間，以及題材規劃和教學設計，以下是思考程序的參考。

（一）由造形活動的性質、目的，以及使用空間的條件，考慮題材與形式的基本原則：

1. 藉由造形表現的目的決定題材和內容，除了學習目標是首要考量之外，必須考慮以下問題：有沒有必要的具體形象表現？採取象徵性的造形或符號？只是單純的視覺元素應用為主？

2. 造形要呈現的空間條件會影響造形表現的形式。例如：牆面、柱子可能較適合平面或半立體的浮雕式表現；地板、草地等開闊空間，可能較適合立體造形或集合所有作品的集體表現；穿堂、室內則可以考慮懸掛的形式…等。

3. 上述題材、形式和空間決定之後，再來據以思考媒材選擇的合宜性，以及技術上的難度等。

（二）形式與媒材都確定後，其次考慮造形元素的應用：

1. 題材如果是具體形象的造形，多半順應學生成長階段的心象表現，由學生自由發揮。某些情況下也可以設定簡單的條件，使作品具圖案化或裝飾性表現，但保留自我表現空間仍是重要的原則。

2. 造形元素的應用：
   概念的：點、線、面、體（多半結合媒材的規格而定）
   視覺的：色彩、形狀、質感（有時也和媒材有關連）
   關係的：方向、位置、空間（隨機的結構表現或設定條件）

內容的：形象、意義、象徵、功能（一般都會結合題材而設定）

（三）造形與表現手法的設計：

1. 個人化的自我表現，多半依據題材與媒材特性，由學生以直觀的自由心象表現進行造形活動，教學與學生表現的空間都相當寬廣，原則上學生會就上述的造形元素自由發展，或是依據教師設定的條件，發展個人化的造形手法和創意表現，只要能敘述自己的想法就可以。

2. 若採取共同創作教學，可以參考以下的程序：

   (1) 先考慮「單位形」的設計：配合媒材，活用造形元素設計基本形。所謂基本形不限於是否具象。基本的單位形也可複合多項的造形元素。

   (2) 由單位形發展技法指導和表現條件的設定，低年級部分適合個別化作品的隨機排列組合，較高年級就比較能夠協調和合作，能有計劃性的共同表現。

   (3) 考量單位形組合、排列方式，在視覺形式上除了隨機的結構，可以經由師生共同討論設定如：幾何的、放射的、旋轉的、節奏的、伸展的…等，基本多半是美感形式原理的應用。

（四）作品的展示和教學效應的評估：

1. 個別作品依據形式和大小考慮呈現與分享的方式。大型作品的安置除了考量空間條件，多半可以師生同參與，技術上多半需要教師協助。

2. 視覺效果基本上在教學設計的初步就要預估，除了教學經驗外，到最後依實際狀況再作調整也是常有的現象。

3. 作品布置的牢固性及安全性考量，整體環境的統調也必須整體思考。

二、共同創作教學

「共同創作」教學的特徵極為明顯，必須由幾個學生協力完成共同的作品，完全不同於其他教學的活動和表現方式，但是在技法、媒材、表現內容和形式上，都必須與其他教學模式連結實施，因此也未列為課程架構的教學模式項目。但共同創作的教學設計與實施仍有型態的差異，以下是簡單的分析：

（一）集體式共同製作

在小學低、中年級階段的共同創作，適合以「集體式共同製作」的方式進行，這種教學型態的特徵就是在共同的題材，以及表現內容的範圍之下，將個人製作的所有作品聚集、結合成整體的表現。這樣的教學與表現較少合作、協調的過程，主要是因應學生認知發展階段的心理狀態考量，在自我中心及欠缺計畫、協調能力的低年級階段，容納所有個人化表現才能夠培養學習興趣，並建立表現的自信心。「集體製作」的主要學習目標，除了學生的參與感和信心之外，還包括合作與群性的培養，互相認同的包容性與多元價值觀，建立藝術表現多樣化與自主性的重要觀念。這些觀念和態度也是當代視覺藝術教育的核心目標。

（二）計畫式共同製作

中、高年級起可以採取「計畫式共同製作」的方式，特別強調計畫性和協調、分工、合作的過程，對溝通、包容、價值觀調整等目標的達成具有優勢，對於兒童社會化行為和群性的發展，更是其他教學模式很難取代的學習方式。所以，共同創作教學絕對不是以大規格的作品，或是內容和描繪的複雜度為目的，欠缺共同的計畫和分工，作品中也看不到個別兒童的想法被容納呈現，其實就喪失了共同創作教學的基本性質和學習意義。

也因此必須特別鄭重提醒，共同創作的教學實踐必須由一項特殊的觀念來規範，也就是在共同創作教學的群組表現和互動，必須確定弱勢的、表現能力較差的孩子，必須在整個教學過程中受到激勵和接納，從構想、決定內容、分配工作到著手完成，老師和同組同學必須確實營造「共同的」、「均衡的」表現機會，沒有任何一個孩子被排擠或輕視，如果教學者沒有顧及或無法達成這種情況，那就完全失去共同創作教學的意義，只是考量作品的規格和排場，倒不如不要實施這項可能造成學習傷害的教學。

（三）多向文本創作

這是一項帶有遊戲性質的共同創作教學型態，主要特徵就是表現內容的發展，是以接力的方式一個接一個增添、改變作品內容，不是同一時間各自製作

自己的作品，而是由一個人先依據題材或開放式的個人想法，在共同的集體媒材上呈現個人的造形，再由第二個人就既有的造形加以修改、變化，條件是不能毀壞原有的造形，過程是同組人共同觀察前一個人的表現，再依序輪流作表現內容的各種增添和擴充。以「多向文本」（Hypertext）為教學型態的名稱，是擷取「非線性發展」的意含，也就是每個學生接力表現的方式和內容，是自由發展甚至鼓勵別出心裁的創意表現，無法預測作品最終的樣貌和結果，除了遊戲性學習的趣味性，培養多元包容心態和創造思考，也是這種教學型態的重要目標。而類似強制的每個人都有個別表現的機會，也是養成互相認同的人際互動態度，並建立藝術不一定有標準答案的觀念。

三、觀察畫教學

觀察畫教學具有比較高的技術性成分，但如果課程精神強調兒童本位的思考，觀察畫教學其實是取代素描、速寫的傳統技術教學所做的規劃，目標則著重在視覺的敏銳度，藉由敏銳的觀察力培養視覺的關心度，並藉此能夠獲得較充分的視覺訊息，視覺經驗拓展才能更容易有感覺，有感覺才能想像和培養豐富的感受力。同時因為視覺的敏銳而觀察到更多的細節和特徵，也會在描繪過程中培養專注力、耐心和細膩度，而描繪的精密表現不但和態度、心智成長有關，也會和觀察力形成良性循環。這種以兒童為主體的目標，同時會在觀察活動和表現的內容，保留更多的兒童自主性空間，和素描教學的技術導向有相當大的差異性，但卻同樣可以養成圖像或寫實描繪的技術能力，更重要的是能夠降低學習難度和挫折感，讓藝術學習的興趣得以維護和延續。

觀察畫教學帶有基本技法教學的技法實驗性質，也帶有一些心象表現的視覺經驗再現的意味，因為在課程結構中難以具有較重的份量，因此並沒有列為系列化的教學模式。觀察畫教學實施同樣必須依據年齡階段，選擇描繪題材的複雜度和難度，最主要的教學重點，則是不要過度重視輪廓、比例、明暗等的正確性，而必須鼓勵兒童表現觀察的個人感覺或獨特發現，用嚴謹的態度呈現比較細膩的視覺意象，才能夠達成上述的特定目標。

四、故事畫教學

一般常見的故事畫教學，或許著眼於可以提高學習興趣，或增加教學變化的趣味性，但如果只是變換引導方式，目的只是產生一件繪畫作品，教學的意義和目標其實都可能模糊不清，故事畫教學實施的必要性就經不起質疑了。如果透過教學目標主導的思考，故事畫教學就可以發揮不同的功能，在藝術學習上產生比較積極的意義。以目標為主導的故事畫教學，因為教學目標的差異性，可以分成以下不同功能的教學型態。

（一）協助幼兒的圖式發展

在幼兒或低年級階段，如果要打破概念化的定型樣式重複，發展自發性的原創圖式為目標，故事講述就不以情節為主，而是具體描述一些形象的特徵、結構、細節或色彩的變化等，藉由描述引導兒童捕捉這些意象，希望兒童在表現上能夠有所突破，例如教師敘述「貪吃巨人」的故事，重點就是巨人形體的巨大，可以讓表現較缺自信的兒童，以較大幅度的動作完全應用畫面空間，表現出比較大的圖像，至於「貪吃」的情節就籠統帶過，將所有好吃的大量各種不同食物，完全留給兒童以自己經驗作心象表現，這樣的教學要實施評量就非常的簡單、明確，不至於只是為了畫圖和作品而說故事。

（二）展非經驗的視覺形象

在中高年級階段，如果以拓展視覺經驗或突破概念圖式為目標，可以用故事描述特殊的景物特徵、色彩、畫面結構等，讓兒童發展非心象表現的描繪經驗，在題材和表現內容上突破界線，或是發展獨特的形式拓展視覺經驗。例如：敘述類似童話故事的「奇異黑森林」，以兩個兄妹或是姊弟採野生草莓而迷路，走入了一片怪異的原始森林，故事的重心完全在描述森林的獨特視覺景象，詳細敘述並強調森林中只有兩種樹，一種是枝幹的樹皮都是白色（或淺灰色較為清晰），樹枝全部直直的向上生長，樹葉全部都是綠色（任意指定單一色彩），另一種樹的枝幹完全是深咖啡色，樹枝卻完全都是水平的伸展，樹葉全部都是橘紅色，兩種樹的樹幹都很細很瘦長，但是都長得很高而幾乎遮蔽了天空，故事的結尾可以簡單的用一隻小動物出現，帶著兩個小朋友回家，而描繪的內容很明確的要求描繪出森林裡的一幕場景。這樣的故事畫教學目標雖然比較接近

學科中心的性質，但卻明顯可以讓兒童突破形式的概念化經驗，呈現出超越兒童經驗的表現，而體驗藝術學習的驚奇感或成就感。

（三）激發想像與創造思考

如果以激發創造思考和想像力為目標，故事的敘述就可以採取特定的情節發展，而在故事的中段發生變故或難題，教師隨即結束講述，引導兒童以自己的方式和構想描繪故事的後續發展，解決原來故事中的困境。例如：熱氣球的「高空歷險記」故事，敘述特定人物乘熱氣球升空，並順便和兒童討論從高空看地面的景象，有助於讓兒童表現內容比較豐富和完整，但故事的重心是發生意外事件，像是被怪鳥啄破熱氣球或雷擊、火災等，接下來就是由孩子自己解決問題，動腦筋構想並描繪如何保全氣球上那些人物的生命，這項教學實施可以特別鼓勵個人化的、獨特的構想，但必須考量學生的年齡和經驗，如果解決難題的方法限制在「必須有合理的可能性」，那麼難度會非常高但可以激發創意思考，如果允許「幻想式」的隨意發想，那就難度較低而讓孩子發揮想像力。

故事畫教學實施的參考觀念

以上的故事畫教學並不是完整的探討，只是以簡單的範例作為樣本，來闡釋無論是什麼樣的教學型態，必須能夠以學習目標為主導來思考，教學實施才可能產生比較明確的意義。不過，故事畫教學也有另外一些觀念上的重點，必須參酌以下的原則實施教學：

1. 不要講述兒童很熟悉的故事

沒有新鮮感的故事很難吸引兒童，無法讓兒童專注而容易忽略描述的重點，甚至兒童常有這一類故事的圖畫書圖像經驗，表現上容易模仿既有的視覺經驗而過於概念化，或因為太精緻的圖像經驗而產生挫折感，這都會干擾了故事畫教學的實施成效。

2. 不要講情節複雜的冗長故事

雖然學生喜歡聽複雜而生動有趣的故事，但除了耗費太多時間，複雜多變的故事情節，會讓兒童難以掌握描繪的場景和表現重點，既造成表現的困惑，也容易模糊了教學的目標。

3. 要具體描述預計讓兒童表現的形象特徵

藉由語言描述協助兒童建立視覺形象，才能夠打破概念化的表現，豐富兒童描繪的內容和表現性，偏重故事情節敘述但視覺形象空泛的講述方式，常會讓兒童覺得無從著手表現，這也是故事畫教學實施要注意的重點。

4. 要符合兒童心理發展階段和經驗

所敘述的故事題材和內容，包括相關的情節和情感經驗等，如果對兒童而言都難以理解和體會，卻要讓孩子以繪畫的方式來表現，就會成了難上加難的折磨，教學成效和目標的達成也就很容易落空了。

貳、其他教材的教學實踐觀念分析

兒童視覺藝術的教學設計和教學內容，雖然強調兒童的主體性和目標的主導性，但教材內容仍然無法排除視覺藝術的媒材、技術和形式，因此有很多教學設計的實施，仍然會有學科本位的形式或表現方式，如果不從藝術教育的觀念深入思考，往往很難翻轉一些常被視為理所當然，但實際上大有探討空間的教學措施。

一、色彩學的教學

色彩學是和設計相關的專業知識，有些教學者會讓學生畫色相環，並將色相名稱、三原色、補色和色彩的明度、彩度當作教學內容，這在幾十年前的美術課本常見的教材，如果試著思考這些專業知識學習的意義，或者是人文的、兒童本位的藝術教育目標，就會發現色彩學的教學完全是學科本位的思考，將它視為是一種很冷僻的專業，從國民教育的藝術學習範疇排除，其實也未必是一種很嚴重的課程瑕疵或問題。不過這樣的論點也必須特別申明，並不是指當代兒童視覺藝術教育課程，完全不需要色彩的相關學習，而是必須在學習的內容和教學的方式，另行澄清觀念和探討實施方式。

兒童對色彩的認識是很普遍、簡單的生活經驗，高度專業的色彩學會造成兒童認知發展的干擾，對於兒童的色彩感覺也沒有幫助，尤其是一些以成人的概念，將不可能絕對標準化的所謂「色彩感覺」，強加在孩子的認知和感受上，

例如把色彩的「溫暖」、「寒冷」、「快樂」、「憂鬱」等概念化的比對，以標準答案的方式灌輸給孩子，這樣的色彩學習幾乎可說是一種嚴重傷害，「感覺」是一種非常個人化的心理活動，尤其是兒童和青少年階段，發展自己的個人感覺是心智成長的重要途徑，更何況對色彩的感覺，本來就可以因個人的經驗和氣質類型，而允許有個人化的特殊感覺存在，硬是要求以外設的固定概念，取代孩子本身的感覺活動和結果，等於抹殺了孩子自己思考的機會，完全不符合當代藝術學習的基本理念。

回歸國民教育的兒童本位藝術教育，色彩教學的實踐，可以連結到生活和兒童的經驗，生活中的色彩是一種視覺文化的學習基礎，有太多的題材可以讓兒童觀察和探索，讓兒童產生感覺並賦予意義。例如：以大地環境為教材，最常見的稻田裡嫩綠的秧苗到金黃的稻穗，從田野到社區公園，色彩可以由孩子自己去「發現」；台灣這個水果王國豐富到令人驚訝的繽紛色彩，生活中可以摸到的色彩層次，比色相環和色票還要更真實而豐富；多元化社會結構的各族群代表性色彩，蘊含文化和歷史的深刻內涵，探索這些色彩的意義和學習價值，絕對不是色彩學知識所能比擬的。這些緊貼在身邊的、日常生活中的各種顏色，是最明確、真實、內容最豐富和層次最多的色彩，也是更有意義的色彩學習材料，甚至於就只是秋天山野和河岸的芒花；簡單到在不同時刻抬頭仰望天空的雲彩，色彩就是非常真實的無所不在的視覺饗宴和學習，而不是枯燥僵化難以理解的學術概念。

因此，色彩的學習不是教色相環或色彩學知識，而是讓孩子自己從身邊觀察和收集、紀錄，自己定義色彩在自己生活中的關連和意義，孩子就會學到並發展出知覺的敏銳度，以及視覺的關心度，也就是對身邊的環境或人群、生活，產生更多的注意、理解和關懷，這些對色彩感覺的獨特發現和詮釋，不但是當代藝術教育人文目標的落實，即使是學科專業範圍的色彩認識和運用，也都會因為色彩的理解和感受，已經成為內化而且個別化的具體經驗，而能夠發展出更具意義性和創造性的色彩表現。甚至於獨特的、具有本土特色的色彩表現和視覺文化發展，也會有更多可以期待的契機和可能性，那不只是專業藝術教育的相關課題，兒童視覺藝術教育所奠定的國民素質的基礎，這種教育目標的價

值就不必再多作贅言了。

二、線條的教學

線條是視覺藝術表現的重要元素，因此在教學上也成為經常被應用的教材，不過線條對兒童而言是個抽象的概念，兒童雖然應用線條來描繪或發展圖式，但無論是單獨的線條或線條圈起來的形狀，都是兒童心理上具體事物呈現的表徵，並沒有所謂的「線條」的認知和概念，兒童畫出一條「基底線」，是物體存在的空間或地面，所以並不是一條「線」，描繪放風箏的景象也繪畫一條線，但那是綁著風箏的真實的線，而不是成人概念中的「線條」。

因此用線條的概念進行教學或和兒童討論，並不是一種容易被孩子理解的教學方式，尤其是在幼兒階段，孩子可以玩線條的造形遊戲，但老師卻不適合用「線條」這個名詞和孩子溝通，更沒有必要在塗鴉線條中尋找具體形象，這些兒童無法理解的抽象概念，往往造成藝術學習和圖式發展的干擾。

線條學習有一項和色彩教學同樣的問題，就是教學者喜歡將定型概念化的「感覺」，當作標準答案硬塞給孩子，所謂線條感覺的「尖銳」、「柔和」、「混亂」、「平順」等，都是成人概念的抽象形容詞，而不是孩子真正的感覺。兒童對線條當然可能會產生感覺，但兒童的感覺和表達的方式，都必須是兒童自己去感受和發現，並且允許也應該有不同的感覺，而且不管是不是符合大人的感覺概念，也都應該被認同和肯定。就以上的觀念來實施線條教學，大致會有以下三種教學型態。

（一）線條的遊戲教學

幼兒和低年級階段的塗鴉，適合變換不同的軟、硬筆和顏料媒材，只是情緒紓解和增加視覺經驗的活動，沒有必要談論線條的感覺或結構，也沒有必要連結形象的描繪。如果環境條件許可，其實可以設置經常性的塗鴉牆空間，讓兒童自發性投入塗鴉的造形遊戲，這樣就不必佔用正規教學時數進行線條教學，保留增加其他藝術學習的時間。

（二）線條的結構教學

　　這是較偏向學科中心思維的教學，必須中年級以上的階段才適合實施，一般的重點是讓兒童體驗線條的各種差別和變化，並嘗試、發展線條的不同結構方式，希望藉此建立視覺秩序的美感經驗，或是培養設計表現的基礎。這種偏重線條造形的教學方式，其實可以結合基本技法教學獲得相同視覺經驗，也常可以在欣賞教學中達成相關目標，因此實施的必要性可以就課程結構、學生經驗、教學資源等相關條件作考量。但想另外提醒目前常見的所謂「禪繞畫」（其實只是纏繞？），從教育觀點來看其實並不具藝術學習的意義，這種消耗時間描繪細密紋樣的活動，其實可能是大人視覺效果的偏好和後設解釋，如果兒童被誘導所謂的「成就感」而投入，除了概念化的圖案會影響原創性圖式發展，也會戕害藝術學習的發想、感受、創造、意象、自我表現等心智活動，大人過度的介入和預設表現效果，一向都會背離學習者主體性的思考。

（三）線條感覺和詮釋的教學

　　讓孩子有感覺而培養豐富的感受性，是當代兒童視覺藝術教育的重要目標，如果讓兒童自主發展對線條的感覺，自己詮釋線條的意義，並透過同儕學習的互動，分享各種對線條不同的感覺和想法，拓展藝術學習的經驗和多元價值觀，應該是一種相當有意義的線條學習方式。以下是具體的教學實施參考：

　　設置一個比較大型的共同表現空間，例如將幾張全開紙裱貼在一起，老師講述一個情境，譬如自己個人單獨進入又深又黑暗的山洞，或是漂流到一個無人島上，然後讓學生輪流從不同畫筆中自己選擇工具，用語言敘述並畫出一條「代表自己心情」的線條，這種結合個人感覺並自己定義的線條表現，才真正是兒童本位的藝術學習，而同儕之間觀念和經驗的分享，以及感受性和自我表現的充分發展，更具有藝術學習的特殊意義。這種學習方式如果以環境佈置，例如利用大型紙箱、布幔、壁櫥等空間佈置情境，讓學生實際體驗而捕捉自己的感覺，藉由真實的感覺發展表現活動並敘述說明，學習的效應就會有更多面向，也更符合自主性的主動學習型態。

三、素描和寫生教學

　　素描和寫生是視覺藝術的重要形式和技術，如果下結論說兒童視覺藝術教

育不需要學素描和寫生，會引起的重大爭議必然是意料中的事，雖然前面已經論及用觀察畫代替素描教學，但無論是靜物寫生或風景寫生，到目前仍是很多專業藝術創作或藝術教學的方式，要完全否定寫生教學的教育意義，在當代藝術觀念衍變的流動狀態下，不但是理念論述大費周章，也容易引起疑慮和爭議，甚至可能對很多人的藝術情懷造成傷害，但是從國民教育的藝術教育立場來釐清觀念，或許也是藝術課程發展和教學實施無可迴避的課題。

素描和寫生的藝術表現，雖然也有很多擴充內容和現代性表現的論述，但基本的性質仍是視覺景物的再現活動，仍然無法排除專業技術的規範，從國民教育的性質和目標，以及兒童心理發展階段的認知能力，這種專業藝術的技術學習，就不容易通過第一道的篩檢關口。

當代藝術的「風景」表現目的和形式，並不必然只以繪畫方式重現視覺景物而已。如果從當代藝術的觀念加以檢視，可以借用卡特琳・古特的「重返風景」概念來審思（Catherine Grout，黃金菊 譯，2009），當代藝術不只畫框裡面的風景可以有不同的意涵和演繹，寫生更可能是呈現人對待環境的一種態度；也可能是一種文化脈絡中的意識；更是人類和自然、自我和外界的觀念媒介。所以，用謙卑的心去面對土地，去親近土地上生活的人群，讓寫生的人可以融為風景的一部分，風景就成為一種體驗、一種傾聽，更可以是一種深沈的思考，而不僅止於只是取景和描繪的技術而已。

很少畫家會想把圖畫得跟照相一樣，因為風景畫是創作者介入環境，企圖表達自己主觀意識或情感的行動。但是真實世界裡的自然和環境，仍舊是畫框外獨立的客觀存在，從這樣的角度來說，風景寫生「介入」的挫敗就幾乎是注定的結果。所以當代藝術的風景呈現形式，也因此而轉換為地景藝術、環境藝術、裝置藝術甚至公共藝術等，這樣才能對環境有更直接的互動，作出更具體的介入或融合，這種情況下的風景，對社會、人類、文化、美學等的意義承載，也就更為多樣和深化並拓展了藝術表現的可能性。

以上述的觀點來看待寫生畫教學，應該也可以納入觀察畫教學的範疇，並在教學實施納入更多人文思考，不必完全以景物再現的技術為目的，而是融入

更多想像力和環境關懷的思考，讓表現的內容以兒童的構想為主，教學題材如大至「社區環境的理想樣貌」或「讓人最想上學的夢幻校園」，小如「最美妙的教室」或「樓梯轉角的新設計」，這種將場景描繪加上想像的自我表現，不但培養環境關懷的思考和想像力的發揮，更可以容納兒童的圖式經驗發展，減少寫實描繪的技術難度可能帶來的挫折感，這或許是素描和寫生畫納入教學實踐的較佳途徑。

四、貼畫教學

貼畫也是一種常見的教學型態和表現形式，從藝術教育的立場來看，貼畫是一種相當技術性質的表現形式，除了媒材、技巧、形式等的視覺效果，貼畫的製作其實和藝術教育的人文思考與目標，並沒有足夠的連結和學習意義，甚至對處於圖式期的中、低年級來說，貼畫對個別學生的圖式發展反而是一種干擾，因為無論是剪貼或撕貼，形狀要符合兒童的心象圖式是非常困難的工作，如果用固定的樣式讓學生模仿，則不止為了作品效果扭曲學生的圖式發展，更會扼殺學生的創意表現空間，再加上貼畫製作如果要表現有意義的心象題材，往往必須耗費比較多時間，但圖式和細節的表現卻比不上直接的描繪，從這樣的角度來看貼畫其實沒有多大的教學意義。

以「黏貼」這種技術手法來評估，如果以基本技法教學模式的目標和特徵來規劃教學，那麼技法經驗、材料處理和工作態度成為教學重心，以培養造形表現的基礎能力為目的，那「貼畫」的作品形式和內容，就不應該要求等同圖像描繪的表現方式，而應該是造形遊戲或構成表現的教學，較為合理而有實施的必要性。

一般常見的碎紙貼畫或棉紙貼畫教學，多半侷限於技藝和作品形式的觀念，還是以設定題材和圖像表現作為教學要求，忽略了兒童視覺藝術學習的主體目標。如果要避免前述教學實施的問題，應該可以結合藝術欣賞教學，連結拼貼藝術和超現實主義的欣賞，並透過共同收集的廣告傳單、商品型錄等印刷品，以剪貼方式表現想像或夢幻式的題材，也可以包括彩繪的補充描繪，以及圖像剪貼的重新定義等條件，激發兒童的創意和想像力，如果由學生自己訂定

題材，也可以要求作題材和表現內容的說明敘述，擴展表現的經驗和構想的能力，這樣的教學設計和實施型態，更容易連結當代藝術的觀念和本質，而不會侷限於只是為了作品的表面形式而教「貼畫」。

五、版畫教學

版畫也是一種常見的視覺藝術表現形式，媒材和製版、印製的方式卻非常多樣，難易度的變化和落差也非常大，以國民教育的立場來分析，製版技術複雜和高難度的版材，多半需要較高的技術熟練度，在目前教學時數壓縮的情況下，並不適合在一般學校普遍實施，以免排擠其他視覺藝術課程的實施。但比較簡單的凸版、凹版和孔版，則應該讓學生有體驗和探索的機會。

版畫學習的主要意義是理解「複數」藝術的意含，而不是因為媒材技術和形式的特殊性，而具有學習的意義。以孩子的自我表現而言，直接的描繪表現多半更能連結意象，硬要轉換為版畫的製版再轉印的形式，對圖式發展和記憶心象的再現，多半會因為技術性條件而產生困擾或挫折，因此除了減低技術性難度的干擾，版畫教學最好能夠和「複數」的需求結合，例如配合特定活動印製兼具多樣與數量的請帖，除了製作的合理性，也可以藉多次數的印刷，體驗和熟練版印技法。

常見一些用無台紙版畫印製特定圖像，再以彩繪方式補充其他畫面空位，嚴格說來就是沒有確認版畫的技術和複數特性，單色版印圖像和補充的彩繪，只是教學者為了畫面視覺效果而主導，並未顧及兒童的自主性和自我表現的需求，未必是一種合理的教學方式。無台紙版畫的製作，其實比較適合用於共同創作教學，例如每個學生製作一部分的球場設施，另外製作一個打球的人像，印製的時候就可以變化球場和球賽的選手位置，印出來的共同作品是可變化的複數，每一個人都可以擁有複雜的大場面作品，孩子也更容易親身體會複數藝術的特殊趣味性。同樣方式如果變換題材，例如漁船和海底魚類、樹木成林和山林生物…，應該都遠比版印再彩繪的方式高明許多吧？

六、陶藝教學

　　陶藝教學在目前學校教育雖然並不普遍，但在各種不同因素的影響下，仍有不少學校刻意推展，宣揚為學校特色課程，如果摒除發展陶藝教學背後的複雜因素，就國民教育的視覺藝術課程發展來分析，陶藝其實是高度專業並具技術複雜度和難度的專業藝術，從材料、成形、燒窯、釉藥…，各項複雜和高技術性的條件，基本上不可能在學校教育的課程內有效實施。有很多學校的陶藝教學都必須仰賴專業人士，無論是素燒、釉燒幾乎都沒有學生的參與空間，這樣的學習方式並不是國民教育該有的狀況。

　　玩陶土和塑造都是學生可以體驗的活動，包括油土、紙黏土、輕質土、麵包土等媒材，也都可以滿足對雕塑媒材和技法方面的體驗，除非學校的社區資源足夠，例如鶯歌地方的學校，將陶藝列為校本課程而嘗試發展社區特色，陶藝的學習其實比較適合個人化的校外專門教室發展，這才能夠有充分的時間累積經驗、深入體會陶藝創作的內涵與表現，但這還是有孩子的興趣和其他條件的因素，基本上並沒有非學陶藝不可的充分理由。

參、教學型態與教材結構的省思

　　視覺藝術的教學型態和教材結構相當複雜，基本上無論是課程綱要的規範或是教科書的編輯，實際上都難以完整涵蓋，再加上教學時數的限制等因素，視覺藝術教學實施的教材編選，往往會是明顯的難題。或許有人會以「開放教育」的觀點，認為隨機的教材選擇就是多元、開放，但如果回歸教育的原理，學生如果沒有共同的學習經驗，那麼在教師和學生都會有流動的情況下，課程實施當然也將面臨困境。

　　以當代教育哲學趨勢和教學原理而言，良好的學習型態，包括跨領域統整或主題式學習，原則上都期待學生能整合、活用既有的知識和技能，能夠連結生活經驗而發展自主性的學習，在面對真實生活時能獨立思考、發揮創意、解決問題，但這樣的學習型態，基本上必須以學生先備的學習經驗為基礎，也就是以既有的知識、技能和經驗，作為統整學習的基本憑藉。因此，基礎教育的國民教育中、小學階段，就有必要奠定最基本的基礎系統學習經驗，否則所謂的統整學習和自主學習，很可能是欠缺學習發展立足點的高調而已。

　　視覺藝術的表現或欣賞學習，大部份都是以經驗發展學習活動的型態，例如教學者以良好的題材設計和教學引導，期待孩子以繪畫方式表現自己的感受和想法，但學生如果欠缺足夠的繪畫媒材和工具的操作經驗，就可能因技法經驗的不足，而無法順利表現自己的構想，難以達成自己預期效果的結果，難免遭遇自我表現的挫折，削弱藝術學習的興趣和信心，教學目標的達成也會遭遇困阻。

　　上述的舉例或許可能引起質疑：「為什麼那麼狹隘的規定要用繪畫表現？為什麼不是更開放的題材和表現方式？」，但這個疑問卻有個基本的前提謬誤，如果所有孩子能夠應用於表現的媒材和技法經驗，都是處於不確定並且有落差的狀態，教學者依據什麼認為孩子能夠充分自我表現？能夠有自信選擇自認為適合自己表現方式的技法？在學生沒有足夠的技法前備經驗的情況下，如何可以不考慮孩子會處於困惑和挫折的狀態？

　　目前由於藝術課程結構、教科書編審、師資養成與任課安排等教學實施問題，中、小學生幾乎都沒有共同的視覺藝術學習經驗，教師面對認知、技能和觀念等經驗都有很大落差的教學對象，實際上難以設定合宜的學習內容、技法難度、表現形式、要求標準等，這種無法確定教學內容是否適當的現象，不僅無法要求主動的統整學習，難以維護教學品質，甚至連藝術學習的基本精神和價值，都很容易陷入紊亂而完全失落。

　　高品質的視覺藝術學習課程發展，或許可以將教學方式簡化為「表現」和「欣賞」兩種型態，但教材結構方面卻無法迴避高度複雜、不可能涵蓋的問題，如果教學實施必須以學生的共同經驗為基礎，那麼教材的結構將是課程發展必須兼顧的課題，教材具組織性卻又有變通空間，才能夠建構學生藝術學習的共同經驗，又具有教學實踐的可行性，這是個龐大的教育政策性工程，本文僅能就藝術共同經驗的概念作探討，提供相關研究或教育政策制訂的參考：

一、視覺藝術學習共同經驗的具體內容是什麼？

　　就表現和欣賞兩種主要學習方式而言，藝術表現的製作活動，需要足夠的媒材技法經驗，包括普遍常被應用且多樣化的材料處理技法，以及一般性藝術

表現常用的手工具正確操作，包括效率、維護、安全性等知能。藝術欣賞學習則需要認知和觀念方面的經驗為基礎。但這兩種經驗並非截然劃分，而是互相融匯影響，技法經驗可應用於欣賞的解讀，藝術知識和觀念更有助於表現的構想，以及表現內容意義的思考與呈現。

二、強調共同經驗是否會侷限藝術學習內容多樣發展的可能性？

廣義的藝術經驗是整體性的複雜結構，但如果僅就視覺藝術學習的基礎作考量，狹義的藝術學習經驗僅指「基本技法」與「藝術觀念」，並不涉及教學題材的議題連結與核心概念，這種只是建立學習基礎，而不是涵蓋或取代全部課程內容的教學概念，學生藝術學習的共同經驗建構，是有效協助藝術教學實施基礎的研究，並不至於干擾藝術課程的完整和有效實施，因此也具有相當高的可行性。

三、建構基本技法的共同經驗，是否偏於學科中心思維，忽略了藝術學習的統整性？

學習者成長階段的認知發展心理，以及課程發展和基礎教育的原理，可以確認藝術學習起步經驗的合理性，尤其是本書課程架構所提的「基本技法」，並非僅只著眼於技術性的學習，而是在教育哲學方面以學習者為主體的思考，以國民教育性質的目標為著眼點，所規劃的藝術學習獨特方式，整體目標的詳細內容和學習意義，可以參考本書第五章的詳細資料。

教學型態和教材結構的探討，是教學現場必須關注的問題，也是所有教學者都無法獨力解決的問題，但實際上學術理論的論述和教學實踐的操作，卻並不是非常困難的工作，欠缺的只是權力和決策者的認知與行動，因此也只能期待藉由提出問題引起關注，並尋求藝術教育研究的資源和合作，提出解決問題的參考措施。

第十四章：視覺藝術教師的專業素養與成長

面對當前或未來的世界與生活，獲得知識已經不再是教育的主要目的，學習專業的技術知能，也不再是國民教育的視覺藝術教學目標，就本書一系列藝術教育的相關論述，教師究竟應該具備什麼樣的專業素養才算完整，才足以勝任良善的視覺藝術教學工作？

在思考這個問題的時候，腦海中首先浮現的是以往舊作提到的：當年日本文部省美術教育總編修高山正喜久教授，應邀訪臺在板橋的前台灣省教師研習會，發表「美術教育」專題演講。將近三小時的講述過程中，高山先生幾乎沒有提到「美術」兩個字，而是以「各位知道人應該怎麼活嗎？」的提問為開頭，詢問在場的臺灣美術教授和老師們，提出這個問題的理由是：「**如果老師自己都不知道人應該怎麼活才好，那怎麼能教導孩子長大以後該怎麼活？**」，整場演講的內容，就是在談生命的意義和生活所追尋的價值，並論證藝術和「人應該怎麼活」的密切關連，結論是每個人不一定要成為藝術家，但是都應該學習某種特別定義下的「藝術」，好讓自己能活得不會有太多遺憾。

重提這一段敘述的用意，其實是想要凸顯一些關於「良善的兒童視覺藝術教師」的迷思：有足夠的藝術專業技術和經驗，或具備相當的藝術創作成就的人，才有可能成為好的藝術老師？掌握某些有效的教學技巧，能教出「高水準」的得獎作品，才足以認定為是好的美術教師？富有教學熱忱和對兒童的愛心，在教學上全心投入的就是好的視覺藝術教師？或者一位真正可以和孩子共同迎向未來的藝術教師，還需要其他更專業的充分和必要條件？對於這些定義並不明確但值得探討的問題，高山先生的論述方式或許足以引發一些省思。

壹、視覺藝術教師的基礎信念

一、藝術教師對自我角色的認知

視覺藝術教學需要相當的教育專業知識、藝術經驗、教材和教學法等相關知能，這或許是多數人熟知的條件，但有一項更基礎的精神層面的心態，

就是教師對自我角色的看待，也就是對教學工作所持的價值觀，以及人文精神為基礎的師生關係的認知，卻似乎較少被討論。里德曾經引用布伯（Martin Buber，1878～1965）的論述，強調教師的角色應該是潛移默化而不是積極干涉，必須具有所謂的「禁慾主義（asceticism）」的理念：**教師不應該對學生有支配慾；甚至不必有想要讓學生喜愛和仰慕的慾望。**布伯認為想要求學生完全符合教師期待，這種想要支配學生的念頭，就會忽略學生個別的各種不同需求；而老師想要被學生喜愛，就可能對學術要求標準和教學對象造成選擇和區別，但是教師卻不應該選擇學生或迎合學生，因為教學是對一個生命個體負責的責任寄託。他以「涵容作用（德文 umfassung）」的概念表示：「**師生的相互關係，就是對相互的行為、感情、反應形成信賴關係，而且了解和欣賞學生的個別心理傾向還不夠，而是必須和學生的感覺與活動真正產生同化與同理心。**」（Read，呂廷和 譯，1973）。布伯提出這些觀念的時代背景，雖然是強調純粹性的現代主義時期，但思考的睿智和認識的深刻程度，即使是歷經後現代思潮的衝擊，以及網路世代的當代社會背景下，仍值得教學工作者深思與借鏡。

教學工作如果具有教師自我教育的性質，學習去了解學生的真實需要，以及「人如何成為一個人」，也等於在學習「人應該怎麼活」的課題。所以，視覺藝術教師的初始條件，或許是從內心認清藝術教學不只是一件工作，而是自己和學生共同探討生活價值，共同尋求生命意義的成長過程，能夠從這個角度看待自我角色，就會自然地教學相長，進而建立自己的人格尊嚴，也才能夠建立藝術教學的專業地位和自我認同。

二、當代人文精神的體現

當代視覺藝術教育強調人文精神，但「人文」並不是一種知識或學科理論，而是一種必須體現在生活各個層面的思考模式和價值觀，人文精神讓教師確實體認學生是獨立的生命個體，基本的信念就會和上述的「禁慾」概念有所對應，不會刻意以學生表面上的成就來證明自己的才華，大多數太在意於營求指導獎的教學者，往往會太過於涉入學生的表現和作品效果的追求，多半就很難以維護學生自由獨立的思考，無法保留學生自我表現的空間。欠缺確實體認

人文精神的教學者，即使是動機良善或認真指導，用意卻只是在追求兒童作品表現的效果，而不是把孩子的成長狀態作優先考量，無法宏觀的看待生命的多樣可能，寬容的讓孩子以對他自己最適當、有利的方式成長，那終究只能被定位為「匠師」，而非陪伴獨立生命成長的「人師」，而視覺藝術教育最重要的價值，也就在不知不覺中失落了。

人文精神即使是從教學實務的面向來檢視，也同樣是藝術教師不可或缺的素養和信念，當代人文主義對於人的主體地位的覺醒，關注世俗生活和社會、文化各個層面的發展，這些對人類和社會、環境的關懷，是教學者課程發展和教學設計思考的基本依據，也是篩檢教學目標和引導兒童表現的指引，更是藝術欣賞和藝術本質教學，可以連結生活經驗並進行省思，讓學生能夠和藝術對話並自己詮釋藝術的基礎。教師充分體認人文精神並能教學實踐，不但能避免教學偏向技術和專業典範，更是要成為一個「兒童藝術學習的支援者」、「共同成長的陪伴者」，不可或缺的必要條件。

藝術教學者的人文素養，在當代教育和「透過藝術的教育」實施過程中，也攸關教育哲學的體認和落實，「主題式學習」和「跨領域統整學習」所強調的大概念，或是連結議題、結構性問題等的學習題材規劃，初始的思考和出發點就是人文思考，「人文」的定義在本書第四章有詳細論述，所謂「**人類對自己地位的覺醒和省思，也對人類的所有活動和身處的環境充分關注，更是一種以所有人類為主體的思考方式和價值觀，並形塑人類互相對待的方式和生活態度。人文的終極關懷，是生命的意義和生活的價值，思考的特點是自省、批判和極度的包容。**」，無論是藝術學習或其他領域學習，要拋開學科本位而能夠實施有意義的課程和學習，實踐超越學科的藝術學習，教學者人文素養的必要性就成了無可替代的條件。

貳、視覺藝術教師教學實務的專業知能

除了以藝術教師的信念和人文精神為前提，要能夠有效實施視覺藝術教學，教師最起碼仍應該具備以下各項專業知能，否則即使動機良善加上熱誠投入，卻仍然會因為欠缺專業引導方向而難以達陣。這些實際教學所需的專業素

養，有些項目的性質或許比較偏於理論性，但卻是對教學現場各種不同的教學措施，作出正確抉擇的判斷依據，這種「有用的理論」和教學實務還是有密切的關聯。

一、基本的教育哲學價值觀

兒童視覺藝術教育的性質和目的，有各種相當具差異性的不同觀點，對教學內容和目標的選擇，以及各種相關教學措施的思考與抉擇，都會形成重大的影響。例如，兒童視覺藝術教育是國民教育、人本的基礎教育，或是專業藝術人才的養成教育？藝術教育的目標是以人為主體，或是以藝術的專業知能為主體？這些學科中心、社會中心和學習者中心的教育哲學觀，會影響整體藝術教育的目標取向和課程結構，因此，透過當代教育哲學價值觀的思辨和釐清，才能夠對整個藝術教育的目的和方向，作出比較周延的思考和合理的判斷，這方面的相關理念和內涵，本書前五章的相關論述可以提供觀念的參考，也保留了隨著時代變遷而修訂的空間。

二、理解當代藝術觀念與藝術現象的發展

對當代藝術定義和藝術觀念衍變的認知，是課程發展和教學內容篩檢的依據，等於是課程結構的骨架。尤其是建構國民美學的藝術史觀點，並據以發展當代藝術理解的途徑，才能夠有效連結藝術和當代世俗生活，也是教學者能夠和學生討論藝術的意義，有效實施藝術欣賞教學的必要條件。具備自己解讀藝術的能力和經驗，是每個現代公民應有的素養，因此教學者的先備條件，就是必須概括理解當代藝術哲學衍變，建構前瞻性的藝術史觀點和當代藝術觀念，才能夠在面對各種不同形式的藝術現象，以及藝術的「時代性差異」時，有解讀和設定議題、引導討論的能力，實施跨領域統整的主題式教學。這是達成藝術本質教學目標的基礎，也是視覺藝術教學不可或缺的專業素養。這方面的理念本書六、七、八章是具關聯的整體論述。

三、視覺藝術教育的相關心理發展認知

視覺藝術教學是相當嚴謹的專業，最基本的兒童認知發展心理、教育心

理、造形心理階段特徵及氣質類型、造形表現的意義分析、兒童行為發展等基本認知，是教學設計和教材難度判斷的依據，以及評估教學實踐的可行性、目標達成的可能性等，必須具備的專業知能，也是分析教學現場很多突發狀況和棘手問題，能否作出適當判斷並合理解決的主要依據。而整合前面這三項基礎的理念，才能清楚地闡釋自己的藝術教育理念，有效對應行政人員和家長的質疑，維護專業的教學主導權。這方面的基本概念和認知，不僅和教學評量相關，更是視覺藝術課程架構規劃的基本依據。

四、基本課程理論觀念與具體課程架構

視覺藝術教育的課程雖然有課程綱要和教科書可以參考，但是在面對社區資源和文化差異，以及學校本位課程或教學自主性等理念的挑戰，能夠建構完整的視覺藝術教學架構，包含應有的整體教學目標和課程內容，並建立目標和教學活動的邏輯關聯，據以形成教學的長、短期階段性計劃，建立學生藝術學習的共同經驗等，都是視覺藝術教育課程發展，以及教學能否有效實踐的關鍵。具有課程思想的藝術課程架構，才能夠具有比較清晰的藝術教育理念，並成為教學實踐研究的基本憑藉。僅只依賴教科書的教學，常會受困於資源、設備、學生經驗、文化背景等教育生態的差異性，具體完整的課程架構，可以形成調整教學內容的彈性空間，有效落實藝術教育的理念和預期效應，同時更是課程永續發展、滾動修正的根本依據，不致於落入每次課程綱要修訂就前非今是，似乎廢棄原有課程實施經驗的參考價值，結果耗費資源卻徒增疑慮而難有成效。

五、各種工具、媒材和教材教法的深入理解

是否能分析各種教學模式的特徵和內容，了解各種媒材的處理方式和各種工具操作的技法，是教學現場的第一道檢驗關卡，也是有效培養兒童表現能力、維護學習興趣，達成藝術學習基礎目標的必要條件。而進一步的自行設計教學單元活動，或分析、修訂既有的教學設計，也都必須仰賴本項專業素養。關於媒材和技法應有的了解深度和廣度，也有一項重要的概念必須探討：藝術教師應該要有藝術創作的經驗，因為藝術創作的心理歷程和思考、表現的實際

經驗，是規劃教學活動和選擇題材、討論或研判兒童表現的重要參考依據，欠缺藝術創作經驗，對藝術表現的解讀就會有隔鞋搔癢的隱憂，創作表現的教學引導也容易產生失誤。但是藝術創作經驗的要求並不是越專精越好，因為除了基本的創作經驗之餘，兒童藝術的教學者需要的是廣泛的媒材和工具經驗，尤其是適合兒童能力和學習範圍內的各種工具、材料，都要有最起碼的操作經驗，只專精於一項專業藝術創作的經驗，有時常常是教學的限制或包袱。更明確的說法就是：視覺藝術教師不一定需要油畫、石雕、陶藝、石版畫等的專業技能和經驗，但絕對必須對描繪用筆（鉛筆、色鉛筆、粉蠟筆、油性筆、毛筆等）、水性顏料（水彩、水墨、廣告顏料等）、紙工（剪刀、美工刀、筆刀、各類紙材與接著劑等）、雕塑（黏土、油土、紙黏土、輕質土、石膏等）、簡易木工、金工和身邊物等媒材，都有足夠的認識和操作經驗，才足以勝任教學現場的教學實踐。

六、學習表現分析與教學評量的專業知能

　　教學評量有不同的面向和目的，能夠分析兒童藝術學習的表現，才足以有效實施教學評量，相關專業在本書第九章有詳細論述。掌握不同類型評量的性質和實施方法，才能夠確實發揮評量的功能，主體評量和客觀評量所採取的評量標準，以及評量的目的都有很大的差異，掌握不同評量的實施要點是評量的基本概念，建立具體有效的評量參考工具則是重要的步驟，可參考本書第十章的兩項評量表範例。進行評量必須具備的專業素養，包括教育和藝術哲學的價值觀判斷、造形心理發展階段特徵的認知、對兒童表現類型的認識和經驗等。對教學目標是否達成的評估，是一般教學評量的重心，至於只針對兒童的作品表現作評量的具體方法，則是需要仰賴教學經驗與相關的專業素養，而評量工具的設計和評量標準的擬定，卻必須從最基本的教育哲學理念為起點，才能夠避免落入作品視覺效果追求的弊端，失落了兒童視覺藝術教育的基本目標。

七、教學活動設計和分析的專業知能

　　教學活動設計是藝術教師的基本功，精密的單元教學活動設計格式，可以促成對整個教學內容的周延思考，了解各項格式規劃項目和應呈現內容的意

義，並能夠具體的合理表達應有的教學構想和實施程序，這是教學實踐和教學研究的實戰知能。設計或修訂單元教學活動的專業素養，主要呈現在單元設計理念的敘述，這是整個學習意義和價值的論述，是「為什麼非要實施這個單元教學不可」的說理要項。另外一個教學設計的重點，則是必須建立教學活動和教學目標的邏輯關聯，並且明確敘述各個活動的教學重點，這是確認教學目標能不能達成的關鍵因素，同時也是落實教學成效和有效實施教學評量的必要能力。本項專業素養的詳細論述請參見本書第十一章。

上列各項視覺藝術教師專業素養，其實並沒有完整或絕對的涵蓋性，例如服務的熱忱、協調合作與領導、持續成長與行動力、自我認同與使命感等，這些心態與人格特質可能非關教學專業，但卻也是良好藝術教師的條件。

參、視覺藝術教師的成長之路

藝術教師的成長是一條漫漫長路，因為面對的每一個教學對象，都是有個人獨特個性的獨立生命，藝術教師的使命則是**維護個性的成長**，但同時**藝術教育又是一種參與「社會變動」的「學術使命」**（Edmund B. Feldman，李文珊等譯，2003），因此藝術教育會透過「社會化」活動，**促成個人在人類群體的歸屬感**，這種一方面要孩子成為原來的自己，又希望孩子成為具備社會所期待的某些特質的人，或許從來就不是一件容易又有確定成效的工作，所以視覺藝術教師的成長，不但沒有捷徑可走，甚至必須經由迷路和發現問題，才能找到正確或可能的方向，也或許必須由教學者自己另闢蹊徑，尋求一條適合各種類型的孩子，卻又適應自己特質的路，而成長的途徑則是持續性的自我要求。

藝術教師的成長必須從觀念開始，除了閱讀、參加研習以獲得教學專業的相關資訊，更重要的是能夠思考和批判，相關的工具和方法學如記號學、實證邏輯等，只要有基本的修煉而未必要非常專精，就可以有效達成思考的周密性和條理性，也可以避免情感、權威、利害等的干擾，以比較澄清、透明的獨立思考，來判斷藝術教育現象並自我批判，這是確認成長方向不會有太大偏差的起步基礎。

　　另一個比教育專業知識和教學實務技術，還更具優先性的成長內容，則是教學者個人對於生活的關注層面和態度，或許也可以稱為「人文素養」或「人生境界」，主要就是指生活中的「精神性」活動與價值體現，藝術教學者關注的如果只是物質的、社會性的需求，可能不容易具備理解藝術觀念的基本條件，唯有重視精神活動的價值，關切所有和生活、文化、社會、環境等相關的議題，才有可能深入體會當代藝術的表現意義和內涵。對於生活的精神性需求的關注，最重要的是可以引導到人性的「自我實現」層次，發展出一些相關的人格特質如：「追求美好事物和真理的強烈動機、提升對美好事物的感受力、具有較高的自省能力、容易接納新的事物和革新行動、具有統整能力和更強的意志力…等」（張栢烟，2013），而這樣的人格特質和精神狀態，對藝術教育工作所能夠凝聚和發揮的能量，應該是視覺藝術教師成長的最重要條件。

　　弘一法師以「士先器識，而後文藝」這句話期勉藝術工作者，其實借用來探討藝術教師的自我修煉，也是蠻恰當的提醒：從拓展氣度和胸襟來養成開放的心靈與大器格局、從深度閱讀和思考來開拓視野與見識，這或許是視覺藝術教師該自我期許的高度。視覺藝術教學所需要的專業與實務知能，可以參考前段所列的內容來自我檢視，從自己較欠缺或最需要補充的部分著手增強，原則上可以先從觀念的思考與調整，再到基礎理論的認知與理解，隨後才逐漸累積教學實務的知能與經驗，這應該是比較不會走冤枉路的成長方式。如果欠缺器識與自我期許，只想要以教學單元現買現賣的走捷徑心態，卻沒有關懷整個社會文化和生活型態的發展和問題，那可能即使擁有藝術專業知識和創作的高度成就，仍舊無法深入理解藝術教育的真正內涵和價值，唯有耐心、細心和堅持的意志力，才是能夠讓自己持續成長的原動力，也才能讓自己成為真正具備足夠條件的藝術教師！

第十五章：結論─國民教育的視覺藝術教育展望

大費篇章從各種不同面向討論視覺藝術教育，最終或許還是必須回到原點，面對社會現實面可能的質疑：從現實生活中加以檢視，細數各不同領域和類型的「人生成功族」，將會發現這些人絕大多數都不會畫圖，也不會做工藝，那麼國民教育列為必修的視覺藝術，豈不是一種「無用」的學習？藝術教學遭漠視，甚至連專業藝術師資培育系統也廢弛，或許證明這樣的質疑並不是少數人的看法。

對應上述質疑的概念，必須重提第一章的文字：聯合國教科文組織UNESCO（United Nations Educational, Scientific and Cultural Organization），2010年五月在首爾舉辦的第二屆世界藝術教育大會，聚集來自95個國家，超過650名官員及專家，透過部長級圓桌會議、專題演講、小組討論、工作坊、區域性團體討論，以及藝術教育和文化交誼等互動方式，歷時將近一年所完成的首爾議程報告書：《藝術教育發展的目標》（Seoul Agenda：Goals for the Development of Arts Education），則認為**藝術教育是高品質教育革新的重要而且永續的成分，也是社會文化發展的原動力，可以協助解決今日世界所面臨的社會和文化衝擊**…。如此定位的藝術教育目標和價值，與前述「無用的學習」，兩種認知與觀念的落差，應該是一個值得深思的課題。

對視覺藝術教育所持的哲學價值觀，會影響我們對藝術教育重要性的認定，但學校教育和各種體制外的視覺藝術教學，儘管實際上有各種理念和目標的明顯差異，但卻都各有論述自稱是良善的藝術教育，這是一團讓藝術教育面貌模糊的迷霧，藝術教育重不重要、或重要到什麼程度，其實取決於我們所討論或真正實施的視覺藝術課程的教學內容，以及我們對藝術學習的長遠目標所持的教育哲學觀。

壹、視覺藝術教學的型態與層次

國民教育的視覺藝術教育不是藝能科、不是「擇英才而教之」的藝術專業人才基礎養成，而可以也應該是以人的生涯為著眼點，並緊密連結世俗生活的

精神性價值尋求的學習活動，這才是「透過藝術的教育」和世界藝術教育會議所尋求的目標，也就是本書所強調的：**藝術教育關注和追求的應該是「個人的人生自我實現」和「國民素質」、「社會文化品質與發展」**。除非確認我們目前的藝術教育理念，以及實質課程內容已達到這樣的狀態，否則藝術課程相關的實踐研究和革新，就有相對的推展空間和必要性。

不同教學型態的藝術學習目的和價值，會有層次上的明顯差異，以下借用韋伯「知識深度系統」的概念（N.L.Webb，1997），將媒材、技法與形式幾乎完全相同的教學型態，在實際教學現場可能呈現的不同觀念與結果，作為分析視覺藝術教學層次差異的例子。

第一層次的教學單元「相框製作」：以厚紙板的中空夾層機能結構，指導相框或畫框的製作，完成可以放置照片或卡片、圖畫、獎狀等的目的性表現教學模式，也類似常見的視覺藝術「生活實踐」教學，學習重心很容易偏向作品導向的形式化學習，要求技術和視覺效果的完成度，這種只停留在技巧和概念層次的學習，藝術學習會停留在既定的理論、技術、結構和作品上，因此可能很難避免落入「無用的學習」層次。

第二層次的教學單元「珍藏自己生活記憶的相框」：同樣的媒材、技法、形式，但連結孩子的生活經驗和省思、感受，對於相框的製作意義和存放的內容作思考，表現的形式和技巧應用都會有更廣的空間，也可以連結美感形式的表現等，屬於一般常見也比較被認可的教學型態，但嚴格分析仍屬於學科中心的教學思維，重視製作的策略和對預期表現形式的引導，並不容易跳脫「學習藝術」的學科框架，雖然能夠培養基本能力和表現能力，但對於社會、文化等重要人生議題的連結，就比較欠缺足夠的學習深度。

第三層次的教學單元「給○○同學的獎狀」：同樣是製作相框，但全班以抽籤方式每人抽得一個同學為對象，設計一張獎狀並裝在自己製作的相框，頒給抽到的那位同學，獎狀內容是列舉同學的優點和受獎理由，獎狀和相框的造形也必須配合受獎事蹟設計。製作成果和教學總結採取公開頒獎的分享活動，讓每個孩子對同學作全新的正面發覺和認識，建立自信和人與人互相尊重和彼

此對待的態度，以及對生命個體獨立價值的體認，這才是足以形塑開放的心靈和多元價值觀的「大概念」。成為學習手段的相框製作是否精美，自然也跳脫學科思維而不會是關注的重點，教學評量也不再是作品的技術和完成度，這樣的延伸和連結就是「透過藝術」，穿透到深度學習的層次而「超越學科」了。

以上三種層次的視覺藝術學習，哲學價值觀的差異應該相當明顯，但學習的表面形式卻似乎都一樣，這大概也是藝術教育改革的重大困境。甚至二、三兩種層次究竟有什麼主要的差異，可能也是視覺藝術教師的困擾，如果以主題式學習的概念來分析，第二層次的藝術學習傾向目標導向的教學，但可能囿於學科而缺少深層學習意義的大概念或議題連結，第三層次教學的核心概念是人與人互相對待的態度省思，是價值觀和人生態度的學習，更是所謂「共好」的教育目標落實的明確方式，「透過藝術的教育」的學習意涵與差別就在此。

貳、視覺藝術的統整學習

當代教育強調跨領域統整學習，上述二、三兩個層次的教學都可以從題材上連結其他領域，但關鍵的概念則在「跨領域」的意涵，是連接課程綱要內的既定學習領域，或是跨出這些既定領域而連結所有的人生議題？跨領域統整學習的理念，強調單一學科的學習內容，不大可能面對和解決真實的人生問題，那麼邏輯上必須質疑的是：現有課程綱要既定的所有學習領域，是不是能夠涵蓋所有當代生活必須面對的情境？是否足以讓學生妥善對應真實人生的所有問題？從課程實施必須額外規劃十幾項的所謂「融入議題」，就足以證明現有課程領域的侷限性，因此簡單的邏輯應該可以確認「跨領域」只是手段而不是目的，前述參考例的第三層次藝術教學，是因為學習的意義和價值的思考，才研判、選擇合宜的跨域連結的學習題材，並不是為跨領域而跨領域。

Aaron D. Knochel 探討美國的 STEAM 課程與藝術教育，從課程的定義包括學習計劃、教學系統、學習經驗、學習成效，以及學生發展的媒介和知識的結構等（陳怡倩譯，2019），進而釐清「多學科」（multidisciplinarity）、「跨學科」（interdisciplinarity）和「超越學科」（transdisciplinarity）的統整差異，原作的譯文是：「多學科」是指從學科的領域的觀點出發，多方審視、探究某個

核心問題，但主要的學習內容仍集中在某個學科裡。「跨學科」指的是在學習過程中與不同的學科連結，在認識和應用間找出同質性的元素，有時甚至會發展出新的學科。「超越學科」是穿越學科與學科、超越學科之上的模式。而所謂的「超越」就是沒有學科邊界，是一種把學科混合成另外的新學科的過程。以這樣的觀念來理解跨領域統整學習，應該可以確認跨領域統整不是目的，也未必是必要的學習手段，而必須是背後有一個結構性的問題，或是一個有獨特學習意義的議題作為原點，才據以發展學習領域的拓展和連結。

以下嘗試以比較具體的教學型態為例，或許有助於理解跨領域統整的不同概念。例如以西方文藝復興為題材，視覺藝術的學習可以連結歷史、地理、社會等學科，而對文藝復興時期的藝術解讀，提供更多有助於理解和詮釋的背景資訊，這樣的學習可以讓文藝復興的藝術現象和觀念，豐富其他連結領域的學習內容，而其他領域則可以讓學習主軸的藝術跳脫學科，達成藝術學習的更廣面向與生活連結，具有實質的學習意義和明確目標，這是「多學科」的統整型態。如果視覺藝術跨域連結文學領域，將詩、書、畫整合為學習和表現的形式，就有可能模糊原有兩個領域的邊界，詩的意境轉化為圖像、視覺藝術蘊含文學韻味，兩者的學習內容都因而擴充、延伸，產生原有學習領域之外全新的認知和表現能力，這是「跨學科」的統整方式。如果是前述第三層次的教學案例，以「人應該怎麼互相看待」為核心概念，學習就必須連結個人的情感經驗，以多樣的各種可能方式收集資訊，以各種活動交換觀念和價值澄清，最後以自己的方式表現自己的想法，並透過分享、辯證來完成學習，這就是取消了領域的「超越學科」。這種似乎沒有學習領域的統整，因為沒有邊界而超越原有學科，所以在特定理念和實踐方式下，即使以單一學科發展課程或實施教學，仍然可能符合統整學習的理念並更具可行性，所以不能從表面形式論斷為不具統整學習的性質。目前教育部的「實踐藝術教學研究中程計畫」，就具有這樣的特色，僅以課程綱要既有的視覺藝術學習為主，尋求「超越學科」的教學實踐。這種實施方式可以避免一項窘境，就是在課綱領域外另起爐灶作研究，卻可能面對教學研究的結果，在現行課程內沒有對應領域，也沒有教學時數可實施的難題。

國民教育的「透過藝術」的理念，並未在目前的教學現場被充分理解，也沒有在教學現場充分發展，尤其是小學階段的學生，受限於藝術經驗、理解能力和人生體驗，或許難以強求所有教學都達到第三層次，但整體的視覺藝術學習內容，卻不能完全欠缺這種思考和學習型態，否則透過藝術的教育最主要的精神就會失落，藝術教育所期待的「詩性智慧」、「哲學思維」、「精神價值」、「靈性境界」等終極目標，就可能會淪於空談，這也是藝術課程發展的重要課題。本文的相關論點並非以區隔教學層次為重點，所謂的三種教學層次也可能有互相交錯的模糊地帶，因此必須作不同層面的深入探討。

首先是學科本位的教學者未必認為自己的教學有問題，因為藝術在人類文化中的尊崇地位，並不難找到支撐專業藝術學習價值的論述，目標導向的學習藝術的教學，也很容易在目標結構中呈現學習的意義和價值，要將「透過藝術的教育」推崇為唯一應有的教學型態，必要性和可行性都必須透過課程的「擇宜」和「慎思」，這也是「實踐藝術」的課程發展，並不認同典範模式的基本觀念。

其次，議題連結的第三層次教學設計和思考方式，一般教師除了觀念的探討和釐清，實質面如何規劃教學題材，都是教學專業實務層面的要求，而關鍵則是在意識形態和教學者的人文素養，對社會、文化現象發展的關注，以及人生哲學和價值觀的經常反思，才是教學設計和實施的立足點。日本 2018 修訂學習指導要領，新編的圖畫工作科和美術科教科書，強調 ESD 精神（Education for Sustainable Development）（水島 尚喜，2018），藝術教育是要培養對社會創新具持續發展可能性的孩子，關鍵詞的「社會創新」也是第三層次教學的思維，不只牽涉能力養成，更連結社會關懷和人生議題，這也是當代藝術學習的核心價值。

藝術連結的人生議題具高度複雜性，多樣而且沒有標準答案，卻又是每個人都必須認真面對的真實問題，現實生活的周遭充斥綜藝化的政治、文化、媒體，以及偏好追求表面形式的淺碟子文化現象，教育和日常生活如果遠離有深度的閱讀、欣賞、思考…，就極可能是整個社會文化沉淪的開始，所以，最後這個層面的教學思考，才是視覺藝術教學探討的核心，也是定義藝術教學專長

最基本但最重要的條件。

參、當前藝術教育的生態

教育部 2012 年的基礎研究，歸納目前台灣學校教育有以下問題：

1 學習主體性及學習權的理解仍待深化

2. 學習常與生活脫節難以連結真實世界

3. 基本能力導向的課程轉化仍須深化

4. 學生學習動機及高層次思考仍須提升。

本書第一章對視覺藝術教育現況問題的討論，整體教育生態或許具有難解的結構性問題，以下是對目前藝術教育生態的分析：

一、這些問題的背後或許和教學現場的威權、教學專業不足與學習效率低落、升學考試導向欠缺全人教育思考等因素有關，想要解決這些問題，絕對不可能是視覺藝術教學能竟全功，本書對藝術教育問題雖然有足夠的關照，即使面對新課程綱要修訂的理念，也都有相對應的思考和方法學的論述，但教育革新必須是一種全面性的行動，「教育」最基礎的本質目的，應該是意圖讓受教育的每一個人，都有足夠的能力和條件，實現自己有意義的人生，這樣的藝術學習目的，會包含非常複雜甚至互相矛盾的不同觀念，也未必會有標準答案。因此，**探尋生命的意義和生活的價值**，或許是所有教育和學習領域，不可或缺的目標元素和思考，檢視任何學習領域的課程觀，都可以藉此作基本的價值判斷標準。

二、回歸本書以「透過藝術的教育」為課程核心，對應的就不是每個人都未必需要的**學科成就**，也不僅止於操作教學的技術，呈現所謂的教學成果或辦學績效而已，藝術教育必須關注國民素質和整體社會文化發展，著眼於藝術學習目標的深層意義和價值探尋。而這樣的目的所牽連的相關因素，除了課程綱要的教育哲學取向，現實面的教學者是否具備完整、紮實的教學專業素養和實務經驗，才是真正最根本的關鍵因素，面對目前藝術師資培育系統完全潰散的狀態，「藝術教育學」的專業將欠缺研究和發展的條件，以目前不少藝術教學研究的方式，將教材研發和教學實施直接交由教學現

場產出，如果以高標準來研判目前藝術師資的專業水準，這樣的所謂研究方式其實充滿不確定因素，如果確認視覺藝術教學是絕對的專業，那麼師資養成和教學專業的實質內涵，就會是目前教育生態亟待解決的問題。

三、仔細檢視本書第五章的課程結構分析，明顯力求擺脫學科中心思維，對教學設計最明確的要求，就是學習題材和內容，必須連結真實生活的經驗和人生議題，基本上就是跨域、連結、統整的學習，以生涯為著眼點規劃學習目標，和前述的教育本質目的有密切關連。這項課程發展與實踐需要有可操作的工具，包括教科書的編審與實際應用，單元教學活動設計格式的共通規範研擬，教學評量的使用工具等，都必須審慎規劃提供教學實務上的有效協助。目前的藝術教科書是編給具教學專長的教師使用，或是要讓非專長任課的教師方便「應付」授課需求，就是難以解決的困擾和問題，再加上教科書在教學現場並沒有拘束力，不按照教科書上課的現象相當普遍，而教學活動設計的格式五花八門，對教學經驗分享和理念的探討，都很容易造成溝通不良的干擾，這些實質教學實施的細節問題，都必須作審慎的規劃和因應。

四、視覺藝術教學實踐的主體是學習者，所以學生的學習起點條件和基礎，也是目前教育生態的重要課題，以當代教育哲學趨勢和教學原理而言，良好的學習型態，包括跨領域統整或主題式學習，原則上都期待學生能整合、活用既有的知識和技能，能夠連結生活經驗而發展自主性的學習，在面對真實生活時能獨立思考、發揮創意、解決問題，但這樣的學習型態，基本上必須以學生先備的學習經驗為基礎，也就是以既有的知識、技能和經驗，作為統整學習的基本憑藉。因此，基礎教育的國民教育中、小學階段，就有必要奠定最基本的學科系統學習經驗，否則所謂的統整學習和自主學習，很可能是欠缺學習發展立足點的高調而已。

五、視覺藝術的表現或欣賞學習，大部份都是以經驗發展學習活動的型態，台灣目前由於藝術課程結構、教科書編審、師資養成與任課安排等教學實施問題，中、小學生幾乎都沒有共同的視覺藝術學習經驗，教師面對認知、技能和觀念等經驗都有很大落差的教學對象，實際上難以設定合宜的學習

內容、技法難度、表現形式、要求標準等,藝術欣賞教學更是隨機實施,並沒有課程和學習內容的組織,因而也難以發展欣賞教學評量的研究,這種無法確定教學內容是否適當的現象,不僅無法要求主動的統整學習,難以維護教學品質,甚至連藝術學習的基本精神和價值,都很容易陷入紊亂而完全失落。

肆、教育生態與藝術教育的專業性

解決教育生態或藝術教育的問題,或許回歸「藝術教育學」的專業性,才是可能有效的途徑之一,但目前教育或藝術教學「專業」的生態,其實仍有再作檢視和探討的空間。臺灣社會長久以來,承受威權統治的歷史經驗影響,對「專家」的依賴習慣可能較為根深蒂固,以下用較誇張的比喻來探討「專業」和「專家」的差異,這是教育生態值得反思或警惕的現象,至於是不是有相對應的事實存在,或許不必作太多揣測。

有一種姑且稱為「籃球專家」的人物,可以頭頭是道的論述:籃球運動團隊合作的意義、公平競爭的價值、遵守規則的守法精神、健身足以強國…等,而結論是:籃球是一種偉大的運動,具有崇高的功能和價值,所以每一個人都應該學會打籃球。這種「專家論」可能被當笑話,但這種專家論述在客觀的檢驗下,並沒有理論的瑕疵或邏輯的謬誤,也有人可能會接受這種專家「理論」。

「籃球專家」還可能以另一種型態出現,可以提出「籃球必勝」的「專業論述」:一、投籃要準確,命中率九成以上。二、彈性要優越,包辦兩邊籃板球。三、速度要敏捷,快攻回防都制敵先機。四、體力要充沛,全場衝鋒不疲累。五、團隊要合作,默契十足不失誤。而結論當然是:只要確實達成「籃球五要」,這支球隊絕對百戰百勝,可以贏過 NBA 冠軍隊。這或許又會被認為只是笑談,但這些論述仍沒有什麼謬誤,很難加以批判或反駁,問題只在這些「正確」的理論,究竟實質意義或實踐的可能性如何而已。

當然,「籃球專家」也有可能會提出方法論,例如讓籃球隊員練習馬拉松來培養充沛的體力、練習跳高來訓練優越的彈性、練百米短跑來養成敏捷的速

度，每天投籃一千次來提高命中率等，這種想當然爾的「專家方法論」，或許不難判斷是笑話一樁。但如果把「籃球」替換成哲理性的論題，如文化、教育、社會等議題，實際情況恐怕就讓人笑不出來了。類似的例子是論述「雪地求生」的價值，除了維護生命還能夠統整自然科學、物理、天文的學習，培養解決問題的能力，學習的價值和意義都可以完整論述毫無疑義，但所有的台灣學生都應該學「雪地求生」，或是必須學好「交通安全」？

以上的敘述並不是刻意貶抑「專家」，但確實有區隔「專家」和「專業」的用意，專家是一種名份上的認定，無論專家是否只擅長提目的論，遵奉一家之言為圭臬多半有它的危險性。專業則是一種實質的知能素養，必須能發現問題和分析可能成因，除了批判也必須提出方法論，主要的差別是專業多半是開放的凝聚共同智慧，面對各種事理的基本原則，持有澄澈透明的心態，以及完全就事論事的論理功夫，那才是驗證真正專業和專家的途徑，或甚至是尋求不需要專家但可以解決問題的情況。這是「實踐藝術」教學研究的態度，也是對台灣藝術教育生態的期待。

仰賴「專家」的論述難以避免，事實上也有其必要性，但專家不應只來自單一的源頭，也未必來自學歷或職位，專家的身分、資歷，也不是理論是否正確的判斷依據，不過度迷信專家，或許更容易發現事理的不同面向，能夠更周延的看清事實和真相。本書一再提到薩依德（Edward W. Said）的「世俗批評與批判意識」一文（呂健忠 譯 1998），可以提供這個觀念的最佳註解。

伍、結語

面對困境或許會讓人有無力感，但總覺得積極的人生是找辦法而不是找藉口，是解決問題而不是裝作無辜。用比較誇張的說法來描述本書的整體概念，當代視覺藝術課程不是要「教好藝術」，而是專注於要「教好一個人」，這樣的概念以人的生涯為著眼點，學習的目的在人生的自我實現，自然連結議題而融合其他學習領域，所以不會在意是否跨領域統整，也不僅止於操作教學技術和追求作品效果，甚至不必自我設限於素養指標的條文，而是直接跨越到「人應該怎麼活」的思考，「超越學科」的最終是老師和學生都養成哲學思維，能

夠探尋深層的生命意義和人生態度。

　　本書所描繪的視覺藝術教育，不是學科或課程綱要裡的學習領域，而是一個探觸真實生活的、以人為本的願景，或甚至是對共同的未來尋求夢想。如果想要追求目前尚未達到的藝術學習型態和境界，必須是無可救藥的理想主義者的共同行動，也期待閱讀這本書的視覺藝術教學者，當作這是嘗試成為藝術教育先行者的起步！

附錄一：圖片來源一覽表

編號	圖片名稱	圖片出處
1	《美感教育與藝術教育關係》示意圖	教育部美感教育中長程計畫第一期五年計畫：視覺形式美感教育計畫 p15
2	藝術教育、美感教育、生活經驗的關聯性示意圖	作者自行繪製
3	當代藝術教育內涵與功能性示意圖	作者依據漢寶德《漢寶德談藝術教育》p69,70 圖三、圖四自行繪製
4	外國兒童畫作品	中華民國世界兒童畫展畫冊
5	台灣小學生作品	翻拍自全國學生美展畫冊
6	台灣小學生作品	作者自拍教學留存兒童畫作品
7	台灣小學生作品	作者自拍兒童繪畫比賽淘汰作品
8	日本學校教育課程三大支柱	授權引用大橋 功《美術教育概論》p37
9	視覺藝術課程結構三項內容關聯性示意圖	作者自行繪製
10	視覺藝術課程結構的思考基礎	作者自行繪製
11	法國拉斯科洞窟壁畫	翻拍《西洋繪畫 2000 年 -1》，錦繡文化，p37
12	威蘭多夫的維納斯	翻拍《人類的遺產 -2》，光復書局，p160
13	維斯多尼士的維納斯	翻拍《大英視覺藝術百科全書中文版 -1》，p23
14	祭祀的一幕	翻拍《大英視覺藝術百科全書中文版 -1》，p31
15	仰韶文化彩陶雙耳罐	翻拍《天理參考館》，天理教，p56
16	翠坡文化圓錐形罐	翻拍《大英視覺藝術百科全書中文版 -1》，p32
17	死者之書	翻拍《世界四大古文明》，NHK，p19
18	西漢馬王堆帛畫	翻拍《大英視覺藝術百科全書中文版 -2》，p122
19	沙特爾天主教堂	翻拍《世界文化遺產》，京中玉，p27
20	北印度卡鳩拉合印度教神殿	萬榮瑞攝影提供
21	柬埔寨吳哥窟神殿	網路旅遊廣告圖片
22	馬雅神像石刻碑柱	作者本人現場攝影
23	印度教神殿外牆石雕	萬榮瑞攝影提供
24	龍門石窟 壁雕佛像	翻拍《中國宗教藝術大觀 -1》，文旺圖書 P163
25	達文西《蒙娜麗莎的微笑》	翻拍《西洋繪畫 2000 年 -3》，錦繡文化，p28
26	米開蘭基羅《最後的審判》	翻拍《西洋繪畫 2000 年 -3》，錦繡文化，p58
27	拉斐爾〈雅典學院〉	翻拍《西洋繪畫 2000 年 -3》，錦繡文化，p40
28	萊茵畫派《天堂花園的聖母》	翻拍《西洋繪畫 2000 年 -1》，錦繡文化，p253
29	凡・艾克《阿諾芬尼婚禮》	翻拍《西洋繪畫 2000 年 -2》，錦繡文化，p224

30	克西莫《蜂蜜的發現》	翻拍《西洋繪畫 2000 年 -2》，錦繡文化，p111
31	貝里尼《聖法蘭西斯可》	翻拍《西洋繪畫 2000 年 -2》，錦繡文化，p201
32	科托那〈巴爾貝尼宮屋頂壁畫〉	翻拍《大英視覺藝術百科全書中文版 -4》，p142
33	尚伯恩〈費斯堡的凱瑟大廳〉	翻拍《大英視覺藝術百科全書中文版 -4》，p164
34	傑里柯《梅杜莎之筏》	翻拍《西洋繪畫 2000 年 -5》，錦繡文化，p85
35	米勒〈拾穗〉	翻拍《世界の名畫》，株式會社連廣社，p54
36	賀寇瑪〈罷工〉	翻拍《大英視覺藝術百科全書中文版 -5》，p17
37	莫內〈日出－印象〉	翻拍《西洋繪畫 2000 年 -5》，錦繡文化，p156
38	高更《伊亞奧拉那瑪利亞》	翻拍《西洋繪畫 2000 年 -5》，錦繡文化，p231
39	塞尚《蘋果籃靜物畫》	翻拍《西洋繪畫 2000 年 -5》，錦繡文化，p214
40	梵谷〈星夜〉	翻拍《西洋繪畫 2000 年 -5》，錦繡文化，p248
41	克林姆〈接吻〉	翻拍《西洋繪畫 2000 年 -5》，錦繡文化，p290
42	孟克《吶喊》	翻拍《西洋繪畫 2000 年 -6》，錦繡文化，p25
43	馬諦斯〈生之喜悅〉	翻拍《西洋繪畫 2000 年 -6》，錦繡文化，p61
44	席勒《死亡與女人》	翻拍《西洋繪畫 2000 年 -6》，錦繡文化，p47
45	畢卡索《三個樂師》	翻拍《西洋繪畫 2000 年 -6》，錦繡文化，p85
46	杜象〈下樓梯的女人 No2〉	翻拍《西洋繪畫 2000 年 -6》，錦繡文化，p232
47	杜象〈噴泉〉	翻拍《西洋繪畫 2000 年 -6》，錦繡文化，，p81
48	曼・雷〈禮物〉（複製品）	翻拍《體驗現代美術》，株式會社視覺デザイン研究所出版，p125
49	康丁斯基《黃、紅、藍》	翻拍《西洋繪畫 2000 年 -6》，錦繡文化，p138
50	帕洛克《一》第 31 號	翻拍《西洋繪畫 2000 年 -6》，錦繡文化，p302
51	達利《煮熟的四季豆的柔軟構造：內戰的預告》	翻拍《西洋繪畫 2000 年 -6》，錦繡文化，p257
52	夏卡爾〈村莊與我〉	翻拍《西洋繪畫 2000 年 -6》，錦繡文化，p190
53	安迪・沃荷〈210 個可口可樂瓶〉	翻拍美術の 60 年代，MOT，p271
54	歐登柏格〈盤裝食物〉系列	翻拍美術の 60 年代，MOT，p219，
55	野口 勇《遊戲雕塑》	作者於北海道 moere 沼公園攝影
56	堀内 紀子《網結之城》	作者於雕刻之森美術館攝影
57	封答那〈空間概念〉	翻拍體驗現代美術，株式會社視覺デザイン研究所出版 p42
58	亨利摩爾《兩個斜躺的人像》	作者於雕刻之森美術館攝影
59	馬格利特〈圖象的背叛〉	翻拍《西洋繪畫 2000 年 -6》，錦繡文化，p275
60	吳梓寧〈家庭代工〉	吳梓寧提供

61	雷斯・克林姆斯〈一位耙子的修正者復原〉	翻拍《後現代的藝術現象》，藝術家，p167
62	盧明德〈潮間帶藝術偵測站 2005 年度計畫聯展〉（局部）	盧明德提供
63	吳梓寧《虛境公民》3D 圖像	吳梓寧提供
64	吳梓寧〈虛境公民 -2〉網路靈魂銀行 - 網路軟體	吳梓寧提供
65	急凍醫世代 - 醫藥與科技藝術國際展開幕及畫冊封面	作者於國立美術館開幕攝影
66	陳瑞福〈看肚肉〉	陳瑞福提供
67	薛保瑕〈流動符碼〉	薛保瑕提供
68	沈欽銘《鹿港小街》	沈欽銘提供
69	尼基《miss black power》	作者本人於雕刻之森美術館攝影
70	幼兒粉蠟筆塗鴉	子供の絵の発達と道筋，日本文教出版 p6
71	幼兒軟筆塗鴉	作者自拍教學留存兒童畫作品
72	幼兒圖式前期命名塗鴉	子供の絵の発達と道筋，日本文教出版 p12
73	幼兒圖式前期描繪	作者自拍日本教育會議場地佈置兒童畫作品
74	圖式期兒童畫	作者自拍教學留存兒童畫作品
75	圖式期兒童畫	作者自拍教學留存兒童畫作品
76	黨群期（擬似寫實前期）兒童畫	作者自拍教學留存兒童畫作品
77	黨群期（擬似寫實前期）兒童畫	作者自拍教學留存兒童畫作品
78	推理期（擬似寫實期）兒童畫	作者自拍教學留存兒童畫作品
79	推理期（擬似寫實期）兒童畫	作者自拍教學留存兒童畫作品
80	內向思考型兒童畫	作者自拍教學留存兒童畫作品
81	內向思考型兒童畫	中華民國世界兒童畫展畫冊
82	外向思考型兒童畫	日本世界兒童畫展畫冊
83	外向思考型兒童畫	中華民國世界兒童畫展畫冊
84	內向感情型兒童畫	作者自拍教學留存兒童畫作品
85	內向感情型兒童畫	作者自拍教學留存兒童畫作品
86	外向感情型兒童畫	子供の絵の発達と道筋，日本文教出版 p16
87	外向感情型兒童畫	日本世界兒童畫展畫冊
88	內向感覺型兒童畫	中華民國世界兒童畫展畫冊
89	內向感覺型兒童畫	作者自拍教學留存兒童畫作品
90	外向感覺型兒童畫	中華民國世界兒童畫展畫冊
91	外向感覺型兒童畫	中華民國世界兒童畫展畫冊

92	內向直覺型兒童畫	中華民國世界兒童畫展畫冊
93	內向直覺型兒童畫	中華民國世界兒童畫展畫冊
94	外向直覺型兒童畫	中華民國世界兒童畫展畫冊
95	外向直覺型兒童畫	國泰人壽全國兒童畫展畫冊
96	地面線表現的兒童畫	作者自拍教學留存兒童畫作品
97	基底線表現的兒童畫	日本世界兒童畫展畫冊
98	主觀色彩與概念表現兒童畫	作者自拍教學留存兒童畫作品
99	客觀色彩表現兒童畫	作者自拍教學留存兒童畫作品
100	誇張式變形表現兒童畫	中華民國世界兒童畫展畫冊
101	強調式表現兒童畫	中華民國世界兒童畫展畫冊
102	透明式表現兒童畫	中華民國世界兒童畫展畫冊
103	透明式表現兒童畫	中華民國世界兒童畫展畫冊
104	摺式展開表現兒童畫	日本世界兒童畫展畫冊
105	摺式展開表現兒童畫	中華民國世界兒童畫展畫冊
106	時間連續式表現兒童畫	中華民國世界兒童畫展畫冊
107	時間連續式表現兒童畫	中華民國世界兒童畫展畫冊
108	幼兒畫：《看我種的神奇花》	中華民國世界兒童畫展畫冊

附錄二：參考書目

一、中文書籍

1. Herbert Read 原著，呂廷和譯《教育與藝術》（Education through Art）1973，高雄：東榮印刷

2. V. Lowenfeld 原著，王德育譯《創性與心智之成長》1976，台北：啟源書局

3. Rudolf Arnheim 原著，李長俊 譯《藝術與視覺心理學》1982. 台北：雄獅圖書

4. Marita Sturken、Lisa Cartwright 原著，陳品秀譯《觀看的實踐》，2009，台北：臉譜 . 城邦文化

5. 高千惠《第三翅膀─藝術觀念及其不滿》2014，台北：典藏藝術

6. 《課程統整與教學》中華民國課程與教學學會主編，2000，台北：揚智文化

7. 黃王來主編《藝術與人文教育》上、下冊，2002，台北：桂冠圖書

8. Edward O. Wilson 原著，梁錦鑫譯《知識大融通》2001，台北：天下遠見

9. 漢寶德《漢寶德談藝術教育》2006，台北：典藏藝術

10. 呂桂生《國民小學美勞科教材教法》1996，台南：南一書局

11. Elliot W. Eisner 原著，陳武鎮 譯《兒童自覺的發展與美術教育》1990，台北：世界文物

12. 林曼麗《臺灣視覺藝術教育研究》2000，台北：雄獅圖書

13. Arthur C. Danto 原著《在藝術終結之後》，林雅琪、鄭慧雯譯 2004，臺北：麥田

14. 高宣揚《後現代論》1999，台北：五南圖書

15. Arthur C. Danto 原著 鄧伯宸譯《換一種眼光看美》（The Abuse of Beauty）2008，國立編譯館 / 立緒文化 合作出版

16. 呂健忠譯《反美學》論文集，1998，台北：立緒文化

17. 陸蓉之《後現代的藝術現象》1990，台北：藝術家

18. Richard Appignanesi 原著 黃訓慶譯《後現代主義》1996，台北：立緒文化

19. 陸蓉之《破後現代藝術》2003，台北：藝術家

20. 高千惠《藝術，以 XX 之名》2009，台北：典藏藝術

21. Alan Bullock 原著，董樂山譯《西方人文主義傳統》2000，台北：究竟

22. 陳懷恩《圖像學─視覺藝術的意義與解釋》2008，台北，如果出版：大雁文化

23. 謝東山《藝術批評學》2006，台北：藝術家

24. Robert Layton 原著 吳信鴻 譯《藝術人類學》1995，台北：亞太圖書

25. Sally W. Olds、Diane E. Papalia 原著《兒童發展》楊國樞主編，1990，台北：桂冠

26. 張文軍《後現代教育》1998，台北：揚智文化

27. 霜田 靜志 原著《兒童畫的心理與教育》蔡金柱、李叡明譯 1993，台北：世界文物

28. 李賢文策劃《西洋美術辭典》1982。台北，雄獅圖書

29. 劉文潭《現代美學》1967，台北：臺灣商務

30. 葉朗《美學原理》2014，台北：信實文化

31. 朱立元主編《西方美學名著提要》上、下冊，2001，台北：昭明

32. 劉千美《差異與實踐》2001，台北：立緒文化

33. Herbert Read 原著，杜若洲譯《藝術的意義》1972，台北：大江

34. Thomas E. Wartenberg 編著，劉藍玉、張淑君、吳霈恩譯《論藝術的本質名家精選集》，2004，台北：五觀藝術

35. Eric Booth 原著，謝靜如、陳嫻修譯《藝術，其實是個動詞》2003，台北：布波

36. Richard Leakey 原著，楊玉齡譯《人類傳奇》（The origin of Humankind）1995，台北：天下文化

37. Daniel C. Dennett 原著，陳瑞清譯《萬種心靈》1997，台北：天下文化

38. W. Lambert Brittain 原著，陳武鎮 譯《幼兒創造力與美術─康乃爾大學五年實驗報告》，1991，台北：世界文物

39. 李長俊《西洋美術史綱要》1980，台北：作者自行出版

40. 謝里法《日據時代台灣美術運動史》台北，藝術家

41. 顏娟英、黃琪惠、廖新田《台灣的美術》2006。台北，李登輝學校

42. 李欽賢《台灣美術閱覽》1996。台北，玉山社

43. 行政院文化建設委員會《台灣當代美術大系》2003。台北，藝術家

44. 倪再沁《台灣美術的人文觀察》2007。台北，藝術家

45. 蔣勳《中國美術史》1990，台北：東華書局少年部

46. James Cahill（高居翰）李渝 譯《中國繪畫史》1985。台北，雄獅美術

47. Arnold Hauser 原著，邱彰譯《西洋社會藝術進化史》1987，台北：雄獅美術

48. 趙惠玲《視覺文化與藝術教育》2004，台北：師大書苑

49. 俞建章、葉舒憲《符號：語言與藝術》1992，台北：久大文化

50. 洪米貞著《原生藝術的故事》2000，台北：藝術家

51. 《大英視覺藝術百科全書》中文版第 1、4、5 卷，1988，台北：台灣大英百科

52. 《西洋繪畫 2000 年》1 ～ 6 冊，1999，台北，錦繡文化

53. 何政廣著《歐美現代美術》1994，台北：藝術家

54. Suzi Gablik 原著，滕立平譯《現代主義失敗了嗎？》1991，台北：遠流

55. 黃政傑《課程設計》1991，台北：東華書局

56. 黃政傑主編《課程思想》2005，台北：冠學文化

57. 蔡源煌《當代文化理論與實踐》1991，台北：雅典

58. 張春興、林清山《教育心理學》1981，台北：東華書局

59. Mary A.S. Pulaski 原著，王文科譯，《兒童的認知發展導論》1985，台北：文景
書局

60. George Nelson 原著，胡致薇等譯，《如何看》1991，台北：尚林

61. 崔光宙《美感判斷發展研究》1992，台北：師大書苑

62. Robert Sokolowski 原著，李維倫譯，《現象學十四講》2004，台北：心靈工坊
文化

63. 陳瑞文《阿多諾美學論》2004，台北：左岸文化

64. 賀瑞麟《今天學美學了沒》2015，台北：商周

65. 梁福鎮《審美教育學》2001，台北：五南圖書

66. 何秀煌《記號學導論》1969，台北：大林書店

67. 曾長生《超現實主義藝術》2000，臺北：藝術家

68. 陳怡倩主編《21 世紀 藝術 文化 教育》2019，台北，洪葉文化

二、外文書籍

69. 大橋 功、松崗 宏明等《美術教育概論》新訂版，2018，東京：日本文教出版

70. 赤木 里香子、新關 伸也等《鑑賞學習評量表與指南》2018，日本美術教育學會
研究組

71. 《圖畫工作》日本小學教科書，全 6 冊，2018，東京：日本文教出版

72. 《美術》日本中學教科書，全 3 冊，2018，東京：日本文教出版

73. 《高校美術》日本高中教科書，全 3 冊，2018，東京：日本文教出版

74. 南雄 介／鹽田 純一等編集《美術の 60 年代 From Warhol to Beuys》1995，日本：東京都現代美術館

75. 《世界四大古文明》NHK 編集，2000，日本東京：日本放送出版

三、期刊、論文、其他

76. 《十二年國民基本教育課程綱要》2018，台北：教育部

77. 《國民中小學九年一貫課程綱要》，2003，台北：教育部

78. 《第九屆威尼斯建築雙年展—蛻變》典藏今藝術月刊，2004 年 9 月，臺北

79. 《急凍醫世代》展覽專輯，吳梓寧、簡上閔策展，2009，台中：國立台灣美術館

80. 盧明德等《潮間帶藝術偵測站 2005 年度計畫》展覽專輯，2005，高雄市立美術館

81. 孫良水《阮籍審美思想研究》1998，高師大國文系博士論文

82. 張栢烟《台灣藝術教育志業者的精神性特質》2013，台師大美術教育博士論文

83. 劉豐榮《艾斯那藝術教育思想研究》1985，台北：台灣師大碩士論文

84. 陳宏星《不是藝術的藝術》典藏今藝術月刊 2001 年 12 月（No.111）臺北

85. 吳正雄《國小美勞課程發展的理論與課程架構》1998，屏東師範學院視覺藝術與美勞教育國際學術研討會論文

86. 萬榮瑞《兒童生活畫研究與教學實驗》2000（已公開發表並展覽，尚未出版）

87. 吳正雄《兒童本位的美勞課程結構與教學法研究》2000，InSEA 亞洲區會議東京大會藝術教育國際學術會議論文

88. 萬榮瑞《想像畫教學研究與教學實驗》2002（已公開發表並展覽，尚未出版）

89. 歷年《中華民國世界兒童畫展畫冊》，1969 ～ 2019，中華民國兒童美術教育學會出版

90. 《海海人生陳瑞福》畫冊，2005，台北：國立歷史博物館出版

■ 國家圖書館出版品預行編目（CIP）資料

視覺藝術教育概論 / 吳正雄著. — 初版. -- 高雄
市：麗文文化, 2019.08
　　面；　公分
　　ISBN 978-986-490-162-3(平裝)

　1. 藝術概論　2.視覺藝術

903　　　　　　　　　　　108013410

視覺藝術教育概論

初版一刷・2019 年 8 月

著者	吳正雄
	Email: kcartedu@gmail.com
發行人	楊曉祺
總編輯	蔡國彬
出版者	麗文文化事業股份有限公司
地址	80252高雄市苓雅區五福一路57號2樓之2
電話	07-2265267
傳真	07-2264697
網址	www.liwen.com.tw
電子信箱	liwen@liwen.com.tw
劃撥帳號	41423894
臺北分公司	10045台北市中正區重慶南路一段57號10樓之12
電話	02-29229075
傳真	02-29220464
法律顧問	林廷隆律師
電話	02-29658212

行政院新聞局出版事業登記證局版台業字第5692號

ISBN 978-986-490-162-3（平裝）

麗文文化事業

定價：400 元